中华人民共和国法律释义丛书

全国人民代表大会常务委员会法制工作委员会　编

中华人民共和国
消费者权益保护法释义

主　编：李适时（全国人大常委会法制工作委员会主任，
全国人大法律委员会副主任委员）

法律出版社

图书在版编目(CIP)数据

中华人民共和国消费者权益保护法释义 / 全国人大常委会法制工作委员会编. -- 北京:法律出版社,2013.11(2018.11 重印)

(中华人民共和国法律释义)

ISBN 978-7-5118-5605-0

Ⅰ. ①中… Ⅱ. ①全… Ⅲ. ①消费者权益保护法-法律解释-中国 Ⅳ. ①D923.85

中国版本图书馆 CIP 数据核字(2013)第 262482 号

中华人民共和国消费者权益保护法释义
ZHONGHUA RENMIN GONGHEGUO XIAOFEIZHE QUANYI BAOHUFA SHIYI

全国人大常委会法制工作委员会 编

责任编辑 麦 锐
装帧设计 李 瞻

编辑统筹 法规出版分社

出版 法律出版社
总发行 中国法律图书有限公司
经销 新华书店
印刷 北京玺诚印务有限公司
责任印制 吕亚莉

开本 850 毫米×1168 毫米 1/32
印张 13.375
字数 310 千
版本 2013 年 11 月第 1 版
印次 2018 年 11 月第 3 次印刷

法律出版社/北京市丰台区莲花池西里 7 号(100073)
网址/www.lawpress.com.cn
投稿邮箱/info@lawpress.com.cn
举报维权邮箱/jbwq@lawpress.com.cn
销售热线/010-83938336
咨询电话/010-63939796

中国法律图书有限公司/北京市丰台区莲花池西里 7 号(100073)
全国各地中法图分、子公司销售电话:
统一销售客服/400-660-6393
第一法律书店/010-83938334/8335 西安分公司/029-85330678 重庆分公司/023-67453036
上海分公司/021-62071639/1636 深圳分公司/0755-83072995

书号:ISBN 978-7-5118-5605-0 **定价**:58.00 元

总　序

人类文明的历史上，还没有哪一个时代像中国的改革开放40年一样，在历史长河中掀起如此巨大的浪花——它不仅深刻改变了一个国家的面貌与精神气质、使数亿人摆脱贫困，还极大地改变了世界格局。

1978，在那一年的年底，中共中央一次全体会议——十一届三中全会扭转了中国的前进方向，开辟了一个时代。回首过去，我们发现，一些观念从那时开始在中国出现，一些声音从那时开始逐渐响起，一些人物开始登上历史舞台。从这一年开始，随着“加强社会主义民主，健全社会主义法制”历史性任务的提出，“法制”两个字进入了人们的视野；政法机关开始恢复重建；法律院系开始蓬勃发展。一部部法律从庙堂走进了人们的生活，一次次裁决推动着国家前进的脚步。从“有法可依、有法必依、执法必严、违法必究”到“科学立法、严格执法、公正司法、全民守法”；从“法制”到“法治”；从法治观念的形成到“依法治国，建设社会主义法治国家”写进宪法，再到“法治国家、法治政府、法治社会一体建设”，人们对法治的认识步步深入，中国的改革不断向前推进，结出丰硕的果实。在中国共产党的带领下，这个励精图治的古老国度，再一次创造了改革的奇迹。

40年发生了无数故事,40年产生了许多事物。为了纪念这难忘的40年,本社组织编辑出版了一批“纪念改革开放40周年”主题图书。这些图书,将40年来颁布的重要法律及其释义甄选汇集,将法学领域有代表性的学术论文萃取精编,把有关政法机关的重建、法律院系的重生与发展进行展现,将一批被时代改变命运的人物再次唤起。我们希望从法律与法律人的视角,重新审视过去的40年,认真体会这不平凡的40年。

如江河东下,逝者如斯。岁月总会过去,人事总有代谢,但一个不平凡的时代留下的深刻痕迹,永远不会磨灭。“不忘初心,牢记使命”,习近平总书记在党的十九大报告中向全党发出的号召,使我们有理由期待,下一个40年,中国将更加惊艳!

法律出版社编辑委员会

2018年10月

出 版 前 言

《中华人民共和国法律释义丛书》是由全国人大常委会法制工作委员会组织编辑的一套系列丛书。

该套丛书由一系列法律释义组成。邀请有关专家、学者和部分参与立法的同志编著。该丛书坚持以准确地反映立法宗旨和法律条款内容为最基本要求，在每部法律释义中努力做到观点的权威性和内容解释的准确性。

我们相信，该套丛书的陆续出版，将会给广大读者进一步学好法律提供有益的帮助。

重印说明

本次重印,是为改革开放40周年制作的特别纪念版,为了保持内容原貌,未对正文和附录作实质修改。个别法条内容有修订或修正的,以脚注形式作了标注。特此说明。

2018年10月

目　录

第一部分　释　义

第二部分 附 录

第一部分　释　　义

第一章　总　　则

本章共六条，主要对消费者权益保护法的立法目的、本法的调整范围、经营者与消费者交易应当遵循的原则、国家保护消费者合法权益、全社会共同保护消费者合法权益等内容作了规定。

第一条　为保护消费者的合法权益，维护社会经济秩序，促进社会主义市场经济健康发展，制定本法。

【释义】　本条是关于消费者权益保护法的立法目的的规定。

2013 年 10 月 25 日，第十二届全国人大常委会第五次会议通过了《全国人民代表大会常务委员会关于修改〈中华人民共和国消费者权益保护法〉的决定》，该修改决定自 2014 年 3 月 15 日起施行。

消费者权益保护法是第八届全国人大常委会第四次会议于 1993 年 10 月 31 日通过，自 1994 年 1 月 1 日起施行的。该法施行近二十年来，对保护消费者的合法权益，形成消费者权益保护的社会理念，规范经营者的经营行为，维护社会经济秩序，促进社会主义市场经济健康发展，发挥了重要作用。但是，随着经济社会的不断发展,我国消费方式、消费结构和消费理念发生很大变化。在消费方式方面,随着互联网的兴起与发展,网络销售、网络购物渐成规模。据统计,2006 年我国网络零售市场交易额为 263 亿元,2012 年达到 1.3205 万亿元,六年间增长了 50 倍;网络零售总额占社会消费品零售总额的比重从 2006 年的 0.3%升至 2012 年的 6.3%。在消费结构方面,消费品和经营者提供的服务种类日趋丰富,自住商品房、机动车、金融服务等成为消费者日常生活中新的消费对象。在消费理念方面,在提升消费生活水平的同时,文明、健康和节约资源、保护环境的消费观念逐渐形成。针对消费者权益保护领域出现的这些新情况、新问题,有必要适时修改消费者权益保护法,完善消费者权益保护法律制度。

近年来,一些全国人大代表和有关方面陆续提出修改消费者权益保护法的意见和建议。根据十一届全国人大常委会立法规划,全国人大常委会法制工作机构从 2011 年 10 月着手研究修改工作。修改工作注意把握以下几点:一是秉持以人为本的立法理念,认真总结消费者权益保护法的实施经验,切实加强对消费者权益的保护。二是针对消费领域出现的新情况、新问题,着重解决广大人民群众十分关注的突出问题,并尽量把保护消费者权益的制度落到实处。三是适应转变经济发展方式的要求,营造良好的法治环境,增强人民群众消费信心,并引导节约资源和保护环境的合理消费。四是按照加强和创新社会管理的需要,进一步发挥消费者协会等社会组织的作用,强化有关部门对保护消费者权益的监管职责,减少、预防消费纠纷。在修法过程中,全国人大常委会法制工作机构多次听取有关部门和地方、人民法院、人大代表、消费者协会及消费者、有关企业等经营者、专家学者和律师等方面的意见,到一些地方实地调研,反复研究修改，形成了消费者权益保护法修正案草案，草案经2013年4月常委会第二次会议、8月常委会第四次会议和10月常委会第五次会议三次审议通过。

消费者权益保护法是保护消费者合法权益的重要法律，旨在保护消费者的合法权益，维护社会经济秩序，促进社会主义市场经济健康发展。保护消费者权益是本法的核心和基础。本法专章规定了消费者的权利，包括人身财产安全权、购买使用商品或者接受服务的知情权、商品或者服务的选择权、公平交易权、获得赔偿权、成立维权组织权、获得消费和消保知识权、受尊重权、信息得到保护权、对商品和服务及消保工作的监督权，体现了对消费者的倾斜性保护。维护社会经济秩序是消费者权益保护立法的目的之一。消费者权益保护法从经营者的义务和责任方面作了专门规定，包括诚信经营、公平交易，保障消费者人身财产安全，保证商品和服务的质量，不得对商品和服务作虚假宣传，不得用格式条款免除责任，不得违法收集使用和泄露消费者的个人信息等。规定了对侵害消费者合法权益的行为应当依法承担民事责任、行政责任；构成犯罪的，依法追究刑事责任，以维护良好的社会经济秩序。促进社会主义市场经济健康发展是消费者权益保护立法的必然要求。保护好消费者合法权益、维护好社会经济秩序，有利于提升全社会的消费信心，扩大国内消费需求；有利于注重消费者权益保护的优良企业发展壮大，为社会主义市场经济健康发展增强动力。

这次修改从加强社会诚信建设、充实细化消费者权益、强化经营者义务与责任、规范网络购物等新的消费方式、进一步发挥消费者协会的作用、进一步明确行政部门的监管职责等方面对现行消费者权益保护法作了修改完善。

在加强社会诚信建设方面，针对一些经营者诚信缺失，背离社会公德，违法经营，严重损害消费者权益的情形，一是规定经营者向消费者提供商品或者服务，应当恪守社会公德，诚信经营，保障消费者合法权益。二是对经营者掺杂、掺假，以假充真，以次充好，以不合格商品冒充合格商品，虚假宣传等行为，规定除依照法律、法规规定予以处罚外，由处罚机关记入信用档案，向社会公布。这些规定有利于引导经营者自觉履行法定义务并承担社会责任，培育诚信的消费环境，增强人民群众的消费信心。

在充实细化消费者权益的规定方面，针对实践中有的经营者非法收集、使用消费者的个人信息，擅自泄露或者非法向他人提供消费者个人信息，严重影响消费者正常生活，侵害消费者的合法权益的情况，对消费者个人信息得到保护的权利作了规定。

在强化经营者的义务与责任方面，针对实践中较多发生的消费者权益受到损害的情形以及维权难的情况，一是增加规定经营者向消费者提供商品或者服务，不得设定不公平、不合理的交易条件，不得强制交易。二是明确经营者召回缺陷商品的义务，对提供的商品或者服务存在缺陷，有危及人身、财产安全危险的，应当采取召回等措施。三是明确经营者对耐用商品等的瑕疵举证责任。四是完善“三包”规定，强化退货、更换、修理的义务，促使经营者保证商品和服务质量。五是强化广告经营者、发布者的责任，对设计、制作、发布关系消费者生命健康商品或者服务的虚假广告，造成消费者损害的，应当与提供该商品或者服务的经营者承担连带责任。六是加大对欺诈行为的惩罚力度，增加规定经营者明知商品或者服务存在缺陷，仍然向消费者提供，造成消费者或者其他受害人死亡或者健康严重损害的，受害人有权要求经营者依照本法第四十九条、第五十一条等法律规定赔偿损失，并有权要求所受损失两倍以下的惩罚性赔偿。

在规范网络购物等新的消费方式方面，针对网络销售等新的消费方式与传统消费方式的不同特点，一是对网络购物中经营者提供的信息不真实、不完整问题，作出了经营者应当向消费者提供真实、全面信息的规定。二是建立了无理由退货制度，赋予消费者在七日内无理由退货的权利。三是规定了网络交易平台提供者不能提供销售者或者服务者真实名称、地址和有效联系方式的，应当承担先行赔付责任。

在进一步发挥消费者协会作用方面，一是将消费者协会的定性修改为“社会组织”；二是明确了消费者协会履行职责的公益性；三是各级人民政府对消费者协会履行职责应当予以必要的经费等支持；四是规定对侵害众多消费者合法权益的行为，中国消费者协会以及在省、自治区、直辖市设立的消费者协会，可以向人民法院提起诉讼。

在进一步明确行政部门监管职责方面，一是规定有关行政部门在各自的职责范围内，应当对经营者提供的商品和服务进行抽查检验，并向社会及时公布抽查检验结果；二是规定有关行政部门发现并认定经营者提供的商品和服务存在缺陷，应当立即责令经营者采取召回等措施；三是消费者向有关行政部门投诉的，该部门应当自收到投诉之日起七个工作日内予以处理并告知消费者；四是加大对损害消费者合法权益行为的行政处罚力度。

第二条　消费者为生活消费需要购买、使用商品或者接受服务，其权益受本法保护；本法未作规定的，受其他有关法律、法规保护。

【释义】　本条是关于消费者权益保护法调整范围的规定。

调整范围是消费者权益保护法的核心问题。明确调整范围有助于正确划分消费者权益保护法与其他法律的界限,也有助于人民法院和有关行政机关在实践中正确适用法律。本法调整范围的问题,是这次修改过程中争论较大的问题,主要集中在四个方面:(1)是否修改"为生活消费需要"的表述;(2)是否将金融、医疗教育等纳入本法调整范围;(3)"知假买假"行为是否受本法保护;(4)消费者是否限于自然人。对这些问题,立法机关广泛调研,多方征求意见,并对境内外的情况作了较为充分的比较分析研究。

一、是否修改"为生活消费需要"的表述

从境外的情况看,其他国家和地区主要通过界定消费者概念的方式确定消费者权益保护法律的调整范围。这些国家和地区对消费者的界定主要有三种立法模式:一是通过反向排除的方式界定消费者。有的规定,消费者是非以生产经营目的而从事消费行为的人。例如,日本《消费者合同法》规定,消费者是为经营事业目的之外缔结合同的自然人。有的则规定,消费者是"非以营业或者职业为目的"从事消费行为的民事主体。例如,德国民法典规定,消费者是指既非以其营利活动为目的,也非以其独立的职业活动为目的而缔结法律行为的任何自然人。英国规定,消费者是在其从事贸易或者职业范畴外与经营者签订合同的自然人。欧盟颁布《电子商务指令》、《消费者远程金融服务指令》、《消费者信贷指令》等也均作了类似的规定,将消费者界定为"以行业、业务或职业以外的目的而进行购买商品或者接受服务行为的自然人"。二是正面表述消费者的概念。这又有两种立法例:(1)规定消费者是为生活需要目的购买、使用商品或者接受服务的民事主体。例如,俄罗斯规定,消费者是使用、取得商品或者服务以供个人生活需要的公民。(2)规定消费者是为个人或者家庭需要购买、使用商品或者接受服务的民事主体。例如,美国统一商法典规定,消费者是指为了个人、家庭成员或者家庭目的而购买商品的个人。这种立法例的用意在于最大限度地扩大保护消费者权益的范围,但是该定义没有明确“个人目的或者家庭目的”的内涵,难以从主观方面区分个人消费行为和个人投资经营行为。三是混合立法模式。采纳这种立法模式的国家和地区,对消费者的界定既有正面表述,也从反向排除。例如,澳大利亚法律规定,消费者既包括为了个人使用或者家庭使用的目的而购买特定货物或者接受服务的人,也包括购买的商品或者服务不超过4万澳元的个人。同时,还规定,购买人在获得商品或者服务后又使其重新进入流通领域而转卖出去的,不属于消费者。我国台湾地区规定,消费者指以消费为目的而为交易、使用商品或者接受服务者。台湾地区在其发布的一系列相关“函释”中规定,所谓之消费,系指非供执行业务或者投入生产使用,不再用于生产或销售之情形下所为之最终消费。

在这次修改中,对“为生活消费需要”的规定主要有以下意见:一是一些意见提出,实践中,对何为“为生活消费需要”理解不尽一致,适用较为混乱,建议修改为“非以生产经营或者职业活动为目的”;或者修改为“为个人或者家庭需要”。二是一些意见提出,随着经济社会的发展,人们的消费结构和消费方式都在不断发生变化,“生活消费需要”已不能完全适应当前形势,建议扩大调整范围;或者删除“为生活消费需要”的表述,规定任何人只要其购买商品或者接受服务不是为了将商品或者服务再次转售,不是为了从事某种商品交易活动,就应被纳入调整范围;或者规定凡是购买商品、接受服务的行为,均应适用消费者权益保护法。三是一些意见认为,“为生活消费需要”比较准确反映了消费者权益保护法的适用范围,没有必要修改。对于实践中存在的问题,可以通过扩大解释“生活消费”内涵的方式解决,使其不但包括生存消费,也包括发展消费、休闲消费等。

我们经研究认为,对消费者权益保护法调整范围的规定应当遵循三个原则:一是要有利于正确划分消费者权益保护法与其他法律的界限;二是要有利于法院和有关行政机关正确适用法律;三是要有利于强化对消费者权益的保护。消费者权益保护法规定的"生活消费",是指为个人或者家庭生活需要而消费物质资料或者精神产品的行为。"生活消费"的内涵是丰富的,不能将其仅仅理解为吃穿的消费,它既包括衣食住行等生存型消费,也包括职业培训等发展型消费,还包括文化旅游等精神或休闲型消费;同时,"生活消费"的范围也随着经济社会的发展而发展,过去不认为是生活消费的,现在或者将来可能成为生活消费,如网络消费,未来还有可能出现太空旅行消费等。因此,"为生活消费需要"的表述可以较为科学地反映本法的调整范围,体现本法特点,也基本可以划清本法与其他法律的界限,其他表述或者境外的不同规定,不一定比这一表述更为恰当。同时,"为生活消费需要"的内涵丰富,涵盖范围较宽,可以为法律适用留有余地。

二、是否将金融、医疗教育等服务纳入本法调整范围

(一)其他国家或地区的情况

自20世纪90年代末亚洲金融危机之后,一些国家和地区开始将金融服务纳入消费者权益保护领域。英国2000年颁布的《金融服务和市场法》将存款人、保险合同相对人、投资人等所有参与金融活动的个人都纳入"金融消费者"群体,并将"确保对金融消费者适当水平的保护"作为法定监管目标之一。日本的《金融产品销售法》和《金融产品交易法》规定,"业余投资人"将生活费用拿去投资的,该类投资也属于生活消费。2008年修订的《消费者合同法》、《消费者信用法》等法律还对金融机

构的说明义务、适当性原则及冷静期制度等规则作了规定。欧盟近年来制定了一系列侧重金融消费者权益保护的专门性指令,如《消费者远程金融服务指令》和《消费者信贷指令》等。上述指令虽未采用“金融消费者”的概念,但对金融机构缔约前的信息披露义务、区分消费群体实施的分类劝诱规则、缔约后14日内消费者的单方解约权、举证责任分配等保护金融消费者的规则作了详细规定。自2008年次贷危机后,美国金融监管改革开始高度重视金融消费者的保护。2008年发布的《现代化金融监管架构蓝图》将金融消费者保护作为金融监管的三大目标之一。2010年出台的《华尔街改革和消费者保护法》明确规定,要设立消费者金融保护署,以保证消费者在购买金融产品、接受金融服务时得到清晰、准确和易于理解的信息,遏制不公平或者欺诈性的行为。我国台湾地区2011年“金融消费者保护法”也对金融消费保护问题作了较为详细的规定,并明确规定,金融服务业,包括银行业、证券业、期货业、保险业、电子票证业及其他经主管机关公告之金融服务业,均适用这些规定。对于“金融消费者”的范围,目前各国主要根据购买金融产品、接受金融服务的民事主体在信息、专业知识和能力等方面与经营者相比,是否处于弱势地位来界定。例如,美国将金融消费者定义为“主要是为了用于个人、家庭目的或者其他个人合法目的而从金融机构获取金融产品或者金融服务的个人”。英国、日本等国家将投资类金融产品的购买者也纳入金融消费者范畴。同时,一些国家和地区为使真正的弱势主体得到有效保护,协调好保护投资者和提高市场效率的关系,一般都将具有较强风险承受能力和知识经验的专业投资者排除在金融消费者范围之外。例如,日本《金融产品交易法》规定,保护一般金融消费者的某些具体规则不适用于“特定投资者”,即在知识、经验以及财产状况等方面具备相当条件的个人，如净资产3亿日元以上等。他们在要求金融机构就特定事项进行说明等方面，不享有普通消费者的权利。我国台湾地区“金融消费者保护法”规定，金融消费者是指接受金融服务业提供金融产品或者服务者，但不包括专业投资机构和符合一定财力或专业能力之自然人或法人。并规定“一定财力或专业能力”的条件“由主管机关定之”。

其他国家和地区的立法对医疗教育服务是否纳入消费者权益保护领域很少有明确规定。在德国，医生属于自由职业者，其与患者之间的关系可以适用消费者权益保护法律。义务教育、学历教育是国家提供的公益性服务，原则上不适用消费者权益保护法律。在瑞典，实践中总体上将医疗教育视为公益事业，不具有可交易性，一般不纳入消费者权益保护领域。但是，完全市场化运作的医疗美容、培训教育服务等都纳入消费者权益保护领域。在日本，大多数患者依据民法上有关医生的注意义务提起诉讼，很少有患者依据消费者合同法提起医疗损害赔偿之诉。但是在医疗美容服务领域，曾有患者依据消费者合同法提起诉讼。同时，日本法院一般认为，消费者合同法关于格式条款的规定应当适用于医疗服务领域。我国台湾地区对该问题的态度经历了由肯定转为否定的过程。1998年台湾地区“高等法院”在相关判例中指出，消费者保护法适用于医疗服务。理由是：第一，从性质上讲，医疗服务属于社会服务的一种；第二，台湾地区“消费者保护法”及施行细则并未明文将医疗服务排除在外；第三，医疗服务虽与销售商品无关，且无营利性，但接受医疗服务是人基于生存之生活目的所必需的行为，且与消费者之生命健康安全有重大关系。但是，近年来情况有所转变。例如，我国台湾地区“高等法院”在2005年的相关判例中否定患者的消费者地位，理由是：第一，将“消费者保护法”规定的制度适用于医疗机构的诊疗行为，医生有可能出于自保心理，采取防御性医疗，最终危及整体患者的利益；第二，对医学认知的有限性和患者个体的差异性，致使医疗服务具有高风险性和不确定性，即使施行相同诊疗，仍可能产生结果差异。因此，对“消费者保护法”向医疗服务领域的扩张应慎重。

（二）国内情况

对金融领域的消费者权益保护问题，我国现行法律并没有明确规定。2006 年中国银监会发布的《商业银行金融创新指引》使用了“金融消费者”的概念，以指代各类银行个人客户；2011 年 1 月，中国银监会发布了《商业银行信用卡业务监督管理办法》，将消费者保护作为核心目标之一。从调研情况看，对金融消费是否适用消费者权益保护法，多数意见认为，金融消费应当适用，理由有：一是金融领域侵害消费者合法权益的问题主要是因信息不对称导致的，这与其他领域消费者权益受损的问题存在共性；二是金融消费本应是市场行为，但由于市场化不充分，金融机构采用行业内部管理规定处理与消费者之间的纠纷，消费者明显处于弱势，权益难以得到保障。也有的意见认为，金融消费不同于一般消费，具有较大特殊性，不宜纳入调整范围，宜制定专门的金融消费者保护法或者行政法规，对金融消费者的内涵和外延、金融消费者的权利、金融经营者的义务、金融消费者保护机构等问题作出明确规定。还有的意见认为，金融消费是否适用消费者权益保护法，应区分情况，基本的存贷业务、银行卡业务等属于人们的生活消费范畴，可以适用消费者权益保护法；购买银行理财产品或者从事股票交易等，属于投资行为，不应适用。

部分地方在消费者权益保护法实施办法或者保护条例中规定患者属于消费者，如湖南、福建等地均将医患关系纳入调整范围。浙江将医疗服务部分纳入调整范围:一是医疗机构应当尊重患者对自己的病情、诊断、治疗的知情权;二是患者有权要求查阅、复印病历等资料。关于医疗服务是否适用消费者权益保护法,有的意见认为,医疗服务应适用消费者权益保护法。首先,看病、治病是人们生存和发展必不可少的活动,是一种比较特殊的消费行为;其次,医院向患者提供的是有偿服务,患者需要花钱才能享有医疗服务;最后,与医疗机构相比,患者在信息的掌握等方面明显处于弱势地位。有的意见认为,医疗服务不应纳入消费者权益保护法调整范围,理由是:第一,医疗服务带有公益和社会福利色彩,如承担急诊救治、医务人员下乡等义务;第二,医患双方并非单纯的合同关系,医疗机构向患者提供的诊疗服务实行政府指导价而非市场调节价,患者支付的费用并非医疗服务的成本费用;第三,诊疗行为的特殊性与消费者权益保护法的某些规定冲突,如医疗机构难以履行"三包"义务,并发症、患者特异体质等因素无法保证相同诊疗产生相同疗效等;第四,将诊疗服务纳入消费者权益保护法,可能引发诊疗费用上涨、过度诊疗和防御性诊疗,最终损害患者利益。还有的意见认为,医疗服务的问题比较复杂,是否适用消费者权益保护法,应当区分情况,不宜笼统规定适用或者不适用。紧急救治和强制医疗并非合同关系,也并非市场交易行为,不宜纳入消费者权益保护法调整范围。治疗、手术等医疗技术服务具有专业性、高风险性、探索性等特点,受临床经验、医疗条件等影响大,判断标准不是某个人的感受可以决定的,若纳入调整范围有可能导致医院或者医生为了规避风险对患者过度检查或者进行防御性治疗,这不但会妨碍医疗技术的发展,最终也会损害患者权益。因此,也不宜适用消费者权益保护法。医疗产品销售、发布医疗广告、使用医疗设施、医疗美容服务等对诊疗效果有明确承诺的医疗服务，可以适用。

一些地方关于消费者权益保护法的实施办法或者保护条例对教育服务问题作了一定规定。内蒙古等地规定，教育培训经营行为应适用消费者权益保护法。河南等地规定，只有非学历教育可以适用消费者权益保护法。安徽等地规定，非公益性的教育可以适用消费者权益保护法。理论界和实务界对此也看法不一。有的意见认为，教育服务具有公益性，不是完全的商业性服务；且该类服务在政策层面受相关行业主管部门监管，有关纠纷的处理，相应的部门法和行政法规、规章中已有相应规定，没有必要纳入消费者权益保护法适用范围。有的意见认为，教育服务是否适用消费者权益保护法，应当区分情况。义务教育和学历教育具有公益性，不是市场经营行为，不宜适用消费者权益保护法；非学历教育，如各种职业教育、培训等，目前基本是市场化运作的，不是公益性事业，应当纳入调整范围。

我们研究认为，消费者权益保护法的立法目的是保护整体上为弱者的消费者一方的合法权益。原则上讲，只要提供商品或者服务一方从事的是市场经营活动，购买商品或者接受服务的一方是为了个人或者家庭终极消费的需要，而不是为了从事生产经营或者职业活动的需要，就应当适用本法。从实践情况看，金融领域中存在消费者在交易中处于弱势地位的情形，有的问题还比较严重，如金融理财产品销售过程中的格式条款、虚假陈述等，有必要对这些领域的消费者加强保护。同时，金融机构提供金融服务实际上是一种市场交易活动，作为个人接受金融服务也主要是为了个人或者家庭财产的保值增值需要，属于金融消费的范畴。因此，金融服务原则上应受消费者权益保护法调整，不宜排除。为此，修改后的本法第二十七条规定，提供证券、保险、银行等金融服务的经营者，应当向消费者提供经营地址、联系方式、商品或者服务的数量和质量、价款或者费用、履行期限和方式、安全注意事项和风险警示、售后服务、民事责任等信息。该规定明确了金融消费适用本法。同时,消费者权益保护法适用于该领域,并不妨碍商业银行法、银行业监督管理法等相关法律对该领域的其他具体问题作出规定。医疗教育服务的情况则比较复杂,医疗领域中的强制治疗、紧急救治等情形属于医院的法定义务,不属于交易关系;教育领域中的义务教育具有公益性、义务性、不可交易性等特点,也不属于交易关系;医疗美容服务、培训教育等情形则完全按市场化运作。因此,一概规定这些领域适用或者不适用消费者权益保护法都不很妥当。同时,目前各方对医疗教育服务是否适用消费者权益保护法还有不同意见,尚未达成共识。基于以上考虑,这次修改并没有明确规定医疗教育服务是否适用消费者权益保护法。但并不是说这些领域的所有活动都不适用消费者权益保护法,这些领域的某一活动是否适用本法,宜在实践中根据具体情况,判断是否属于消费者权益保护法规定的"为生活消费需要"的交易行为,符合这个要件的,原则上就应当纳入消费者保护法的调整范围。

三、消费者是否限于自然人

对于消费者是否限于自然人,其他国家和地区也做法不一,大体可分为三种情况:一是欧盟、英美和日本等多数国家和地区明确将消费者限定于自然人,排除法人和其他组织。二是少数国家规定,消费者既包括自然人,也包括法人。例如,西班牙规定,消费者是以终极消费为目的,向官方或者私人、团体购买他们所生产、制造、提供之产品或者服务的自然人或者法人。墨西哥规定,消费者是指作为最终受益人购买、交易或者使用商品或者服务的个人和法人。三是一些国家和地区笼统以法律上

“人”的概念界定“消费者”,并未明确以自然人为限。例如,韩国和我国台湾地区均规定消费者是为消费而购买商品或者接受服务的人。我国台湾地区多数学者认为,法律并未明确将消费者限定于自然人,机关、团体或者其他组织从事最终消费行为时,也享有消费者的权利。如购买住房供职工居住的公司也可以被视为消费者。

对于消费者是否限于自然人,我国消费者权益保护法并未明确规定。1993 年法律委员会关于该法草案的审议结果报告指出,考虑到一些委员和地方、企业提出,单位购买生活资料最后也是由个人使用,保护消费者权益的范围可以不排除单位和集体。消费者权益保护法颁布后,上海、天津、安徽、湖南、吉林、浙江、青海、福建、云南、甘肃、内蒙古等地在消费者权益保护法实施办法或者保护条例中,均将消费者定义为“为生活消费需要而购买、使用商品或者接受服务的单位或者个人”。在理论界和实践中,对于消费者是否限于自然人,也有不同意见。有的意见认为,保护“经济上的弱者”是消费者权益保护法立法的初衷,法人和其他组织并非经济上的弱者,一旦与经营者发生纠纷,应当依照民法通则、合同法的一般原则解决,且排除法人或者其他组织的消费者地位,并不意味着最终使用消费品的自然人无法以消费者身份提起诉讼,法律关于消费者的规定不仅包括“购买”者,还包括“使用”者;此外,对于员工提起的诉讼,法人或者其他组织可以第三人名义参加诉讼。所以,“消费者”应限于“自然人”。也有的意见认为,现实生活中单位购买消费品的现象大量存在,如某单位的工会购买消费品作为福利分发给职工个人是常见现象。在这种情况下,将单位作为生活消费的主体纳入消费者范围,有利于保护最终消费者的权益。

我们经研究认为,消费者原则上应当是自然人,一是消费者权益保护法给予消费者倾斜性保护，主要是考虑到其弱者地位，而单位从谈判地位、经济力量等方面讲不是弱者，可以通过合同法、产品质量法等法律主张权利。二是也符合国际立法趋势。多数国家和地区都将消费者限定于自然人。三是单位购买用于职工福利的商品或者服务，一般都要有偿或者无偿地转归个人，承受消费权益的最终主体仍然是个人，个人受到损害的，可以直接维权；若考虑到没有发票等证据问题，可以由单位作为诉讼第三人参加诉讼。但是考虑到仍有一些不同意见，这次修改并没有对此明确规定。

四、“知假买假”行为是否受本法保护

对于知假买假者行为是否纳入调整范围，理论上和实践中都存在较大争议。一种意见认为，知假买假者的目的不是生活消费而是牟利，其行为也违反了诚实信用原则，与消费者权益保护法的立法目的不符。此外，近年来又出现了一些职业打假人以举报违法经营行为相要挟，向经营者索取“封口费”，甚至进行敲诈勒索，实际上是以违法行为对抗违法行为，给市场秩序造成不良影响。因此，不宜将知假买假者视为消费者。另一种意见认为，消费者在购买商品过程中，其内在动机到底是为了日常生活需要，还是为了借此谋利，在实践上很难判断。任何人只要其购买商品和接受服务不是为了将商品或者服务再次转手，他就应被视为消费者，至于其购买动机和目的，可能涉及道德问题，但不属于法律问题，司法实践中没有必要对此刻意区分。此外，将知假买假者视为消费者，客观上还可以起到打击假冒伪劣等违法经营行为，净化市场的作用。还有的意见认为，打假最终要靠市场行为，而不是行政行为，以食品安全为例，虽然主管部门众多，但食品安全问题并没有得到很好解决，将知假买假者视为消费者，有利于解决行政机关保护消费者权益不力的问题。

关于知假买假的行为是否适用消费者权益保护法，我们在修改过程中做过深入调研，但各方面对这个问题有不同意见，争议很大。因此，这次修改没有专门就这个问题作具体规定。实践中，行政执法部门或者司法机关遇到相关纠纷，可以按照本条规定的原则，根据案件的具体情形作出处理。民事活动纷繁复杂，需要结合实际，运用法律规定的原则对纠纷予以判定。这个实践的过程，就是不断总结经验的过程，对于知假买假这类争议较大的问题来说，也是逐渐统一认识的过程。以后如果形成了相当的共识，确有必要，可以再通过立法予以明确。

五、本条的含义

基于以上考虑，这次对消费者权益保护法第二条的规定未作修改，仍为“消费者为生活消费需要购买、使用商品或者接受服务，其权益受本法保护；本法未作规定的，受其他有关法律、法规保护。”对本条的理解应当把握以下几点：

一是本条规定的“生活消费”是一个广义的、开放的概念。它既包括生存型消费，如吃饭穿衣；也包括发展型消费，如个人培训；还包括精神或者休闲消费，如旅游、娱乐等。随着人民群众物质财富的增加，生活水平的提高，生活消费的内容还会不断丰富和发展，如现在有的人已开始购买私人飞机、私人游艇，将来也有可能会出现个人到太空旅行。那种认为“生活消费”仅限于衣食住行消费的观点是不正确的，认为买了奢侈品，甚至买汽车、去旅游等行为都不受本法保护的观点也是不正确的。

二是消费者既包括商品的购买者，也包括商品的使用者，还包括服务的接受者。消费者不限于与经营者达成合同关系的相对方，购买商品一方的家庭成员、受赠人等使用商品的主体都是本法规定的消费者。

三是农民购买、使用直接用于农业生产的农资产品的，参照适用本法。本法调整的是生活消费，从性质上讲，农民购买、使用农资产品是生产消费。但考虑到消费者权益保护法是主要保护交易弱者一方的法，在我国目前的现实情况下，农民的弱者地位较为明显，为了体现对农民权益的特殊保护，本法在附则专门规定，农民购买、使用直接用于农业生产的生产资料，参照本法执行。

四是消费者为生活消费需要购买、使用商品或者接受服务，其权益受本法保护。本法的内容主要都是围绕如何更好地保护消费者权益展开的。本法第二章详细规定了消费者享有的各项权利，这些权利受到本法和其他法律的保护；第三章规定了经营者的义务，经营者应当担负起保护消费者权益的首要责任，严格履行这些义务；第四章规定了国家对消费者合法权益的保护，各级政府及其相关行政机关和其他国家机关都应切实履行好保护消费者合法权益的职责；第五章规定了消费者协会等消费者组织，消费协会应当充分发挥保护消费者合法权益的作用，提供良好的公益性服务；第六章规定了纠纷的解决方式，消费者合法权益受到损害的，可以通过这些方式得到救济；第七章规定了法律责任，经营者在提供商品或者服务的过程中，违反法律规定损害消费者权益的，应当承担相应的法律责任。同时，本法是保护消费者权益的基本性质的法律，除了本法外，合同法、侵权责任法、产品质量法、食品安全法、药品管理法、广告法等其他法律法规也有涉及消费者权益保护的规定，对于本法未作规定的，消费者合法权益还受这些相关法律、法规保护。

第三条　经营者为消费者提供其生产、销售的商品或者提供服务，应当遵守本法；本法未作规定的，应当遵守其他有关法

律、法规。

【释义】 本条是关于经营者的规定。

经营者是消费者权益保护法涉及的另一个重要主体，是与消费者相对应的一个概念，消费者权益保护法在保护消费者权益的同时，也是对经营者的行为进行规范。消费者权益保护法第三条规定，经营者为消费者提供其生产、销售的商品或者提供服务，应当遵守本法；本法未作规定的，应当遵守其他有关法律、法规。对这一规定，本次未作修改。

根据本条规定，经营者具有以下几个特征：

一是从内涵上讲，经营者是从事生产、销售商品或者提供服务等经营活动的民事主体。根据我国现行法律规定，经营者通常是为从事一定的商业经营活动而存在的，如公司作为经营者，其营业执照上通常会列明经营范围，其存在的目的就是从事经营范围内的活动。具体表现为制造某些商品，销售包括批发、零售某些商品，或直接提供某种服务，从事其中任何一种经营行为就可视为经营者，如商业银行提供金融服务。其次，经营者从事生产、销售商品或者提供服务应具持续性，偶尔、零星地售出商品或者提供服务的，不宜认定为经营者，如某人在网上偶尔出售自己的二手自行车，某家庭主妇偶尔将自家的物品出售给邻居等，这些都不应被认定为经营者。

二是经营者从事的行为是有偿的。从事的行为是否具有有偿性是判断某一主体是否为经营者的主要标准。也正是因为经营者从事的行为具有有偿性，决定了其应当对消费者负有较高的注意义务，承担较重的法律责任。从事无偿行为的，通常不应视为本法所指的经营者，如从事九年制义务教育的学校，由于其是根据国家规定无偿提供教育服务的，因此，不宜被认定为经营者，学生也不应被视为消费者，不宜适用消费者权益保护法的规定，应当适用义务教育法等法律的规定。又如，某一主体无偿提供商品或者服务，可能构成赠与合同关系，而不是买卖等交易合同关系，因为无偿，赠与人负有较低的注意义务，赠与人也不应被视为本法规定的经营者，赠与财产有瑕疵，造成受赠人损失的，应当按照合同法的规定承担责任，不应适用本法。但是，某一商场若为了商品促销的需要，在向消费者出售商品的同时，附赠赠品的，其实质仍是有偿的经营行为，仍应视为本法的经营者。

三是从外延上看，本法规定的经营者不以公司等企业法人为限。凡是持续有偿地向消费者从事了商品生产、销售或者提供服务的法人、其他组织和自然人，均可成为本法的经营者。

在立法过程中，一种观点认为，从事网吧、银行卡、证券等新型经营活动的主体不是本法规定的经营者，不应适用本法。这种观点是不对的，这些民事主体只要是持续有偿的从事这些经营活动，就是本法规定的经营者。

本法所规定的经营者，在为消费者提供其生产、销售的商品或者提供服务的过程中，应当遵守本法的规定。这次修改针对消费领域出现的新情况新问题，进一步强化了经营者的义务和责任，修改后的本法第一章规定，经营者与消费者进行交易，应当遵循自愿、平等、公平、诚实信用的原则。第三章规定了经营者的保护消费者安全、缺陷商品召回、信息告知、“三包”、无理由退货、保护消费者个人信息等义务，经营者应当遵守本法的这些规定，履行这些法定义务。与此同时，除了本法外，合同法、侵权责任法、产品质量法、食品安全法、药品管理法、广告法等其他法律也涉及消费者权益保护，对经营者的义务、责任也作了一些规定，对于本法未作规定的，经营者还应当遵守这些相关法律的规定。

第四条　经营者与消费者进行交易，应当遵循自愿、平等、公平、诚实信用的原则。

【释义】 本条是关于经营者与消费者交易应遵循的原则的规定。

经营者和消费者之间的交易是民事活动，经营者在民事活动中应当遵循民事基本原则。原消费者权益保护法规定，经营者与消费者进行交易，应当遵循自愿、平等、公平、诚实信用的原则。这次对该规定未作修改。根据本条规定，经营者与消费者进行交易应当遵循以下原则：

一、自愿原则

自愿原则体现了民事活动的基本特征，是民事法律关系区别于行政法律关系、刑事法律关系的特有原则。自愿原则意味着经营者在交易活动中应当充分尊重消费者自主选择商品或者服务的权利。消费者在交易活动中有权自主自愿地进行交易活动，根据自己的知识、认识和判断，自主选择提供商品或者服务的经营者，自主选择商品品种或者服务方式，自主决定购买或者不购买任何一种商品、接受或者不接受任何一项服务。消费者在自主选择商品或者服务时，有权进行比较、鉴别和挑选。经营者不得以任何方式强迫消费者进行交易，或者施加不合理、不公平的交易条件。

二、平等原则

平等原则是指经营者与消费者在交易过程中是平等主体，没有高低贵贱之分，也不具有支配和被支配、隶属和被隶属的关系，无论是消费关系的产生、变更和消灭，经营者都必须与消费者平等协商，不得将自己的意志强加给消费者，更不得以强迫、命令、胁迫等手段要求消费者进行交易活动。强调平等原则在当前的消费环境中显得尤为必要。实践中,一些企业强迫消费者接受不公平、不合理的“霸王条款”,严重损害了消费者合法权益。针对这些情况,这次修改不但重申了经营者在交易中要遵循平等原则,还在经营者义务一章专门规定,经营者不得以格式条款、通知、声明、店堂告示等方式作出排除或者限制消费者权利、减轻或者免除经营者责任、加重消费者责任等对消费者不公平、不合理的规定。否则,其内容无效。

三、公平原则

公平原则要求经营者与消费者之间的权利义务要公平合理,要大体平衡。公平原则是社会公德的体现,也是商业道德的要求,将公平原则作为经营者与消费者交易时的行为准则,可以防止任何一方滥用权利,有利于保护双方的合法权益。根据公平原则,经营者在与消费者订立合同时要根据公平原则确定双方的权利义务,不得滥用权利,不得欺诈,不得假借订立合同恶意进行磋商;要根据公平原则确定风险的合理分配;要根据公平原则确定违约责任。消费者在购买商品或者接受服务时,有权获得质量保障、价格合理、计量正确等公平交易条件,有权拒绝经营者的强制交易行为。需要强调的是,与合同法注重形式平等、形式公平相比,消费者权益保护法更注重实质平等、实质公平,强调对消费者的倾斜性保护,这主要是考虑到与经营者相比,消费者作为个体,在经济条件、技术实力和信息占有等方面都处于明显的劣势,如果不考虑实质平等、实质公平,消费者合法权益就很容易受到损害。这就是为什么要对消费者权益保护进行专门立法的主要原因。

四、诚实信用原则

诚实信用原则要求经营者与消费者进行交易时都要诚实,讲信用,重承诺。其具体表现包括:第一,在订立合同时,不得有欺诈或者其他违背诚实信用原则的行为；第二，在履行义务过程中，经营者应当遵循诚实信用原则，根据交易的性质、目的和交易习惯履行及时通知、信息告知、协助、提供必要的条件、采取召回防止损失扩大、对消费者个人信息保密等义务；第三，在交易终止后，经营者也应当遵循该原则，根据法律法规规定和交易习惯履行通知、协助、保密等义务。将诚实信用原则作为指导经营者订立合同、履行义务的准则，有利于保护消费者的合法权益，同时也可以在双方没有约定或者约定不明确而法律又没有规定时，根据该原则进行解释。

自愿、平等、公平、诚实信用原则反映了市场经济法律关系的本质，是经营者从事经营活动的行为准则，经营者与消费者进行交易，应当严格遵循这些原则。这既有利于保护消费者合法权益，也有利于经营者合法合规经营。

第五条　国家保护消费者的合法权益不受侵害。

国家采取措施，保障消费者依法行使权利，维护消费者的合法权益。

国家倡导文明、健康、节约资源和保护环境的消费方式，反对浪费。

【释义】　本条是关于国家保护消费者职能的规定。

本次修改消费者权益保护法对本条作了修改。

随着生产经营活动的社会化、专业化和全球化，以及商品构造的日益复杂化、高技术化，消费者在消费过程中信息不对称的情况更为严重，弱势地位更为突出。经营者利用这种优势地位强迫消费者接受不公平不合理的交易条件，或者以其他方式损害消费者合法权益的状况也越来越严重。消费者仅仅依靠自身力量维护自身合法权益比较困难，依靠市场的自发作用也难以改善消费者的弱势地位。根本的解决之道还是需要国家的积极干预,通过制定和完善相关法律,加强执法司法,弥补市场缺陷,为消费者提供有效保护。因此,现代国家都将保护消费者合法权益作为其重要职能,也将保护消费者权益的程度作为衡量现代国家效能的重要指标之一。联合国保护消费者权利宪章特别规定,任何政府都负有保护消费者权益的职责。本法根据我国社会发展的实际情形,借鉴国内外消费者权益保护的立法经验,明确规定了国家保护消费者合法权益的职能。

本条共分三款,第一款明确规定了国家保护消费者的合法权益不受侵害。该规定是国家保护消费者合法权益的原则性规定,本法的其他规定和食品安全法、产品质量法等其他法律中关于国家机关承担的各项保护消费者权益的职责是本规定的具体展开。无论是国家的立法、执法还是司法活动,都应当贯彻消费者权益保护的原则,制定包括本法在内的有关保护消费者保护的法律法规和其他规范性文件,构建完善的法律保护体系;相关行政机关在行政执法中,应当依法履行保护消费者合法权益的职责;消费纠纷发生后,司法机关或者其他机关应当及时有效地处理这些纠纷,防止矛盾的激化。

第二款规定,国家采取措施,保障消费者依法行使权利,维护消费者的合法权益。国家保护消费者合法权益不是被动的,而应当积极采取措施,保障消费者依法、正当、及时地行使权利。这一方面包括国家从立法层面为消费者提供充分的维权手段,如本法第六章为消费者提供了协商、调解、投诉、诉讼、仲裁等多元化的维权手段。同时,这次修改还专门规定了一些消费者协会可以为保护众多不特定消费者权益提起消费公益诉讼。另一方面,也包括政府和相关行政机关采取行政措施主动保护消费者合法权益,本法第四章规定,各级人民政府应当加强领导、组织、协调、督促有关行政部门做好保护消费者合法权益的工作，应当加强监督，预防危害消费者人身、财产安全行为的发生，及时制止危害消费者人身、财产安全的行为。各级人民政府工商行政管理部门和其他有关行政部门应当依照法律、法规的规定，在各自的职责范围内，采取措施，保护消费者的合法权益，应当听取消费者及其社会团体对经营者交易行为、商品和服务质量问题的意见，及时调查处理。有关行政部门在各自的职责范围内，应当对经营者提供的商品或者服务进行抽查检验，并向社会及时公布抽查检验结果，发现并认定经营者提供的商品或者服务存在缺陷，有危及消费者人身、财产安全危险的，应当立即责令经营者采取停止销售、警示、召回、无害化处理、销毁、停止生产或者服务等措施。

与修改前的条文相比，这次修改增加了第三款，即“国家倡导文明、健康、节约资源和保护环境的消费方式，反对浪费”。该规定是为了充分发挥立法的引领和推动作用，引导整个社会形成良好的消费方式和消费习惯。消费表现为对一定物质文化资料的消耗，受特定物质文化条件的制约，也受特定时间和空间社会流行观念的影响。我国自改革开放以来，社会财富不断增加，社会开放程度日益提高，个性化的消费也获得了较大释放，消费方式的选择也日益多元化。但在这个过程中，一些不文明、不健康、不环保、铺张浪费的消费行为也不断出现，如“人体宴”、大吃大喝、污染环境等，有的情况还较为严重。十八大报告提出，要加强中国特色社会主义生态文明建设，加强生态文明宣传教育，增强全民节约意识、环保意识、生态意识，形成合理消费的社会风尚。这次修改贯彻落实十八大报告精神，注意发挥消费者权益保护法的引领和推动作用，引导经营者诚实守法，自觉履行法定义务和社会责任，生产、销售或者提供绿色环保的商品和服务，倡导消费者进行文明、健康、节约资源和保护环境的消费方式。

第六条　保护消费者的合法权益是全社会的共同责任。

国家鼓励、支持一切组织和个人对损害消费者合法权益的行为进行社会监督。

大众传播媒介应当做好维护消费者合法权益的宣传，对损害消费者合法权益的行为进行舆论监督。

【释义】　本条是关于全社会共同保护消费者合法权益原则的规定。

本条规定共分三款：第一款对全社会共同保护消费者合法权益作了原则规定，后两款是对第一款的具体化；第二款规定了国家鼓励、支持社会监督；第三款规定了舆论监督。

无论什么样的人，在经济社会中与经营者相对，都是消费者。保护消费者合法权益关系到社会中的每个人，涉及经济社会的方方面面，直接影响着社会经济秩序的稳定、市场经济的健康发展和社会主义和谐社会的构建，必须动员全社会的力量，发挥各个方面的积极性，形成合力，健全消费者权益保护的社会机制，使消费者权益保护法律制度真正落到实处，才能真正保护好消费者的合法权益。除了国家对于消费者合法权益负有特别保护的职责以外，组织和个人同样负有保护消费者合法权益的责任。因此，消费者权益保护法把调动全社会各方面力量来共同保护消费者的合法权益作为一项基本原则予以明确规定。本法已在第五条中专门规定了国家保护消费者的合法权益不受损害的原则，本条规定的全社会共同保护消费者合法权益的原则，重点调动社会各方面的积极性，共同做好这项工作。

第二款规定，国家鼓励、支持一切组织和个人对损害消费者合法权益的行为进行社会监督。对损害消费者合法权益的行为进行社会监督,既体现了全社会共同保护消费者合法权益原则的内容,又是贯彻实施这一原则的重要、有效的措施。对于社会监督,一方面,国家提倡、鼓励一切组织和个人对损害消费者合法权益的行为进行社会监督,打一场"人民战争",促使经营者依法经营,不做损害消费者合法权益的行为。另一方面,国家支持、保护一切组织和个人所实施的社会监督行为。对社会组织和个人的检举、揭发,国家有关行政部门应依据其职权予以受理,依法进行处理;对打击、报复检举、揭发者的行为,国家机关应依法予以惩处。从社会监督的主体来看,主要包括社会组织监督和个人监督。社会组织监督既包括工会、妇联、共青团等群众团体,也包括企业、事业单位或者其他社会组织,其中起着十分重要作用的就是消费者组织。本法第五章专设"消费者组织"一章,这次修改消费者权益保护法,对这一章的许多规定作了修改,对消费者协会的定性、履行公益性职责、获得经费等必要支持以及其他消费者组织有权依法维护消费者权益活动等都作了完善的规定,对进一步发挥消费者协会等消费者组织的作用,行使监督权提供了法律依据。个人监督实际上主要就是消费者的监督,本法第十五条规定:"消费者享有对商品和服务以及保护消费者权益工作进行监督的权利。""消费者有权检举、控告侵害消费者权益的行为和国家机关及其工作人员在保护消费者权益工作中的违法失职行为,有权对保护消费者权益工作提出批评、建议。"当然,即使没有进行实际消费行为,不属于消费者,对于损害消费者权益的行为同样可以进行监督。

第三款规定,大众传播媒介应当做好维护消费者合法权益的宣传,对损害消费者合法权益的行为进行舆论监督。本款既规定了对消费者权益保护的舆论监督,又规定了大众传播媒介在消费者权益保护方面的责任。社会监督的形式多种多样,舆论监督是其中的一种形式。现代社会中,广播、电视、报纸、刊物、网络媒体等大众传播媒介具有其他方式所无法比拟的影响力和覆盖面。实践证明,舆论监督,尤其是通过大众传播媒介进行的舆论监督,具有很强的宣传和威慑作用,对于发动全社会保护消费者合法权益意义重大。因此,本款对舆论监督专门作了规定,并强调了大众传播媒介在消费者保护方面的责任。从实践情况看,大众传播媒体在消费者保护方面的工作主要有:(1)宣传保护消费者权益的法律、法规,使消费者了解其权利以及权利的行使和维护。(2)宣传有关商品和服务,使消费者了解商品和服务的正确使用方法,防止危害的发生,对消费者的消费行为进行适当的引导与建议。(3)反映消费者的意见、建议和投诉。(4)对经营者损害消费者合法权益行为进行曝光,公布不合格的商品与服务,避免更多的消费者上当受骗、蒙受损失。(5)监督政府的工作,呼吁政府重视对损害消费者利益行为的处理。总的来说,大众传播媒介既可以是正面报道,也可以是反面揭露,其形式可以根据媒介的特点和实际需要来定。

第二章　消费者的权利

本章共九条，对消费者的人身财产安全权、购买使用商品或者接受服务的知情权、商品或者服务的选择权、公平交易权、获得赔偿权、成立维权组织权、获得消费和消保知识权、受尊重权、信息得到保护权、对商品和服务及消保工作的监督权作了规定。

第七条　消费者在购买、使用商品和接受服务时享有人身、财产安全不受损害的权利。

消费者有权要求经营者提供的商品和服务，符合保障人身、财产安全的要求。

【释义】　本条是关于消费者人身财产安全权的规定。

消费者人身财产安全权，是消费者在购买、使用商品和接受服务时，享有人身、财产安全不受损害的权利。人身财产安全权是消费者最基本的人身权利，本法赋予消费者的第一项权利就是人身财产安全权。消费者人身财产安全权，主要包括生命健康安全权和财产安全权。消费者的生命健康安全权，是消费者的生命健康不受损害的权利，是要求经营者提供的商品和服务符合保障人身、财产安全要求的权利。财产安全权是消费者在购买、使用商品和接受服务时享有财产安全不受损害的权利，是要求经营者提供的商品和服务符合保障财产安全要求的权利。

近年来，一些违法经营者生产、销售有毒有害食品，生产销售假药劣药，三聚氰胺奶粉、瘦肉精、地沟油、苏丹红等食品药品安全事件多有发生，对消费者的生命健康有的造成即时损害，有的构成潜在威胁；有的经营者明知是有危及人身、财产安全危险的缺陷产品仍然生产销售或者应当召回的不及时召回，使消费者的生命健康面临危险，甚至造成伤残、死亡；有的经营场所没有尽到对消费者的安全保障义务，如商场、宾馆的电梯事故造成消费者死亡；还有的经营者进行非法的整容、美容、增高等经营活动，造成消费者容颜损毁，终身残疾，这些都严重损害了消费者权益。

消费者的人身财产安全权是消费者的一项最重要权利，法律应予重点保障，不容经营者非法侵害。消费者这项权利的实现与经营者履行法定义务、承担法定责任密切相关。本法对经营者在保障消费者人身财产安全权的义务和责任方面作了相应规定，以惩治违法经营行为，并遏制这种行为再度发生。

一是经营者应当保证其提供的商品或者服务符合保障人身、财产安全的要求。对可能危及人身、财产安全的商品和服务，应当向消费者作出真实的说明和明确的警示，并说明和标明正确使用商品或者接受服务的方法以及防止危害发生的方法。

二是经营者发现其提供的商品或者服务存在缺陷，有危及人身、财产安全危险的，应当立即向有关行政部门报告和告知消费者，并采取停止销售、警示、召回、无害化处理、销毁、停止生产或者服务等措施。采取召回措施的，经营者应当承担消费者因商品被召回支出的必要费用。

三是宾馆、商场、餐馆、银行、机场、车站、港口、影剧院等经营场所的经营者，应当对消费者尽到安全保障义务。

本法还对经营者侵害消费者人身财产安全权应当承担的法律责任作了以下规定：

第一，经营者提供商品或者服务，造成消费者或者其他受害人人身伤害的，应当赔偿医疗费、护理费、交通费等为治疗和康复支出的合理费用，以及因误工减少的收入。造成残疾的，还应当赔偿残疾生活辅助具费和残疾赔偿金。造成死亡的，还应当赔偿丧葬费和死亡赔偿金。

第二，经营者明知商品或者服务存在缺陷，仍然向消费者提供，造成消费者或者其他受害人死亡或者健康严重损害的，受害人有权要求经营者依照本法第四十九条、第五十一条等法律规定赔偿损失，并有权要求所受损失两倍以下的惩罚性赔偿。

第三，经营者对消费者未尽到安全保障义务，造成消费者损害的，应当承担侵权责任。

第四，经营者有侵害消费者或者其他受害人人身权益的行为，造成严重精神损害的，受害人可以要求精神损害赔偿。

第五，经营者提供商品或者服务，造成消费者财产损害的，应当依照法律规定承担赔偿损失等民事责任。

此外，经营者造成消费者人身财产损害的还应当依法承担行政责任；构成犯罪的，依法追究刑事责任。

第八条　消费者享有知悉其购买、使用的商品或者接受的服务的真实情况的权利。

消费者有权根据商品或者服务的不同情况，要求经营者提供商品的价格、产地、生产者、用途、性能、规格、等级、主要成份、生产日期、有效期限、检验合格证明、使用方法说明书、售后服务，或者服务的内容、规格、费用等有关情况。

【释义】　本条是关于消费者购买使用商品或者接受服务知情权的规定。

消费者购买、使用商品或者接受服务的知情权，是消费者在购买、使用商品或者接受服务时享有知悉商品或者服务的真实情况的权利。消费者有权根据商品或者服务的不同情况，要求经营者提供商品的价格、产地、生产者、用途、性能、规格、等级、主要成份、生产日期、有效期限、检验合格证明、使用方法说明书、售后服务，或者服务的内容、规格、费用等有关情况。

消费者在选择商品或服务时，信息不对称是消费受到损害的原因之一。尤其是在现代科技迅猛发展的情况下，产品科技化程度越来越高，这一矛盾就越发突出。还有的经营者有意隐瞒商品信息，欺骗消费者，甚至生产、销售假冒伪劣产品。为此，赋予消费者以知情权尤其必要。消费者的这项知情权，是消费者购买、使用商品或者接受服务的一项基础性权利，涉及消费者的安全权、选择权等能否最终实现。在购买、使用商品或接受服务过程中只要是与正确的判断、选择、使用等有直接关联的情况与信息，消费者都有权知悉，经营者都应当提供。消费者有权根据商品或者服务的不同情况，要求经营者提供以下商品或者服务的情况和信息：

一是商品或者服务的基本情况，包括商品的价格、产地、生产者、生产日期、有效期限、检验合格证明、使用方法说明书、售后服务或者服务的内容、费用等。

二是商品的性质状况等基本情况，包括商品用途、性能、规格、等级、主要成分或者服务的规格等。

在商品或者服务信息的了解和掌握方面，消费者与经营者相比处于弱势地位，往往依赖于经营者的提供与说明。为了保护消费者购买使用商品或者接受服务知情权，本法对经营者向消费者提供真实、全面的情况和信息的义务以及虚假宣传的法律责任作了以下规定：

第一，经营者向消费者提供有关商品或者服务的质量、性能、用途、有效期限等信息，应当真实、全面，不得作虚假或者引人误解的宣传。经营者对消费者就其提供的商品或者服务的质量和使用方法等问题提出的询问，应当作出真实、明确的答复。经营者提供商品或者服务应当明码标价。

第二，经营者应当标明其真实名称和标记。租赁他人柜台或者场地的经营者，应当标明其真实名称和标记。

第三，经营者在经营活动中使用格式条款的，应当以显著方式提请消费者注意商品或者服务的数量和质量、价款或者费用、履行期限和方式、安全注意事项和风险警示、售后服务、民事责任等与消费者有重大利害关系的内容，并按照消费者的要求予以说明。

第四，采用网络、电视、电话、邮购等方式提供商品或者服务的经营者，以及提供证券、保险、银行等金融服务的经营者，应当向消费者提供经营地址、联系方式、商品或者服务的数量和质量、价款或者费用、履行期限和方式、安全注意事项和风险警示、售后服务、民事责任等信息。

第五，消费者因经营者利用虚假广告或者其他虚假宣传方式提供商品或者服务，其合法权益受到损害的，可以向经营者要求赔偿。广告经营者、发布者不能提供经营者的真实名称、地址和有效联系方式的，应当承担赔偿责任。广告经营者、发布者设计、制作、发布关系消费者生命健康商品或者服务的虚假广告，造成消费者损害的，应当与提供该商品或者服务的经营者承担连带责任。社会团体或者其他组织、个人在关系消费者生命健康商品或者服务的虚假广告或者其他虚假宣传中向消费者推荐商品或者服务，造成消费者损害的，应当与提供该商品或者服务的经营者承担连带责任。

第六，对侵害消费者知情权的，经营者还应当依法承担行政责任；构成犯罪的，依法追究刑事责任。

第九条　消费者享有自主选择商品或者服务的权利。

消费者有权自主选择提供商品或者服务的经营者，自主选择商品品种或者服务方式，自主决定购买或者不购买任何一种商品、接受或者不接受任何一项服务。

消费者在自主选择商品或者服务时，有权进行比较、鉴别和挑选。

【释义】　本条是关于消费者自主选择商品或者服务的权利的规定。

消费是人类通过商品或者服务，满足自身欲望的一种经济行为。从消费的目的看，满足需求是消费的终极目标，消费者只有按照个人意愿决定是否消费、消费什么、以什么方式消费，其需求才能得到真正满足。从消费法律关系本质看，消费者与经营者基于消费发生的是平等主体之间的合同关系，合同关系以契约自由为本质特征，意思自治是合同法的基本原则，该原则要求缔约双方享有缔结合同的自由、选择相对人的自由、决定合同内容的自由、变更和解除合同的自由、选择合同方式的自由、选择补救方式的自由、选择救济路径的自由。在消费活动中只有遵从当事人意愿，才符合合同关系的特性，也才能促进消费，推动经济健康发展。然而在现实生活中，由于经营者通常处于优势地位，消费者的消费选择权往往会受到限制。比如，有的旅行社在行程中安排了大量的定点商店购物活动，游客不在此购物或者购物没有达到一定金额，就遭到导游的污辱、漫骂。有的导游强迫游客参加另付费的旅游项目，游客拒绝的，竟将游客弃之停放的车上十几个小时不闻不问。有的美容店打着免费的旗号将客人拉进店，以清洁皮肤为名往客人脸上涂抹黑色脏东西，然后说要洗掉必须买精油，顾客不得已，只能花费大量金钱将脸洗干净。有的餐饮店额外收取座位费、空调费,或者不提供免费消毒餐具,强迫消费者为餐具买单。有的宾馆对在其餐饮场所办的婚宴,额外收取场地占用费和在宾馆门口照相的占地费。有的经营者强行搭售商品,安装宽带业务必须安装经营者销售的固定电话;办理贷款、买机票必须先买保险。有的经营者在消费者的手机中预装不能卸载的软件,不仅占据了大量的网络空间,而且还在消费者不知不觉间吸走手机话费。有的商店禁止消费者挑选商品。凡此种种,不仅没有使消费成为满足自身需求的享受,反而给消费者带来了极大的困扰与不便。为了保护消费者的合法权益,有必要从立法上赋予消费者自主选择商品和服务的权利。

按照本条规定,消费者自主选择商品和服务的权利主要有以下四个方面:

一、自主选择提供商品或者服务的经营者

消费者在哪个商家购物,要求哪个经营者向其提供服务,应当由其决定。例如,消费者可以在大型商场、超市购物,也可以在集贸市场、个体摊点购物;可以在实体店现场购物,也可以在网络商店远程购物;可以在美容美发厅理发,也可以在街边个体小店剃头;可以选择这一家电信运营商提供通讯服务,也可以选择另一家或者其他运营商提供服务;可以选择某名牌厂家的服装,也可以选择私人定制……对于消费者选择哪个经营者发生消费法律关系,任何人不得强迫。一些法律明令禁止侵害消费者自主选择经营者的权利,如旅游法第三十五条规定,旅行社组织、接待旅游者,不得指定具体购物场所。

二、自主选择商品品种或者服务方式

消费的目的是满足消费者的生活需要,该需要能否得到满足,取决于消费者对于商品品种和服务方式能否进行选择。只有让消费者在种类繁多、性能各异的商品和服务中作出充分的选择，消费需求才能得到真正满足。不给消费者对于商品品种和服务方式的选择权，限定消费者只能购买此种商品而非彼种商品，只能接受这种服务方式而不是那种服务方式，消费者需求就无法得到满足或者变得迫不得已。实践中，一些餐饮企业"谢绝自带酒水"，一些医院产科"谢绝自带婴儿奶粉"。虽然有人认为这种作法并未侵犯消费者的选择权，因在经营者的明确告知之下，消费者若不愿意，可以用脚投票，换个地方消费，但如果将这些作法上升为行业规范，整个行业的所有经营者都照此办理，消费者实际上丧失了选择的自由，也就丧失了选择权。消费者权益保护法第二十四条规定，经营者不得以格式条款、通知、声明、店堂告示等方式，作出对消费者不公平、不合理的排除或者限制消费者权利的规定。行业规范不能违背法律，行业规范作为行业内部的单方声明，也不应用以约束消费者。经营者应当树立消费者与经营者法律地位平等的理念，尊重消费者购买或者不购买任何一种商品、接受或者不接受任何一项服务的自主选择权。当然，尊重消费者对于商品品种和服务方式的选择权，并不意味着经营者不能在众多商品和服务中推荐质优价廉、更符合消费者消费意愿的商品和服务，但这种推荐不能构成对消费者选择商品品种和服务方式的限制和剥夺。

三、自主选择是否购买商品或者接受服务

消费源于需求，没有需求自然不会有消费的意愿和冲动，因此，是否愿意购买商品或者接受某种服务，应当由消费者自主决定。实践中有的经营者在消费者看过、摸过某商品后，强制消费者购买，不购买就恶语相加；有的旅行社工作人员强制消费者在指定商店购买一定金额的商品，并以暴力相威胁，严重侵犯了消费者购买决定权。一些法律明令禁止强买强卖的行为，如旅游法第三十五条规定，旅行社组织者、接待旅游者，不得安排另行付费旅游项目。治安管理处罚法第四十六条规定，强买强卖商品，强迫他人提供服务或者强迫他人接受服务的，处五日以上十日以下拘留，并处二百元以上五百元以下罚款；情节较轻的，处五日以下拘留或者五百元以下罚款。

四、对商品和服务进行比较、鉴别和挑选

一个发达的商品社会，商品琳琅满目，服务千差万别，哪种商品和服务在性价比方面最能令消费者满意，消费者只有在对商品和服务进行比较、鉴别和挑选后才能知道。不让消费者挑选，既损害了消费者的选择权，也不是好的商业策略，其结果很可能是消费者放弃购买，经营者也不能真正了解消费者的喜好，造成产品积压，最终在商品市场上失去竞争力。

第十条　消费者享有公平交易的权利。

消费者在购买商品或者接受服务时，有权获得质量保障、价格合理、计量正确等公平交易条件，有权拒绝经营者的强制交易行为。

【释义】　本条是关于消费者公平交易权的规定。

消费者的公平交易权是消费者在购买商品或者接受服务时所享有的与经营者进行公平交易的权利，其内容包括消费者在购买商品或者接受服务时，获得质量保障、价格合理、计量正确等公平交易条件，拒绝经营者强制交易行为的权利。

消费者购买商品或者接受服务，与经营者发生的是平等主体之间的交易关系，在这一关系中，双方的目标一致——都想完成交易，但目的不同，经营者要赚钱，消费者怕花冤枉钱，并想获得质优价廉、物超所值的商品或者服务。在消费者与经营者这一矛盾统一体中，经营者是商品和服务的提供者，价格的制定者、度量衡和服务方式的操控者，客观上处于优势地位；而消费者受市场经济条件下信息分布不对称的影响，通常要依赖经营者提供的信息来判断商品或者服务的价值，客观上处于劣势地位，不仅讨价还价的底气不足，还可能被经营者欺骗而购买质次价高的商品，或者接受质价悬殊的服务。特别是当某种商品或者服务为消费者所急需时，出于对商品或者服务的强烈需求，消费者往往不得不接受不公平的交易条件。而公平交易是市场经济的一项准则，如果经营者与消费者之间不公平的交易行为长期存在，不仅会影响消费的积极性，也会因消费需求不足而阻碍生产的发展，最终损害经营者的利益。为此，法律需要找到一个平衡点，以扭转消费者的弱势地位，使消费者在法律的支撑下，能够与经营者对等谈判，找到双方都能接受的交易条件，实现与经营者的共赢。这个平衡点就是消费者的公平交易权。公平交易权的核心是消费者以一定数量的货币可以换得同等价值的商品或者服务，能否做到这一点，是衡量消费者权益是否得到保护的重要标志。

按照本条规定，消费者的公平交易权主要体现在：

一、交易条件公平

所谓交易条件公平，主要是指经营者与消费者遵循诚实信用原则，共同协作，在合理条件下进行交易。经营者提供的商品或者服务的质量是合格的、价格是合理的、计量是正确的，消费者在可以接受的交易条件中，付出货币交换了等价的商品或者服务，达到了预期的消费目的。保障交易条件公平，必须做到：

（一）商品或者服务的质量合格

质量保障是消费者在购买商品或接受服务时对经营者的基本要求，是关系到人体健康和人身安全的重大问题。所谓商品或者服务质量合格，一是商品或者服务应当符合下列要求：（1）不存在危及人身、财产安全的不合理的危险,有保障人体健康和人身、财产安全的国家标准、行业标准的,应当符合该标准;(2)除对商品存在使用性能的瑕疵作出说明外,具备商品应当具备的使用性能;(3)符合在商品或者其包装上注明采用的商品标准,符合以商品说明、实物样品等方式表明的质量状况。二是商品或者其包装上的标识必须真实,并符合下列要求:(1)有产品质量检验合格证明;(2)有中文标明的产品名称、生产厂厂名和厂址;(3)根据产品的特点和使用要求,需要标明产品规格、等级、所含主要成分的名称和含量的,用中文相应予以标明;需要事先让消费者知晓的,应当在外包装上标明,或者预先向消费者提供有关资料;(4)限期使用的产品,应当在显著位置清晰地标明生产日期和安全使用期或者失效日期;(5)除裸装的食品和其他根据产品的特点难以附加标识的裸装产品外,对使用不当,容易造成产品本身损坏或者可能危及人身、财产安全的产品,应当有警示标志或者中文警示说明;(6)易碎、易燃、易爆、有毒、有腐蚀性、有放射性等危险物品以及储运中不能倒置和其他有特殊要求的产品,其包装质量必须符合相应要求,依照国家有关规定作出警示标志或者中文警示说明,标明储运注意事项。三是商品和服务不违反国家有关产品质量保证的强制性规定,包括有:(1)商品不得是国家明令淘汰的或者失效、变质的;(2)商品的产地不得是伪造的或者冒用他人的厂名、厂址的;(3)商品的认证标志等质量标志不得是伪造或者冒用的;(4)商品不得是掺杂、掺假,以假充真、以次充好的;(5)不得是以不合格产品冒充的合格商品;(6)销售的商品不得是应当检验、检疫而未检验、检疫或者伪造检验、检疫结果的。

(二)商品或者服务的价格合理

价格合理充分地体现了等价交换的原则。经营者销售、收购商品和提供服务，应当按照政府价格主管部门的规定明码标价，注明商品的品名、产地、规格、等级、计价单位、价格或者服务的项目、收费标准等有关情况。不得在标价之外加价出售商品，不得收取任何未予标明的费用。不得有下列不正当价格行为：(1)相互串通，操纵市场价格，损害消费者的合法权益；(2)捏造、散布涨价信息，哄抬价格，推动商品价格过高上涨；(3)利用虚假的或者使人误解的价格手段，诱骗消费者与其进行交易；(4)采取抬高等级的手段销售商品或者提供服务，变相提高价格；(5)违反法律、法规的规定牟取暴利；(6)其他法律、行政法规禁止的不正当价格行为。由经营者自由确定商品或者服务价格的，该价格的制定应当遵循公平、合法和诚实信用原则，定价的基本依据应当是生产经营成本和市场供求状况，符合成本加合理利润的价值规律，不应当以市场调节为幌子，任意宰割消费者。经营者因价格违法行为致使消费者多付价款的，应当退还多付部分；造成损害的，应当依法承担赔偿责任。

（三）商品或者服务的计量正确

计量的准确性直接涉及消费者的经济利益。经营者应当准确计量提供的商品或者服务的数量、重量、长度、面积、体积、用材、时间等，不得故意使用不准确的计量器具，缺斤短两，不得超量计算提供服务的时间，夸大付出的成本，欺骗消费者付出本不应当付出的金钱，损害消费者的利益。

二、有权拒绝经营者的强制交易行为

衡量一项交易是否公平，还包括在交易过程中，当事人是否出于自愿，有无强制性交易或者歧视性交易的行为，消费者是否得到实际上的满足或者心理的满足等等。实践中，有的经营者在掌握了人们非常需要而又十分紧俏的商品或服务时，往往违反平等自愿、公平交易的市场准则，违背消费者的意愿强制交易，从而损害了消费者自主选择商品或者服务的权利，侵害了消费者的合法权益。因此，消费者在自己的公平交易权受到侵害时，有权依法要求经营者改正错误，提供质量合格、价格合理、计量正确的商品或服务，有权拒绝经营者的强制交易行为。

落实消费者公平交易权，要求从事交易活动的经营者以诚实信用为原则，以消费安全为前提，以平等互利为条件，以满足消费者需求为经营理念，避免欺诈、强迫、乘人之危等不公平交易行为。尽管商业行为带有趋利性，但公平交易的商业行为才能保障经营者长期稳定的利益，也能保障市场稳定健康的发展，从而满足消费者的生活需求。

第十一条　消费者因购买、使用商品或者接受服务受到人身、财产损害的，享有依法获得赔偿的权利。

【释义】　本条是关于消费者损害赔偿请求权的规定。

经营者应当保证其提供的商品或者服务符合保障人身、财产安全的要求。消费者因购买、使用商品或者接受服务受到人身、财产损害的，享有依法获得赔偿的权利。

消费者因购买、使用商品或者接受服务受到的人身损害包括：生命健康权、姓名权、肖像权、名誉权、隐私权的损害，也包括人身自由、人格尊严等人格权的损害。例如，消费者因购买、使用经营者提供的不符合质量要求的商品或者服务导致死亡、伤残；消费者在消费过程中遭到漫骂、污辱；消费者的身体被搜查；消费者的个人秘密、个人信息被非法公开或者提供给他人；消费者的民族习惯没有得到尊重；等等。

消费者因购买商品或者接受服务受到的财产损害包括金钱、时间、可得利益等损害。例如，消费者购买假冒伪劣或者缺斤短两商品花出的冤枉钱；消费者因产品质量不合格致生命健康损害后支出的丧葬费和医疗费、护理费、交通费等治疗和康复费用,以及因误工减少的收入;残疾生活辅助具费;消费者因退换不合格商品支出的交通费及误工损失;消费者因提供的商品或者服务无法使用而寻找替代物支出的费用;消费者因金融服务经营者没有履行风险警示义务导致资产减损;等等。

消费者因购买、使用商品或者接受服务受到人身、财产损害的,可以依法获得以下赔偿:

一、对人身损害的赔偿

(一)对生命健康权损害的赔偿

经营者提供商品或者服务,造成消费者或者其他受害人人身损害的,应当赔偿医疗费、护理费、交通费等为治疗和康复支出的合理费用,以及因误工减少的收入。造成残疾的,还应当赔偿残疾生活辅助具费和残疾赔偿金。造成死亡的,还应当赔偿丧葬费和死亡赔偿金。

(二)对人格尊严、人身自由、个人信息损害的赔偿

经营者侵害消费者的人格尊严、侵犯消费者人身自由或者侵害消费者个人信息得到保护的权利的,应当停止侵害、恢复名誉、消除影响、赔礼道歉,并赔偿损失。

(三)对精神损害的赔偿

经营者有侮辱诽谤、搜查身体、侵犯人身自由等侵害消费者或者其他受害人人身权益的行为,造成严重精神损害的,受害人可以要求精神损害赔偿。

二、对财产损害的赔偿

(一)对不合格的商品或者服务修理、重作、更换、退货

经营者提供的商品或者服务不符合质量要求的,消费者可以依照国家规定、当事人约定退货,或者要求经营者履行更换、修理义务。没有国家规定和当事人约定的,消费者可以自收到

商品之日起七日内退货；七日后符合法定解除合同条件的，消费者可以及时退货，不符合法定解除合同条件的，可以要求经营者履行更换、修理等义务。依法要求经营者退货、更换、修理的，经营者应当承担运输等必要费用。

（二）补足商品数量、退还货款和服务费用

经营者提供商品或者服务，造成消费者财产损害的，应当依照法律规定或者当事人约定承担补足商品数量、退还货款和服务费用的民事责任。

（三）继续履行，返还预付款、支付预付款利息和消费者必须支付的合理费用

经营者以预收款方式提供商品或者服务的，应当按照约定提供；未按照约定提供的，应当按照消费者的要求履行约定，或者退回预付款，并应当承担预付款的利息、消费者必须支付的合理费用。

（四）排除商品或者服务的危险

经营者发现其提供的商品或者服务存在缺陷，有危及人身、财产安全危险的，应当立即向有关行政部门报告和告知消费者，并采取停止销售、警示、召回、无害化处理、销毁、停止生产或者服务等措施。采取召回措施的，经营者应当承担消费者因商品被召回支出的必要费用。

（五）赔偿损失

经营者提供商品或者服务，造成消费者财产损害的，应当赔偿损失。财产损失按照损失发生时的市场价格或者其他方式计算。侵害他人人身权益造成财产损失的，按照被侵权人因此受到的损失赔偿；被侵权人的损失难以确定，侵权人因此获得利益的，按照其获得的利益赔偿；侵权人因此获得的利益难以确定，被侵权人和侵权人就赔偿数额协商不一致，向人民法院提起诉

讼的,由人民法院根据实际情况确定赔偿数额。

三、惩罚性赔偿

经营者提供商品或者服务有欺诈行为的,应当按照消费者的要求增加赔偿其受到的损失,增加赔偿的金额为消费者购买商品的价款或者接受服务的费用的三倍;增加赔偿的金额不足五百元的,为五百元。法律另有规定的,依照其规定。经营者明知商品或者服务存在缺陷,仍然向消费者提供,造成消费者或者其他受害人死亡或者健康严重损害的,受害人有权要求经营者依照本法第四十九条、第五十一条等法律规定赔偿损失,并有权要求所受损失二倍以下的惩罚性赔偿。生产不符合食品安全标准的食品或者销售明知是不符合食品安全标准的食品,消费者除要求赔偿损失外,还可以向生产者或者销售者要求支付价款十倍的赔偿金。

需要说明的是,本条规定的求偿主体是因购买、使用商品或者接受服务受到人身、财产损害的消费者。这里的消费者,既包括购买、使用商品或者接受服务的消费者本人,如食用自己买来的变质食品而中毒、去浴池洗澡被烫伤等;也包括没有购买商品却使用商品的消费者,如某消费者使用其子女买回来的电冰箱而触电受伤。实践中有些人并不是商品的购买者或使用者,也不是接受服务者,但他们却因购买、使用商品或者接受服务受到损害,如某人去邻居家串门,被邻居家的彩电爆炸炸伤。根据本法第四十条、第四十九条和第五十一条的规定,这些人也应享有损害赔偿请求权。

第十二条　消费者享有依法成立维护自身合法权益的社会组织的权利。

【释义】　本条是关于消费者享有依法成立消费者保护社

会组织权利的规定。

本次修改消费者权益保护法对本条作了修改。

消费者为了维护自身的合法权益,有权依照法律规定成立消费者保护社会组织。

一、有关消费者社会组织的情况

消费者为了维护自己的合法权益,有权依法成立社会组织。成立社会组织应当具备一定的条件,如所需要的会员人数,规范的名称和相应的组织机构,固定的场所,有与其业务相适应的专职工作人员,有合法的资产和经费来源,有独立承担民事责任的能力等,并经向民政部门申请登记成立。

目前,我国对消费者权益保护的社会组织主要是中国消费者协会和各地方设立的消费者协会。中国消费者协会是1984年由质检总局报请国务院批准后设立的,归口国家工商总局领导的全国性消费者协会。中国消费者协会实行理事会制度,由国家各有关部门、人民团体、新闻媒介、各省级及副省级消协组织推举的理事组成。地方消费者协会主要是由地方政府设立或者批准设立的消费者保护组织,有的地方消费者协会是由政府机关、社会团体、行业组织和消费者代表组成的,实行理事制。我国消费者协会共约有3280个,其中全国性的1个,即中国消费者协会,省级31个,地级409个,县级2839个。除消费者协会以外,全国性的消费者组织还有中国保护消费者基金会。

二、消费者组织应当依法开展活动

依法成立的社会组织应当依照法律和有关规定开展活动,履行保护消费者合法权益的职能。本法第三十条、第三十二条、第三十六条、第三十七条和第三十八条对消费者组织所应开展的活动和要求作了规定,主要包括:

1. 在有关规范性文件的制定中参与意见。本法第三十条规定,国家制定有关消费者权益的法律、法规、规章和强制性标准,应当听取消费者、消费者协会等组织的意见,其中的"组织"包括消费者依法登记设立的社会组织。制定涉及消费者权益的规范性文件,以及涉及产品质量的强制性标准时,消费者组织有权按照规定和要求提出意见,使规范性文件及强制性标准更符合实际,符合经济社会发展的需求,符合社会公众的愿望,以维护消费者的权益。

2. 向有关行政部门反映消费者意见。本法第三十二条规定,有关行政部门应当听取消费者和消费者协会等组织对经营者交易行为、商品和服务质量问题的意见,及时调查研究。对于经营者的日常交易行为和商品、服务质量等问题,消费者组织有权向有关行政部门如工商局、质监局、食品药品管理部门等反映消费者的意见,使有关问题得到快速妥善的处理,切实保护消费者的合法权益。

3. 对商品和服务进行社会监督。本法第三十六条规定,消费者协会和其他消费者组织是依法成立的对商品和服务进行社会监督的保护消费者合法权益的社会组织。与消费者协会承担的职责一样,法律明确规定依法成立的消费者组织要履行对市场交易中的商品和服务进行社会监督的职责,即凡是与消费者有关的事情,消费者组织都可以进行社会监督,尤其是涉及商品和服务质量方面的问题,全面维护消费者的合法权益。

4. 依法开展保护消费者合法权益的活动。本法第三十七条第四款规定,依法成立的其他消费者组织依照法律、法规及其章程的规定,开展保护消费者合法权益的活动。除了本法对消费者组织开展活动作了规定外,其他有关法律、行政法规、规章也有一些相应的规范,这些规范都是消费者组织应当遵循的内容。每个依法成立的消费者组织都应当按照要求制定章程,使消费者组织的活动依法、依章,规范有序。

5. 不得以牟利方式推荐商品和服务。本法第三十八条规定,消费者组织不得从事商品经营和营利性服务,不得以收取费用或者其他牟取利益的方式向消费者推荐商品和服务。保护消费者合法权益,对商品和服务进行社会监督是消费者组织的宗旨和职责,也是消费者组织成立的出发点和开展活动的立足点,因此不以营利为目的才能纯洁消费者组织的工作,使其全力以赴地为保护消费者合法权益而工作,如果允许消费者组织可以以牟利方式向公众推荐商品或者服务,就可能使消费者组织的宗旨发生偏离,为谋取利益而产生"权力寻租",进而损害消费者的合法权益,因此法律明确规定消费者组织不得以收取费用或者其他牟取利益的方式向消费者推荐商品和服务。对于消费者组织所作的商品质量和各种性能的比较试验并将相应的比较试验数据通过一些载体向社会公布的行为不属于推荐商品和服务的行为,是为了方便消费者更好地行使选择权的公益性服务。

第十三条 消费者享有获得有关消费和消费者权益保护方面的知识的权利。

消费者应当努力掌握所需商品或者服务的知识和使用技能,正确使用商品,提高自我保护意识。

【释义】 本条是关于消费者获取权益保护方面知识的规定。

对于消费者合法权益的保护不仅要靠法律规范、靠政府依法行政,靠消费者组织积极开展活动,也要靠消费者自己提高保护意识,增强权益保护的能力,这就需要消费者努力学习有关的消费知识,对商品和服务有一定的了解。法律从消费者有权获取消费知识,以及消费者自身应当提高自我保护意识的两个方面对消费者的知识获取权利作了规定。

一、消费者享有获取消费知识的权利

消费知识获取权是从知情权中引申出来的一种消费者权利,只有保障消费者对于商品以及服务方面的知识获取权利,才能使消费者了解和掌握商品及其服务的基本的知识和使用技能,理性消费,保护合法权益。

1. 消费者获取相关知识的必要性。消费者的消费一般包括两个方面:一是购买;二是使用。在购买商品或者服务时,消费者首先需要对商品或者服务的用途、性能、质量、效果、有效期限等基本问题有概括性的了解,然后决定是否购买;消费者使用商品则需要对正确使用的方法,保管与维修等方面的知识有所了解。

2. 本法对消费者获取相关知识作了较充分的规定。只有清楚地了解消费知识才能更好地保护自己的合法权益,法律规定消费者享有获取消费和消费权益保护方面的知识的权利,有关方面就有帮助消费者获得知识的责任,本法对经营者、消费者组织等提出了相关的要求,如第八条消费者的知情权中规定,“消费者享有知悉其购买、使用的商品或者接受的服务的真实情况的权利。”“消费者有权根据商品或者服务的不同情况,要求经营者提供商品的价格、产地、生产者、用途、性能、规格、等级、主要成份、生产日期、有效期限、检验合格证明、使用方法说明书、售后服务,或者服务的内容、规格、费用等有关情况。”第十八条关于经营者对商品和服务的说明警示义务中规定,“经营者应当保证其提供的商品或者服务符合保障人身、财产安全的要求。对可能危及人身、财产安全的商品和服务,应当向消费者作出真实的说明和明确的警示,并说明和标明正确使用商品或者接受服务的方法以及防止危害发生的方法”。第二十条中关于经营者对商品和服务提供真实、全面信息的义务中规定，“经营者向消费者提供有关商品或者服务的质量、性能、用途、有效期限等信息，应当真实、全面，不得作虚假或者引人误解的宣传”。“经营者对消费者就其提供的商品或者服务的质量和使用方法等问题提出的询问，应当作出真实、明确的答复。”第二十六条关于经营者提供格式条款中规定，“经营者在经营活动中使用格式条款的，应当以显著方式提请消费者注意商品或者服务的数量和质量、价款或者费用、履行期限和方式、安全注意事项和风险警示、售后服务、民事责任等与消费者有重大利害关系的内容，并按照消费者的要求予以说明”。第二十八条关于经营者通过网络等非现场销售中规定，“采用网络、电视、电话、邮购等方式提供商品或者服务的经营者，以及提供证券、保险、银行等金融服务的经营者，应当向消费者提供经营地址、联系方式、商品或者服务的数量和质量、价款或者费用、履行期限和方式、安全注意事项和风险警示、售后服务、民事责任等信息”。第三十七条关于消费者协会的职责中规定，“向消费者提供消费信息和咨询服务，提高消费者维护自身合法权益的能力，引导文明、健康、节约资源和保护环境的消费方式”。

3. 国外关于消费者获取知识的情况。消费者获取商品或者服务的相关知识一般是通过市场交易中的经营者介绍、媒体宣传、自身体验得来的，但有目的、有计划、有组织地向消费者传授必要的消费知识，通过教育、指导和培训使消费者掌握消费知识和技能，培养科学的消费观念，提高消费者消费的素质越来越被各国所重视，这不仅是保护消费者合法权益的需要，也是发展健康的市场经济的需要。

欧盟非常重视消费者教育，认为消费者在市场交易中处于弱势地位，现代技术的发展使消费者面临的危险与日俱增，如有害食品、含副作用药品、缺陷车、缺陷家电产品及缺陷日常用品等,对消费者的生命、健康、财产构成直接或者间接的危害;此外,现代技术的发展使生产、流通、交易环节复杂多样,责任主体多元,一旦发生消费者权益受损,维护合法权益因其对商品或者服务的认知能力有限而求偿艰难,因此有必要加强对消费者的教育。欧盟在其相关的指令中对欧盟各国提出了消费者教育的要求,如欧盟理事会颁布的《消费者保护宪章》第四章中就有明确规定。欧盟对消费者教育的主要途径:一是利用广播、报刊、电视等大众传播媒介宣传普及消费知识;二是学校开设相关的教育课程,包括对广告及商品标签的认识、消费者的基本权利等;三是设立欧盟消费者中心以便消费者集中获取消费信息。

日本制定的《消费者保护基本法》中规定,国家应当普及商品知识,采取充实消费者生活的教育等必要措施。日本立法者认为,通过消费者教育,可以使消费者的消费行为规范化、合理化、健康化,这是现代化社会的消费者在多样化的社会发展中所应当具有的行为和能力。日本对于消费者教育主要有:一是让消费者了解掌握其日常生活如衣食住行所需要的知识;二是培养消费者在社会经济交往中应掌握的基本知识和对事物的判断力,树立消费者的权利意识和责任意识,成为新型的消费者。日本有关学校消费者教育的规定要求小学从 1993 年开始、中学从 1994 年开始、大学从 1995 年开始全面实施消费者教育,教育内容包括消费观教育、消费习惯培养、技能和技巧培养、消费知识学习和消费维权等。

二、消费者应当主动学习消费知识提高自我保护意识

为了达到保护消费者合法权益的目的,一些国家通过宣传、教育,提高消费者对于商品或者服务的认知能力,同时,以法律的形式规定经营者有义务向消费者提供所经营的商品或者服务

的真实、全面的信息，但这都是营造消费者提高消费能力的外在因素，还需要消费者自觉、有意识地学习掌握消费知识，提高自身保护的能力，减少盲目消费、冲动消费、不当使用商品等，只有做到明明白白、清清楚楚消费，才能更好地实现合法权益受到保护的目的。消费者学习和掌握商品或者服务的知识的途径很多，可以通过网络、电视、广播获取相关的知识，也可以在购买商品或者服务时主动询问商品的相关知识，还可以注意一些媒体、刊物对商品或者服务的评价，以积累和掌握相关的知识，减少消费纠纷，提高自我保护能力。

第十四条　消费者在购买、使用商品和接受服务时，享有人格尊严、民族风俗习惯得到尊重的权利，享有个人信息依法得到保护的权利。

【释义】　本条是关于消费者有权受到尊重及个人信息得到保护的规定。

本次修改消费者权益保护法对本条作了修改。对本条中关于消费者在购买、使用商品和接受服务时享有人格尊严和民族风俗习惯得到尊重的权利是原有法律的规定，享有个人信息得到保护的权利是这次修改时新增加的内容。

一、消费者享有人格尊严受到尊重的权利

人格尊严是人身权的重要内容，涉及姓名权、名誉权、荣誉权、肖像权、隐私权等方面。人格尊严受到尊重是消费者应当享有的基本权利。但在消费实践中，侵害消费者人格尊严的事情经常发生，如侮辱消费者、非法搜查消费者的人身、拘禁消费者等。法律明确规定消费者的人格尊严受到保护，侵害消费者人格尊严的应当承担法律责任。

二、消费者享有民族风俗习惯受到尊重的权利

我国是一个统一的多民族国家，各民族一律平等是宪法规定的基本原则，宪法规定：“中华人民共和国是全国各族人民共同缔造的统一的多民族国家。平等、团结、互助的社会主义民族关系已经确立，并将继续加强。在维护民族团结的斗争中，要反对大民族主义，主要是大汉族主义，也要反对地方民族主义。国家尽一切努力，促进全国各民族的共同繁荣。中华人民共和国各民族一律平等。国家保障各少数民族的合法的权利和利益，维护和发展各民族的平等、团结、互助关系。禁止对任何民族的歧视和压迫，禁止破坏民族团结和制造民族分裂的行为。”各民族“都有保持或者改革自己的风俗习惯的自由”。

我国各民族间存在风土人情、饮食习惯、居住方式、衣着服饰、婚丧嫁娶、礼节禁忌等诸多的不同，而这些均与消费密切相关。尊重民族风俗习惯，尤其是少数民族的风俗习惯，就是尊重民族感情、民族尊严，这是涉及民族平等、民族团结的大事情，尊重民族风俗习惯，对于保护少数民族消费者合法权益有着重要的意义。因此，本法规定消费者在购买商品或者接受服务时享有民族风俗习惯得到尊重的权利。

三、消费者享有个人信息得到保护的权利

消费者享有个人信息得到保护的权利是这次消费者权益保护法修改新增加的内容。在修改立法中，不少意见提出，一些经营者将通过经营活动获得的消费者身份信息、电话号码、家庭住址、电子邮箱等个人信息泄露给他人，甚至出卖谋利，这些行为严重影响消费者生活安宁，侵害消费者隐私，希望法律对此作出规定。但对如何规范这方面的内容存在不同意见，有的提出直接规定个人信息保护，有的提出可以通过规定隐私权受到保护解决个人信息被侵害的问题，认为隐私比个人信息范围更宽，包

括隐私信息、隐私活动和隐私空间。

1. 个人信息的概念。信息社会,人的存在不仅涉及生物体征方面的信息,如性别、身高、长相等,也涉及作为社会成员的基本社会文化信息,如姓名、职业、宗教信仰、生活习惯等。个人信息保护成为法律问题始于20世纪60年代信息技术的广泛使用,至20世纪90年代末,互联网技术的进一步发展,快捷的信息处理与新的通讯技术、多媒体技术相结合,个人信息呈现多元化的特点,越来越多的国家与地区着眼于个人信息安全而相继立法。在这些立法中,除涉及非公共机构在收集、处理公众个人信息上的权利义务外,还涉及公共机构在信息收集、管理方面的职责。

个人信息或者称为个人资料、个人数据,一般是指与自然人相关的能够单独识别或者辅以其他信息能够识别出特定主体的所有信息,可以表现为文字、图表、图像等任何形式。有的国家称为“个人数据”,有的国家称为“个人信息”,也有的称为“个人资料”。

2. 隐私权与个人信息保护。美国法以隐私权作为个人信息保护立法的理论基础,主要原因在于美国法中的“隐私权”范围极广,几乎囊括了私人活动的各个领域,而不只局限于私生活秘密。美国法中的隐私权主要内容,一是信息隐私权,涉及信用、诊疗与政府档案中个人数据的收集和处理;二是身体隐私权,涉及保护个人身体,免予基因测试、药品测试以及堕胎干预等方面的侵犯;三是通信隐私权,涉及通信、电话、电邮和其他形式的安全;四是地域隐私权,涉及保护个人不受非法搜查、非法取证等行为的侵犯,等等。美国隐私权的范围随着社会的发展日益广泛,该权利被认为已经发展为一项宪法意义的一般人格权。

欧洲国家对"隐私权"的理解较窄,多认为是"私生活秘密权"或者"私生活受尊重的权利"。德国1990年修订的《联邦个人资料法》明确立法目的在于防止因个人信息的传输而造成人格权的侵害,事实上明确了个人信息不是隐私之下的概念,进而确立了以一般人格权作为个人信息保护的理论基础。总的看来,在欧洲主要国家,"隐私权"一般仅限于个人私生活,与姓名权、肖像权、名誉权并列属于具体的一项人格权,而"个人信息"因其具有的"信息人格"利益,被视为一般意义的人格权,属于基本人权范畴,其内涵与外延都已经走出了私法领域"隐私权"的范畴。

经对有关国家这方面的规定和所依据的法理进行比较研究,我们认为:

第一,同一概念在不同的法律制度中,内涵与外延都有所差别,在法律名词的使用上,要考虑本国的法律制度和文化传统。一是"隐私"与"个人信息"二者的范围有重合,即"隐私信息",如不愿意为他人知晓的有关病史、恋情史等个人信息。但是,"个人信息"还包括可以公开的"非隐私信息",如姓名、性别等;还有一些如身高、住址、电话号码等个人信息,有些人视为隐私,有的人视为可公开信息。二是我国现有的法律制度中涉及的"隐私权"是与"生命权、健康权、姓名权、名誉权、荣誉权、肖像权"等并列的概念,范围比美国法窄得多,一些侵犯个人信息的行为未必构成侵犯"隐私",如自然人的姓名属于个人信息,但却不是"隐私权"的保护客体;又如,肖像也属于个人信息,但不当利用他人肖像,则构成对"肖像权"而非"隐私权"的侵害;再如,不当删除、不完整记录或者错误记录他人信息,或者根据不实信息对他人信用作出错误评级等,这都属于侵犯他人信息权利的行为,但一般不涉及侵犯隐私。

第二,法律概念的使用一定要考虑特定的法律关系。消费者权益保护法有关个人信息保护的重点在于调整经营者在收集、处理众多消费者个人信息中的义务,如要求经营者依法收集、合理使用、安全防护、禁止或者限制披露等。法律既要保护消费者对其个人信息享有的人格权益,又要兼顾社会对个人信息的合理利用。对经营者而言,对众多消费者个人信息的利用,使商业企业能够通过对消费记录的信息分析寻找目标消费者并为其提供个性化服务,避免广告费用的浪费;银行、保险业经营者通过对消费者个人信用信息的分析,有的放矢发放贷款、推销个性化保险产品。对消费者而言,个人信息的有效利用也带来诸多益处,如减少其搜索商品的成本,减少商业垃圾邮件的数量,具有良好信用的消费者更易从银行等金融机构获得贷款等。鉴于信息自由流通具有的巨大社会效益和经济效益,消费者权益保护法对个人权利的规定应当兼顾消费者个人信息权益和信息资源有效利用的双重目的。而隐私权的保护,一般多着眼于权利主体的人格化利益,更倾向于限制个人信息的搜集与利用。因此,“个人信息”比“隐私”更适宜消费者权益保护法所要调整的法律关系。

第三,从权利内容与救济方式考虑,隐私权作为一种私生活受尊重的权利,多表现为消极被动和防御性的特点,其以侵害行为或者侵害可能为前提,以维护人格尊严为目的,一般不具有财产利益。而个人信息得到保护的权利,从世界主要国家的立法来看,表现为一种积极主动的请求权,不仅包括个人信息不受非法收集、处理的内容,还包括权利主体对其个人信息的积极控制,例如,权利人有权决定其个人信息能否被他人收集、处理和利用以及如何利用,有权要求信息处理者修改不正确、不完整的个人信息以保证信息质量,有权针对商业目的的个人信息利用获取报酬等。有学者认为,传统的具有消极被动特点的隐私权已经显得过于狭隘,很难适应信息社会的发展,隐私权应当从消极被动的不被打扰的权利过渡到积极主动处理控制个人信息的权利。从德国、日本等国家在有关个人信息保护立法方面的发展趋势看,“个人信息得到保护的权利”兼顾权利人的人格尊严与信息资源的有效利用,比“隐私权”更符合现代信息社会的发展需要。

基于以上各方面的研究分析,法律规定消费者享有个人信息依法得到保护的权利。本法第二十九条中对经营者如何对消费者个人信息保护作了明确规定:“经营者收集、使用消费者个人信息,应当遵循合法、正当、必要的原则,明示收集、使用信息的目的、方式和范围,并经消费者同意。经营者收集、使用消费者个人信息,应当公开其收集、使用规则,不得违反法律、法规的规定和双方的约定收集、使用信息。”“经营者及其工作人员对收集的消费者个人信息必须严格保密,不得泄露、出售或者非法向他人提供。经营者应当采取技术措施和其他必要措施,确保信息安全,防止消费者个人信息泄露、丢失。在发生或者可能发生信息泄露、丢失的情况时,应当立即采取补救措施。”“经营者未经消费者同意或者请求,或者消费者明确表示拒绝的,不得向其发送商业性信息。”从规定内容看,对消费者个人信息的保护包括经消费者个人同意对其信息的收集、利用和处理等。

四、违反本条的规定应当承担相应的法律责任

侵害法律明确规定的权利就要承担相应的法律责任,否则权利就成为一纸空文。本法在第五十条和第五十六条第九项中对侵害消费者个人信息的行为规定了法律责任。

1. 承担民事责任。本法第五十条规定,经营者侵害消费者的人格尊严、侵犯消费者人身自由或者侵害消费者个人信息依

法得到保护的权利的，应当停止侵害、恢复名誉、消除影响、赔礼道歉，并赔偿损失。

2. 承担行政责任。本法第五十六条规定，侵害消费者人格尊严、侵犯消费者人身自由或者侵害消费者个人信息依法得到保护的权利的，除承担相应的民事责任外，其他有关法律、法规对处罚机关和处罚方式有规定的，依照法律、法规的规定执行；法律、法规未作规定的，由工商行政管理部门或者其他有关行政部门责令改正，可以根据情节单处或者并处警告、没收违法所得、处以违法所得一倍以上十倍以下的罚款，没有违法所得的，处以五十万元以下的罚款；情节严重的，责令停业整顿、吊销营业执照。

3. 承担刑事责任。本法第五十七条规定，经营者违反本法规定提供商品或者服务，侵害消费者合法权益，构成犯罪的，依法追究刑事责任。刑法第二百五十三条之一规定："国家机关或者金融、电信、交通、教育、医疗等单位的工作人员，违反国家规定，将本单位在履行职责或者提供服务过程中获得的公民个人信息，出售或者非法提供给他人，情节严重的，处三年以下有期徒刑或者拘役，并处或者单处罚金。""窃取或者以其他方法非法获取上述信息，情节严重的，依照前款的规定处罚。""单位犯前两款罪的，对单位判处罚金，并对其直接负责的主管人员和其他直接责任人员，依照各该款的规定处罚。"刑法还对信用卡资料的窃取、收买或者非法提供他人信用卡资料的犯罪也规定了处罚。

第十五条　消费者享有对商品和服务以及保护消费者权益工作进行监督的权利。

消费者有权检举、控告侵害消费者权益的行为和国家机关

及其工作人员在保护消费者权益工作中的违法失职行为，有权对保护消费者权益工作提出批评、建议。

【释义】 本条是关于消费者享有监督权的规定。

本法第二章规定消费者的权利，前面的条文为消费者设立了相互独立又相互关联的安全保障权、选择权、公平交易权、获得赔偿权、成立维权组织权、获得知识权、受尊重权、信息得到保护权等权利。本条又规定消费者享有对商品和服务以及保护消费者权益工作进行监督的权利。监督权是上述各项权利的必然延伸，对消费者权利的实现至关重要。这种监督权的表现，一是有权对经营者进行监督，有权检举、控告侵害消费者权益的行为；二是有权对国家机关及其工作人员进行监督，有权检举、控告在保护消费者权益工作中的违法失职行为；三是有权对保护消费者权益工作提出批评、建议。消费者行使本条规定的监督权，既是维护自身合法权益的需要，也是人民群众参与国家管理的形式和途径之一。宪法第二条第三款规定，人民依照法律规定，通过各种途径和形式，管理国家事务，管理经济和文化事业，管理社会事务。第四十一条规定，中华人民共和国公民对于任何国家机关和国家工作人员，有提出批评和建议的权利；对于任何国家机关和国家工作人员的违法失职行为，有向有关国家机关提出申诉、控告或者检举的权利，但是不得捏造或者歪曲事实进行诬告陷害。对于公民的申诉、控告或者检举，有关国家机关必须查清事实，负责处理。任何人不得压制和打击报复。

消费者有权对经营者的商品和服务进行监督。在权利受到侵害时，消费者有权提出检举或控告。为了进一步把消费者维权落到实处，这次修改消费者权益保护法，新增加一个条文，即第四十六条，规定消费者向有关行政部门投诉的，该部门应当自收到投诉之日起七个工作日内，予以处理并告知消费者。另外，消费者也可以对与自己没有直接利害关系的经营者行为进行监督。消费者行使监督权,有助于有关政府部门及时制止危害消费者人身、财产安全的行为。本法第三十三条规定,有关行政部门在各自的职责范围内,应当定期或者不定期对经营者提供的商品和服务进行抽查检验,并及时向社会公布抽查检验结果。有关行政部门发现并认定经营者提供的商品或者服务存在缺陷,有危及人身、财产安全危险的,应当立即责令经营者采取停止销售、警示、召回、无害化处理、销毁、停止生产或者服务等措施。这也是这次修改新增加的规定。有关行政部门"发现"经营者提供的商品或者服务存在缺陷,从而采取措施,消除或者减少对消费者的危害,除了通过自身"定期或者不定期对经营者提供的商品和服务进行抽查检验"外,充分重视消费者行使监督权,认真对待消费者的检举或控告,从中发现线索,也是重要的途径。

消费者有权监督国家机关及其工作人员,对其在保护消费者权益工作中的违法失职行为进行检举、控告。这是对国家机关及其工作人员实行社会监督的一种重要形式。本法第六条第二款规定,国家鼓励、支持一切组织和个人对损害消费者合法权益的行为进行社会监督。本法第四章专章规定国家对消费者合法权益的保护,规定各级人民政府以及有关行政部门、有关国家机关都应当做好保护消费者合法权益的工作,落实保护消费者合法权益的职责。同时,本法第六十一条规定,国家机关工作人员玩忽职守或者包庇经营者侵害消费者合法权益的行为的,由其所在单位或者上级机关给予行政处分;情节严重,构成犯罪的,依法追究刑事责任。保障消费者对国家机关及其工作人员在保护消费者权益工作中的违法失职行为检举、控告的权利,有利于将这些规定落到实处。

消费者有权对保护消费者权益工作提出批评、建议。保护消费者的合法权益是全社会的共同责任,国家机关尤其担负着重要职责。本法第五条规定,国家保护消费者的合法权益不受侵害。国家采取措施,保障消费者依法行使权利,维护消费者的合法权益。认真对待并虚心接受消费者对保护消费者权益工作的批评、建议,有助于履行好保护消费者权益的职责。为此,本法第三十条规定,国家制定有关消费者权益的法律、法规、规章和强制性标准,应当听取消费者和消费者协会等组织的意见。另外,本法第三十二条的规定,各级人民政府工商行政管理部门和其他有关行政部门应当依照法律、法规的规定,在各自的职责范围内,采取措施,保护消费者的合法权益。同时规定,有关行政部门应当听取消费者和消费者协会等组织对经营者交易行为、商品和服务质量问题的意见,及时调查处理。

第三章 经营者的义务

本章共十四条,主要对经营者应当依照法律法规的规定和双方约定履行义务,接受消费者监督的义务,保障人身和财产安全的义务,对缺陷商品或者服务采取召回等措施的义务,提供商品或者服务真实、全面信息的义务,标明自身真实名称和标记的义务,出具发票等购货凭证或者服务单据的义务,保证商品或者服务质量状况的义务,退货更换修理等义务,接受无理由退货义务,不得使用不公平格式条款的义务,不得侵害消费者人格尊严、侵犯消费者人身自由的义务,保护消费者个人信息的义务等内容作了规定。

第十六条 经营者向消费者提供商品或者服务,应当依照本法和其他有关法律、法规的规定履行义务。

经营者和消费者有约定的,应当按照约定履行义务,但双方的约定不得违背法律、法规的规定。

经营者向消费者提供商品或者服务,应当恪守社会公德,诚信经营,保障消费者的合法权益;不得设定不公平、不合理的交易条件,不得强制交易。

【释义】 本条是关于经营者向消费者提供商品或者服务,应当依法守信,恪守社会公德的规定。

本次修改消费者权益保护法对本条作了修改。

制定消费者权益保护法是为了保护消费者的合法权益,维护社会经济秩序，促进社会主义市场经济健康发展。本法第二章规定了消费者享有的权利，消费者的这些权利，最重要的是要通过明确经营者相应的义务，并促使经营者履行好这些义务来加以落实。这次修改消费者权益保护法，第三章的内容修改的最多，目的就是根据实际情况，通过合理强化经营者的义务，进一步完善我国的消费者权益保护法律制度。

本条是第三章的第一条，起着提纲挈领的作用。本条规定了三款，都是经营者从事经营活动，向消费者提供商品或者服务，应当遵循的基本原则。

本条第一款规定了经营者依法履行义务的原则。目前，我国形成了较为完善的消费者权益保护法律体系。在法律层面，不仅有《消费者权益保护法》，还有其他多部法律都规定有不少消费者权益保护的内容，如《产品质量法》、《合同法》、《侵权责任法》、《食品安全法》、《药品管理法》、《广告法》、《旅游法》、《商业银行法》、《保险法》等。《直销管理条例》、《价格违法行为行政处罚规定》、《乳品质量安全监督管理条例》、《食品安全法实施条例》、《缺陷汽车产品召回管理条例》等行政法规都与消费者权益保护密切相关。各省、自治区、直辖市在消费者权益保护法实施后，都根据本地的实际情况，制定了消费者权益保护条例或者实施办法等地方性法规。有关部门发布的政府规章，如《部分商品修理更换退货责任规定》、《微型计算机商品修理更换退货责任规定》、《移动电话商品修理更换退货责任规定》以及最近施行的《家用汽车产品修理、更换、退货责任规定》等，都是相关法律、法规的配套规定。经营者向消费者提供商品或者服务，除了要依照本法外，也要依照这些法律、法规的规定履行义务。消费者权益保护法是消费者权益保护的基本性质的法律，上述这些法律、法规的规定，有的属于特别规定，如食品安全法第九十六条规定:“生产不符合食品安全标准的食品或者销售明知是不符合食品安全标准的食品,消费者除要求赔偿损失外,还可以向生产者或者销售者要求支付价款十倍的赔偿金。”有的属于专门领域的细化规定,如侵权责任法第五十五条规定:“医务人员在诊疗活动中应当向患者说明病情和医疗措施。需要实施手术、特殊检查、特殊治疗的,医务人员应当及时向患者说明医疗风险、替代医疗方案等情况,并取得其书面同意;不宜向患者说明的,应当向患者的近亲属说明,并取得其书面同意。”“医务人员未尽到前款义务,造成患者损害的,医疗机构应当承担赔偿责任。”

本条第二款规定了经营者依照与消费者的约定履行义务的原则。经营者和消费者之间的约定,就是双方的合同。合同法第八条规定,依法成立的合同,受法律保护,对当事人具有法律约束力。当事人应当按照约定履行自己的义务,不得擅自变更或者解除合同。因此,经营者应当按照约定履行义务。例如,经营者承诺“假一罚十”,消费者信赖其承诺购买了商品,买卖双方之间就有了这个关于加倍赔偿的协议。事后证明该商品确是假货,经营者就应当依照与消费者的约定履行义务,“假一罚十”,而不能主张依照本法第五十五条的规定“罚三”。依照本款,双方的约定不得违背法律、法规的规定,这是指双方的约定不得违背法律、法规的强制性规定。合同法第五十二条规定,违反法律、行政法规的强制性规定的合同无效。例如,合同法第五十三条规定,合同中的下列免责条款无效:(1)造成对方人身伤害的;(2)因故意或者重大过失造成对方财产损失的。这个规定就属于法律的强制性规定。实践中不少经营者不知道这个规定,在与消费者订立的合同中约定,自己对某些情况下造成的对方人身伤害不承担责任。这样的约定,即使当时消费者签字同意了，也是没有法律效力的。本法中一个重要强制性规定就是本法第二十六条第二款规定的“经营者不得以格式条款、通知、声明、店堂告示等方式，作出排除或者限制消费者权利、减轻或者免除经营者责任、加重消费者责任等对消费者不公平、不合理的规定”。例如，网店的经营者在网页上说明自己对某些商品不承担无理由退货责任，而这些商品又不属于依照本法第二十五条排除适用无理由退货的商品。这种说明未经消费者通过点击等方式确认，属于合同法规定的“在订立合同时未与对方协商”的格式条款，该格式条款违反了本法第二十六条第二款的强制性规定，因此，其内容无效。本法第二十六条第三款也是这样规定的。

本条第三款是本次修改新增加的内容。全国人大常委会第二次会议对消费者权益保护法修正案草案初次审议时，有的常委会组成人员提出，一些经营者违法经营，制售假冒伪劣商品，进行虚假宣传，严重损害消费者权益，一个重要原因就是缺失诚信，背离社会公德，消费者权益保护法应当强调加强社会诚信建设。法律委员会经研究认为，在本法修改中进一步体现这一精神，有利于引导经营者自觉履行法定义务并承担社会责任，培育诚信的消费环境，增强人民群众的消费信心。建议增加规定：经营者向消费者提供商品或者服务，应当恪守社会公德，诚信经营，保障消费者合法权益。常委会第四次会议对消费者权益保护法修正案草案再次审议时，有的常委委员、代表建议增加规定，经营者提供商品或者服务不得歧视消费者，不得设定不合理的交易条件或者差别待遇。法律委员会经研究，现行消费者权益保护法对消费者享有公平交易的权利作了规定，为与消费者的这项权利相对应，进一步明确经营者的义务，建议增加规定：经营者向消费者提供商品或者服务，不得设定不公平、不合理的交易条件,不得强制交易。最终,本条增加一款,作为第三款,规定:"经营者向消费者提供商品或者服务,应当恪守社会公德,诚信经营,保障消费者的合法权益;不得设定不公平、不合理的交易条件,不得强制交易。"

第十七条　经营者应当听取消费者对其提供的商品或者服务的意见,接受消费者的监督。

【释义】 本条是关于经营者接受消费者监督义务的规定。

消费者权益保护法第十五条规定了消费者对商品和服务进行监督的权利,本条从经营者一方的角度对消费者监督权予以落实和强化。

一、从法律上设定经营者接受监督的义务,具有重要意义

(一)有利于保证和督促经营者履行各项义务,促使经营者守法经营。原消费者权益保护法规定了经营者的十项义务,除经营者接受监督的义务之外,还有经营者应当依照法律法规的规定和双方约定履行义务、经营者保障人身和财产安全的义务、经营者提供商品或者服务真实、全面信息的义务、经营者标明真实名称和标记的义务、经营者出具购货凭证或者服务单据的义务、经营者保证商品或者服务质量状况的义务、经营者的退货更换修理等义务、经营者不得使用不公平的格式条款的义务、经营者不得侵害消费者人格尊严、侵犯消费者人身自由的义务。本次修改消费者权益保护法在完善细化上述义务的基础上,又增加了经营者的无理由退货义务、保护消费者个人信息的义务。这些义务中,除了经营者应当依照法律法规的规定和双方约定履行义务、接受消费者监督的义务之外,其他义务都有具体的指向内容。经营者是否适当、全面地履行了各项义务,都应当接受消费者的监督。经营者接受消费者监督的义务是其他各项义务

得以落实的重要保证。消费者对商品和服务的价格、质量，对经营者履行各项义务的情况，都可以提出意见，进行监督，经营者不得予以拒绝。

（二）有利于经营者改进商品质量，提升服务水平，规范经营行为。消费者是商品的终极使用或者服务的最终体验者，其对商品或者服务质量水平的评价意见直观明确，对经营者下一步改善商品质量，提升服务水平具有重要的参考价值。从经营者和消费者的关系来看，二者相互依存，既对立又统一。在单个的交易中，经营者和消费者处于相互独立、相互对应的双方，但从总体和长远来说，经营者和消费者的利益又是统一的。消费者对商品和服务提出意见，经营者可以此提升商品质量和服务水平，把握市场方向，改善经营水平，而商品质量和服务水平的提高又反过来促进消费行为，增强消费信心，释放消费潜力。从实践来看，对消费者的意见积极进行回馈、处理的经营者，往往能够在激烈的市场竞争中占据有利地位。因此，经营者也要改变对消费者监督的不正确的看法，理性看待消费者的监督，把消费者的监督作为规范经营行为的动力，而不是负担。

二、经营者接受消费者监督的内容

消费者对经营者的监督是全方位的。消费者既可以就经营者提供商品或者服务的合法性进行监督，也可以就商品或者服务的价格是否合理等合理性问题提出意见。消费者可以就经营者提供商品或者服务的某一方面进行监督，也可以就经营者提供商品或者服务全方位进行监督，总的来说，可以分为以下三类：一是商品或者服务本身存在的问题，包括商品或者服务是否符合国家规定或者双方约定的质量要求，是否存在价格违法行为等。对可能危及人身、财产安全的商品和服务，是否有明确的警示，是否标明正确的使用方法、防止危害发生的方法等。二是经营者在提供商品或者服务过程中的行为，包括经营者是否尽到信息提供义务，提供的商品或者服务的质量、性能、用途、有效期限等信息，是否真实、全面，是否存在虚假宣传行为；宾馆、商场、餐馆、银行、机场、车站、港口、影剧院等经营场所的经营者，是否对消费者尽到安全保障义务；是否存在侵害消费者人格尊严或者限制消费者人身自由的行为；是否有侵害消费者个人信息的行为等。三是后续义务履行或者民事责任承担问题，包括经营者是否拒绝或者拖延对缺陷商品或者服务采取停止销售、警示、召回、无害化处理、销毁、停止生产或者服务等措施，对消费者提出的修理、重作、更换、退货、补足商品数量、退还货款和服务费用或者赔偿损失的要求，是否故意拖延或者无理拒绝。本次修改消费者权益保护法新增了无理由退货制度，即消费者采用网络、电视、电话、邮购等非现场方式购买商品的，除特定商品外，有权自收到商品之日起七日内退货，且无须说明理由。对消费者提出的无理由退货要求，经营者是否无理拒绝或者找各种理由进行推诿，也是修改后的消费者权益保护法施行之后需要监督的一项重要内容。

三、经营者接受消费者监督的方式

（一）听取消费者的意见

消费者购买、使用商品或者接受服务时遇到的问题，可以直接向经营者进行反映，也可以反映给消费者协会等消费者组织，再由消费者组织与经营者进行沟通。经营者对消费者或者消费者组织提出的各种意见，应当认真听取，对消费者提出的合法要求，要积极落实，对消费者提出的其他一些意见，也要耐心地进行解释说明。

（二）通过邀请消费者代表实地参观、组织座谈会等方式接受监督

经营者除了被动听取消费者意见之外，也应当主动创造条

件接受消费者的监督。实践中，有的经营者改被动接受消费者监督为主动接受监督，并进行了积极的探索与尝试。例如，对消费者普遍担心的饭店后厨问题，有的餐厅经营者邀请消费者进行店内参观，全面展示厨房的设备、后厨及厨师的清洁卫生管理。又如，有的食品加工企业邀请消费者代表参观食品的整个生产流程，现场对消费者的询问作出解答。这些做法在一定程度上拓宽了消费者监督的途径和方式，有利于消费者行使监督权，也展示了企业的自信，使企业更加注重商品质量的提高，有利于消费者和经营者关系的良性健康发展。

第十八条　经营者应当保证其提供的商品或者服务符合保障人身、财产安全的要求。对可能危及人身、财产安全的商品和服务，应当向消费者作出真实的说明和明确的警示，并说明和标明正确使用商品或者接受服务的方法以及防止危害发生的方法。

宾馆、商场、餐馆、银行、机场、车站、港口、影剧院等经营场所的经营者，应当对消费者尽到安全保障义务。

【释义】　本条是关于经营者保障消费者人身和财产安全义务的规定。

本次修改消费者权益保护法对本条作了修改。

人身权、财产权是自然人的基本民事权利。消费者购买商品和接受服务，人身和财产安全是消费者的最基本要求。消费者这一基本要求的实现，需要经营者保证其提供的商品或者服务具有足够的安全性。因此，消费者权益保护法将保障消费者人身和财产安全义务作为经营者的基本义务之一作了规定。

（一）本条第一款规定了经营者提供商品或者服务保障人身和财产安全的义务。

首先,经营者应当保证其提供的商品或者服务符合保障人身、财产安全的要求。经营者提供的各类商品或者服务应当符合保障人身和财产安全,是指其提供的商品或者服务应当符合保障人身和财产安全的一般性要求,不能危及和损害消费者的人身和财产安全。我国的其他法律对商品和服务符合保障人身和财产安全的义务也有相应规定。如产品质量法第二十六条规定,生产者应当对其生产的产品质量负责。产品质量应当符合下列要求:(1)不存在危及人身、财产安全的不合理的危险,有保障人体健康和人身、财产安全的国家标准、行业标准的,应当符合该标准;(2)具备产品应当具备的使用性能,但是,对产品存在使用性能的瑕疵作出说明的除外;(3)符合在产品或者其包装上注明采用的产品标准,符合以产品说明、实物样品等方式表明的质量状况。旅游法第五十条规定,旅游经营者应当保证其提供的商品和服务符合保障人身、财产安全的要求。旅游经营者取得相关质量标准等级的,其设施和服务不得低于相应标准;未取得质量标准等级的,不得使用相关质量等级的称谓和标识。如果经营者提供的商品或者服务侵害了消费者的人身和财产安全,本法第四十八条等条款规定了相应的法律责任。

其次,对可能危及人身、财产安全的商品和服务,应当向消费者作出真实的说明和明确的警示,并说明和标明正确使用商品或者接受服务的方法以及防止危害发生的方法。可能危及消费者人身、财产安全的商品和服务,是指如果消费者未按正确的方法使用商品或者接受服务,商品或者服务可能会出现危害消费者人身、财产安全的情况。如果经营者提供的商品或者服务可能危及消费者人身、财产安全,经营者首先应当向消费者作出真实的说明和明确的警示,向消费者指出商品或者服务可能危及人身、财产安全的情况。说明和警示可以是口头的也可以是书面的。不管以何种方式说明,经营者所作的说明应该是准确、充分、真实的。警示的方式可以是警示标志也可以是文字警示,警示应该是醒目、明确和易懂的。如有的食品包装上印有“胀袋勿食”,有的商品的包装上标有“严禁倒置”、“易燃品”、“请勿食用”、“危险品”、“请放置到儿童不能触及的地方”、“本产品只适合三岁以上儿童”等文字说明和警示,也有的商品的包装上标备一些特殊的警示符号,如“当心烫伤”、“危险物质请远离火源”等。此外,对可能危及人身、财产安全的商品和服务,经营者除向消费者作出真实的说明和明确的警示外,还应该说明和标明正确使用商品或者接受服务的方法以及防止危害发生的方法。例如,微波炉的经营者,应在产品说明书中说明金属、鸡蛋等不能放入产品中加热,以防止危险发生。又如,果冻经营者,应注明不适合几岁以下小孩食用。我国其他法律对经营者对可能危及人身、财产安全的商品和服务的说明和警示义务也有规定。产品质量法第二十七条第一款规定,产品或者其包装上的标识必须真实,并符合下列要求:……(5)使用不当,容易造成产品本身损坏或者可能危及人身、财产安全的产品,应当有警示标志或者中文警示说明。第二十八条规定,易碎、易燃、易爆、有毒、有腐蚀性、有放射性等危险物品以及储运中不能倒置和其他有特殊要求的产品,其包装质量必须符合相应要求,依照国家有关规定作出警示标志或者中文警示说明,标明储运注意事项。旅游法第八十条规定,旅游经营者应当就旅游活动中的下列事项,以明示的方式事先向旅游者作出说明或者警示:(1)正确使用相关设施、设备的方法;(2)必要的安全防范和应急措施;(3)未向旅游者开放的经营、服务场所和设施、设备;(4)不适宜参加相关活动的群体;(5)可能危及旅游者人身、财产安全的其他情形。特种设备安全法第二十一条规定,特种设备出厂时,应当随附安全技术规范要求的设计文件、产品质量合格证明、安装及使用维护保养说明、监督检验证明等相关技术资料和文件,并在特种设备显著位置设置产品铭牌、安全警示标志及其说明。

从国外的情况看,其他国家和地区对经营者都有类似的义务规定。如欧盟《关于产品一般安全的指令92/59》第三条规定,生产者和销售者的义务:(1)生产者只能向市场提供安全的产品。(2)生产者应当在各自的活动范围内向消费者提供确切的信息,以便让其估量在正常的或者合理预期的期限内使用产品时所隐含的危险并采取预防措施,因为如果没有足够的警示,消费者便不能及时觉察危险。作出此种警示并不免除任何人遵守本指令的其他要求的义务。我国台湾地区"消费者保护法"第七条规定:从事设计、生产、制造商品或提供服务之企业经营者,于提供商品流通进入市场,或提供服务时,应确保其该商品或服务,符合当时科技或专业水平可合理期待之安全性。商品或服务具有危害消费者生命、身体、健康、财产之可能者,应于明显处为警告标示及紧急处理危险之方法。

(二)本条第二款是本次修改新增加的内容。增加规定了宾馆、商场、餐馆、银行、机场、车站、港口、影剧院等经营场所的经营者的安全保障义务。

从国外的情况看,典型的大陆法系国家法律中对安全保障义务都没有作出一般性规定,而是通过法院在司法审判中具体适用,其适用领域较为广泛,但各国判例确立的规则存在较大差异。

在德国,存在"交往安全义务"的概念,是指开启或者持续特定危险的人所应承担的,根据具体情况采取必要、适当的防范措施,以保护第三人免受损害的义务。这个概念并未明文出现在德国法律中,而是由法院通过对民法典有关条款的解释和类推适用确立的。最初,德国法院通过判例确立了“交通安全义务”的概念,用于解决供公众往来的道路交通设备,如土地、道路、公园、桥梁等出现事故时的责任归属问题。随后,法院逐渐将其扩展到许多其他领域,形成了“交往安全义务”的概念。这一义务主要基于以下原因产生:一是维持某种交通或者交往;二是保有作为危险源的物;三是实施了导致一定危险结果的行为;四是从事一定营业或者职业。

法国类似的概念是“保安义务”,也是由法院通过判例所创设的,是指不侵害他人人身、财产的安全义务。保安义务既涉及侵权法也涉及合同法。最初,保安义务仅适用于合同法领域,属于合同一方当事人在履行合同所规定的主要义务时,对另一方当事人所承担的确保其安全的附属性义务。该义务要求合同当事人既要保护另一方当事人的生命和身体的安全,也要保护其财产的安全。以后,法院将保安义务逐渐扩展到侵权法领域,受害人可以不依据合同而直接向负有保安义务的责任人提出侵权损害赔偿的要求。

日本使用“安全关照义务”的概念,这是由日本最高裁判所1975年通过判例创设的,是指“基于某种法律关系”而具有特殊法律关系的当事人之间,作为法律关系的附随义务而存在的,当事人各自对于相对人基于诚实信用原则所负的一般义务。该义务要求其保障他方当事人的生命、身体、健康免受由这种法律关系所产生的损害危险,主要适用于雇佣、劳动、承揽、委托、承包和转包合同关系中。对于是否适应于学校与学生、医院与患者、商场与消费者、监狱与犯人、建筑物出租人与承租人等法律关系中,学者们还存在较大争议。

英美侵权法中与安全保障义务相类似的一个概念是“注意

义务”。当原告与被告之间存在某种特殊关系,或者被告是某种危险源的开启者时,则被告就对原告负有注意义务。注意义务是被告承担过失侵权责任的前提。在英美侵权法中,注意义务主要来源于当事人之间的契约关系(包括契约明确规定和暗含或者默示的注意义务)、制定法的规定(如有关交通安全、产品安全、未成年人保护等法律中规定的注意义务)和非制定法的规定(主要是基于可预见性、特殊关系以及被告的责任自愿承担而产生的注意义务)。是否违反注意义务,应以合理人的行为标准,并结合生理缺陷、精神缺陷、醉酒、未成年、紧急情况等其他因素予以判断。

我国在法律上首次规定安全保障义务的是侵权责任法。侵权责任法第三十七条第一款规定,宾馆、商场、银行、车站、娱乐场所等公共场所的管理人或者群众性活动的组织者,未尽到安全保障义务,造成他人损害的,应当承担侵权责任。最高人民法院2003年发布的《关于审理人身损害赔偿案件适用法律若干问题的解释》第六条第一款对安全保障义务的有关问题作出规定:“从事住宿、餐饮、娱乐等经营活动或者其他社会活动的自然人、法人、其他组织,未尽合理限度范围内的安全保障义务致使他人遭受人身损害,赔偿权利人请求其承担相应赔偿责任的,人民法院应予支持。”侵权责任法在总结司法实践经验的基础上,借鉴国外相关规定,对未尽到安全保障义务的侵权责任作出了明确规定。

本次修改将原消费者权益保护法第十八条的两款分成两条进行规定,并且在第一款经营者提供商品或者服务保障人身和财产安全的义务后根据侵权责任法的规定,增加规定了一款经营场所的经营者的安全保障义务。根据本款规定,宾馆、商场、餐馆、银行、机场、车站、港口、影剧院等经营场所的经营者,应当对消费者尽到安全保障义务。安全保障义务,是指这些经营场所的经营者负有的在合理限度范围内保护他人人身和财产安全的义务。理解安全保障义务,需注意以下问题:

1. 安全保障义务人的范围

侵权责任法明确规定安全保障义务人为两类人:第一,宾馆、商场、银行、车站、娱乐场所等公共场所的管理人。公共场所包括以公众为对象进行商业性经营的场所,也包括对公众提供服务的场所。例如,本条列举的宾馆、商场、银行、车站、娱乐场所等,除了本条列举的这些场所外,机场、码头、公园、餐厅等也都属于公共场所。第二,群众性活动的组织者。群众性活动是指法人或者其他组织面向社会公众举办的参加人数较多的活动,如体育比赛活动,演唱会、音乐会等文艺演出活动,展览、展销等活动,游园、灯会、庙会、花会、焰火晚会等活动,人才招聘会、现场开奖的彩票销售等活动。

本条根据侵权责任法的规定,列举的安全保障义务人为宾馆、商场、餐馆、银行、机场、车站、港口、影剧院等经营场所的经营者。相对于侵权责任法,本条安全保障义务人的范围的确定是根据消费者权益保护法的调整范围作的规定:一是本法中安全保障义务主体仅为经营场所的经营者;二是本法对安全保障义务主体的列举,相对于侵权责任法,增加了餐馆、机场、港口、影剧院的经营者。需要明确的是,本条规定的安全保障义务主体并不限于此条款列举的经营场所的经营者。

2. 保护对象的范围

侵权责任法将安全保障义务的保护对象规定为“他人”,没有明确具体的范围,实践中哪些人属于保护对象应根据具体情况判断。安全保障义务所保护的对象与安全保障义务人之间应存在某种关系,本条根据消费者权益保护法的调整范围将经营者安全保障义务的对象规定为消费者，即本法仅调整经营者与消费者之间的安全保障义务，经营者与消费者之外的其他人安全保障法律关系由侵权责任法等其他法律调整。

3. 安全保障义务的内容和判断标准

安全保障义务的目的是保护他人的人身和财产安全，其主要内容是要求义务人必须采取一定的行为来维护他人的人身或者财产免受侵害。这种义务的具体内容既可能基于法律的明确规定，也可能基于合同义务，还可能基于诚实信用原则而产生。由于安全保障义务人的范围很广，涉及多个行业、多类主体，不同义务人对不同保护对象所负有的安全保障义务是不同的，在法律中无法明确其具体内容。对于实践中需要确定义务人应当负有的具体安全保障义务的内容，进而判断安全保障义务人是否已经尽到安全保障义务的，可以参考该安全保障义务人所在行业的普遍情况、所在地区的具体条件、所组织活动的规模等各种因素，从侵权行为的性质和程度、义务人的保安能力以及发生侵权行为前后所采取的防范、制止侵权行为的状况等方面，根据实际情况综合判断。

此外，本次修改在本法法律责任一章，针对经营者的安全保障义务规定了相应的法律责任。本法第四十八条第二款规定，经营者对消费者未尽到安全保障义务，造成消费者损害的，应当承担侵权责任。

第十九条　经营者发现其提供的商品或者服务存在缺陷，有危及人身、财产安全危险的，应当立即向有关行政部门报告和告知消费者，并采取停止销售、警示、召回、无害化处理、销毁、停止生产或者服务等措施。采取召回措施的，经营者应当承担消费者因商品被召回支出的必要费用。

【释义】 本条是关于经营者发现商品或者服务存在缺陷应当采取措施义务的规定。

本次修改消费者权益保护法对本条作了修改。

本法第十八条第一款规定了经营者提供商品和服务保障人身和财产安全的义务，以及如果商品或者服务非正确使用可能对消费者人身、财产安全造成危害的警示和说明义务。但在有的情况下，经营者可能因技术水平等原因在提供商品或者服务时未能发现产品有缺陷，在提供给消费者后，才发现其提供的商品或者服务存在缺陷，有危及消费者人身、财产安全危险。本条规定了此种情况下经营者应当立即向有关行政部门报告和告知消费者，并采取停止销售、警示、召回、无害化处理、销毁、停止生产或者服务等措施，以防止对消费者人身、财产安全造成危害或者进一步扩大危害。本条规定的主要目的是，明确经营者对其提供的商品或者服务跟踪服务的义务，要求经营者对投入流通后的商品不能撒手不管，应当跟踪服务，发现存在缺陷的，应当及时采取措施，最大可能地避免消费者人身、财产损害，保护消费者的合法权益。对于此种义务，我国其他法律也有类似规定，侵权责任法第四十六条规定，产品投入流通后发现存在缺陷的，生产者、销售者应当及时采取警示、召回等补救措施。未及时采取补救措施或者补救措施不力造成损害的，应当承担侵权责任。食品安全法第五十三条明确规定，国家建立食品召回制度。食品生产者发现其生产的食品不符合食品安全标准，应当立即停止生产，召回已经上市销售的食品，通知相关生产经营者和消费者，并记录召回和通知情况。食品经营者发现其经营的食品不符合食品安全标准，应当立即停止经营，通知相关生产经营者和消费者，并记录停止经营和通知情况。食品生产者认为应当召回的，应当立即召回。食品生产经营者未依照规定召回或者停止经营不符合食品安全标准的食品的，县级以上质量监督、工商行政管理、食品药品监督管理部门可以责令其召回或者停止经营。

一、适用本条的前提条件是经营者发现提供的商品或者服务存在缺陷

本条所指的缺陷，根据产品质量法第四十六条的规定，是指产品存在危及人身、财产安全的不合理的危险；产品有保障人体健康和人身、财产安全的国家标准、行业标准的，是指不符合该标准。

二、本条规定了在此种情况下经营者应当首先立即向有关行政部门报告和告知消费者

向有关行政部门报告，主要包括向工商行政管理部门、质监部门等主管部门报告。告知消费者的方式，经营者可根据消费者的人数以及实际情况灵活掌握，以尽最大可能让处于人身、财产安全危险的消费者知道危险的存在和预防危险发生的处理方法为原则。如果提供商品或者服务时记录有消费者的联系方式，可直接电话告知危险以及预防危险的方法。如果提供商品或者服务时未保存消费者的联系方式，情况紧急时，经营者可以通过电视、广播、报纸等媒体让可能处于危险的消费者知道危险的存在，以避免危险的发生。

三、本条规定了在此种情况下经营者应当采取的具体措施

具体措施包括停止销售、警示、召回、无害化处理、销毁、停止生产或者服务等措施。本条规定的这些措施，都是经营者为了避免对消费者人身、财产安全造成危害主动应当采取的措施，与行政部门行使行政权时责令采取召回措施存在区别。需要注意的是，在上述情况发生时，经营者可以根据商品的不同性能、特点、作用、缺陷的状况、损害发生的概率等情况采取这些具体

措施的一项或者多项,以防止损害发生或者进一步扩大,以达到避免对消费者人身、财产安全造成危害为目的。

（一）停止销售,是指经营者发现提供的商品或者服务存在缺陷,如果发现时经营者仍然在销售存在缺陷的商品,那么经营者首先应当采取的措施是停止销售商品。

（二）警示,是指对产品有关的危险或产品的正确使用给予说明、提醒,提请使用者在使用该产品时注意已经存在的危险或者潜在可能发生的危险,避免危险的发生,防止或者减少对使用者的损害。警示的作用有两个:一是告知使用者产品有危险,明示产品的缺陷;二是让使用者知道在使用该产品时如何避免危险的发生,以保证人身、财产的安全。对此种警示义务,侵权责任法有类似规定,第四十六条规定,产品投入流通后发现存在缺陷的,生产者、销售者应当及时采取警示、召回等补救措施。本条的警示义务与本法第十八条的警示义务有区别,本法第十八条侧重对经营者售出前的产品警示说明作出规定,本条规定的警示义务则是对产品已经售出并进入流通后发现缺陷产品的警示补救措施作出规定,二者相辅相成,最大限度地保护了消费者的合法权益。

（三）召回,是产品的生产者、销售者依法定程序,对其生产或者销售的缺陷产品以换货、退货、更换零配件等方式,及时消除或减少缺陷产品危害的行为。缺陷产品召回制度已经在我国初步确立,侵权责任法第四十六条规定,产品投入流通后发现存在缺陷的,生产者、销售者应当及时采取警示、召回等补救措施。未及时采取补救措施或者补救措施不力造成损害的,应当承担侵权责任。特种设备安全法第二十六条规定,国家建立缺陷特种设备召回制度。因生产原因造成特种设备存在危及安全的同一性缺陷的,特种设备生产单位应当立即停止生产,主动召回。

国务院负责特种设备安全监督管理的部门发现特种设备存在应当召回而未召回的情形时,应当责令特种设备生产单位召回。国务院发布的《乳品质量安全监督管理条例》也对缺陷产品的召回作了规定。第三十六条第一款规定,乳制品生产企业发现其生产的乳制品不符合乳品质量安全国家标准、存在危害人体健康和生命安全危险或者可能危害婴幼儿身体健康或者生长发育的,应当立即停止生产,告知销售者、消费者,召回已经出厂、上市销售的乳制品,并记录召回情况。第四十二条第一款规定,对不符合乳品质量安全国家标准、存在危害人体健康和生命安全或者可能危害婴幼儿身体健康和生长发育的乳制品,销售者应当立即停止销售,追回已经售出的乳制品,并记录追回情况。国家质检总局先后发布了《食品召回管理规定》、《儿童玩具召回管理规定》,国家食品药品监督管理局发布了《药品召回管理办法》,国家质检总局、国家发展和改革委员会、商务部、海关总署联合发布了《缺陷汽车产品召回管理规定》,分别对食品、儿童玩具、药品、汽车等缺陷产品的召回作了详细的规定。2012年国务院发布《缺陷汽车产品召回管理条例》,对缺陷汽车产品的召回制度作了专门规定。

(四)无害化处理,是指经营者对其生产或者销售的有缺陷的商品做不污染环境的处理。例如,经营者出售了危及消费者安全的电子产品,为安全将电子产品召回,经营者对召回的电子产品应进行无害化处理,而不能随意丢弃,让电子产品中的一些有害物质污染环境。销毁,是指对商品作毁灭性的处理。将问题商品销毁可以防止问题产品再度流入市场对消费者的人身、财产安全造成危害。我国其他法律对无害化处理、销毁措施也作过一些规定。如食品安全法第五十三条第三款规定,食品生产者应当对召回的食品采取补救、无害化处理、销毁等措施,并将食品召回和处理情况向县级以上质量监督部门报告。农产品质量安全法第四十九条规定，有本法第三十三条第四项规定情形，使用的保鲜剂、防腐剂、添加剂等材料不符合国家有关强制性的技术规范的，责令停止销售，对被污染的农产品进行无害化处理，对不能进行无害化处理的予以监督销毁；没收违法所得，并处二千元以上二万元以下罚款。

（五）停止生产或者服务，是指经营者发现其提供的商品或者服务存在缺陷的，停止继续生产或者服务。在消费者权益保护法的修改过程中，消费者权益保护法二次审议稿将本条的措施规定为：经营者发现其提供的商品或者服务存在缺陷，可能对人身、财产安全造成危害的，应当立即向有关行政部门报告和告知消费者，并停止生产销售，采取警示、召回、无害化处理、销毁等消除危险的措施。也就是说，将停止生产销售作为针对缺陷产品必须采取的措施之一。在征求意见过程中，有的提出，商品或者服务存在缺陷可能对消费者人身财产安全造成危害的情况复杂，在有的情况下经营者发现缺陷产生的原因，及时作出改进，不会继续生产出危及消费者人身、财产安全的商品。其担心草案的规定易让人误解为在此种情况下也要求经营者必须先停止生产活动。经研究，将停止生产和服务作为与警示、召回等并列的措施，在消除产品缺陷后，仍然可以继续生产该产品。

四、本条规定，采取召回措施的，经营者应当承担消费者因商品被召回支出的必要费用

需要注意的是，本条规定经营者应当承担的是因商品被召回支出的必要费用，而不是所有费用。消费者配合经营者召回采取的方式和支出的费用应当是符合实际需要的必要费用。

根据侵权责任法的规定，如果经营者发现其提供的商品或者服务存在缺陷，不及时采取补救措施或者采取补救措施不力

造成损害的，应当承担侵权责任。侵权责任法第四十六条规定，产品投入流通后发现存在缺陷的，生产者、销售者应当及时采取警示、召回等补救措施。未及时采取补救措施或者补救措施不力造成损害的，应当承担侵权责任。

对经营者发现商品或者服务存在缺陷采取防止危及消费者人身财产安全措施义务，其他国家和地区也有类似规定。如韩国《消费者保护法》第十七条规定了报告缺陷的义务：(1)经营者发现其提供的商品或者服务在生产、设计、说明等方面存在严重缺陷，将要或者可能对消费者的生命、人身、财产安全造成威胁或者损害的，应当立即向有关中央行政机关负责人报告。(2)中央行政机关负责人接到第一项规定的报告后，有权要求依据本法第十三条设立的检查机构、韩国消费者保护院对经营者报告的缺陷进行检验、检查。第十七条之二规定了自愿移除商品或者服务，即经营者认为其提供的商品或者服务存在缺陷，将要或者可能对消费者的生命、人身、财产安全造成威胁，经营者应当移除、销毁或者维修上述商品，或者更换其他商品，或者退还价款，或者禁止提供上述服务。我国台湾地区“消费者保护法”第十条规定，企业经营者于有事实足认其提供之商品或服务有危害消费者安全与健康之虞时，应即回收该批商品或停止其服务。但企业经营者所为必要之处理，足以除去其危害者，不在此限。商品或服务有危害消费者生命、身体、健康或财产之虞，而未于明显处为警告标示，并附载危险之紧急处理方法者，准用前项规定。

第二十条　经营者向消费者提供有关商品或者服务的质量、性能、用途、有效期限等信息，应当真实、全面，不得作虚假或者引人误解的宣传。

经营者对消费者就其提供的商品或者服务的质量和使用方法等问题提出的询问，应当作出真实、明确的答复。

经营者提供商品或者服务应当明码标价。

【释义】 本条是关于经营者提供商品和服务真实、全面信息义务的规定。

本次修改消费者权益保护法对本条作了规定。

本法第八条对消费者的知情权作了规定，消费者享有知悉其购买、使用的商品或者接受的服务的真实情况的权利。消费者有权根据商品或者服务的不同情况，要求经营者提供商品的价格、产地、生产者、用途、性能、规格、等级、主要成分、生产日期、有效期限、检验合格证明、使用方法说明书、售后服务，或者服务的内容、规格、费用等有关情况。本条规定是相对于消费者知情权所作的经营者提供商品和服务真实、全面信息义务的规定。信息不对称是在消费生活中产生消费者受侵害的常见原因之一。本法第九条规定了消费者的选择权，消费者享有自主选择商品或者服务的权利。消费者对商品和服务的选择和判断多依赖于经营者所提供的信息，如果经营者不提供真实、全面的信息，一是消费者的知情权无法得到保障，二是在一定程度上也会影响消费者的自主选择权。因此，本条对经营者提供商品和服务真实、全面信息义务作了规定。

一、本条规定了经营者向消费者提供信息应当真实、全面

经营者向消费者提供有关商品或者服务的质量、性能、用途、有效期限等信息，应当真实、全面，不得作虚假或者引人误解的宣传。本次修改对本款作了修改，一是列举了实践中对消费者而言比较关注也比较重要的商品或者服务的信息类型，主要包括质量、性能、用途、有效期限等信息，但不限于本条列举的信息。二是增加了经营者向消费者提供信息应当全面。三是将

“引人误解的虚假宣传”修改为“虚假或者引人误解的宣传”。

根据本款的规定,经营者提供信息义务包括以下几个方面:

(一)经营者提供的信息应当是真实的。真实信息,是指有关商品或者服务的真实情况。经营者向消费者提供一切关于商品或者服务的信息,包括价格、产地、生产者、用途、性能、规格、等级、主要成分、生产日期、有效期限、检验合格证明、使用方法说明书、售后服务,或者服务的内容、规格、费用等,都必须是真实的。无论经营者通过何种途径提供,如产品包装、标签、说明或者通过广告的方式,所有的信息必须是真实的。我国其他法律对经营者向消费者提供真实信息的义务也有所规定。产品质量法第二十七条规定,产品或者其包装上的标识必须真实,并符合下列要求:(1)有产品质量检验合格证明;(2)有中文标明的产品名称、生产厂厂名和厂址;(3)根据产品的特点和使用要求,需要标明产品规格、等级、所含主要成份的名称和含量的,用中文相应予以标明;需要事先让消费者知晓的,应当在外包装上标明,或者预先向消费者提供有关资料;(4)限期使用的产品,应当在显著位置清晰地标明生产日期和安全使用期或者失效日期;(5)使用不当,容易造成产品本身损坏或者可能危及人身、财产安全的产品,应当有警示标志或者中文警示说明。裸装的食品和其他根据产品的特点难以附加标识的裸装产品,可以不附加产品标识。食品安全法第五十一条第二款规定,声称具有特定保健功能的食品不得对人体产生急性、亚急性或者慢性危害,其标签、说明书不得涉及疾病预防、治疗功能,内容必须真实,应当载明适宜人群、不适宜人群、功效成分或者标志性成分及其含量等;产品的功能和成分必须与标签、说明书相一致。第五十四条第一款规定,食品广告的内容应当真实合法,不得含有虚假、夸大的内容,不得涉及疾病预防、治疗功能。药品管理法

第六十一条第一款规定，药品广告的内容必须真实、合法，以国务院药品监督管理部门批准的说明书为准，不得含有虚假的内容。旅游法第三十二条规定，旅行社为招徕、组织旅游者发布信息，必须真实、准确，不得进行虚假宣传，误导旅游者。第四十八条第二款规定，发布旅游经营信息的网站，应当保证其信息真实、准确。

（二）经营者提供的信息应当是全面的。信息全面，是指经营者向消费者提供的信息应当是可能影响消费者选择权的所有重要信息。信息全面义务是本次修改新增加的内容，本次修改增加经营者提供信息应当全面，主要考虑到实践中有的经营者虽然向消费者提供的信息是真实的，但存在故意隐瞒一些可能影响消费者选择权的重要信息的情况，因此在提供信息真实的义务外又增加规定提供信息必须全面。值得注意的是，本条规定经营者向消费者提供信息应当全面并不是要求经营者应当提供商品或者服务的全部信息，而是可能影响消费者安全权、选择权等全部重要信息。有的经营者向消费者提供大量的信息，将可能影响消费者选择权的重要信息淹没在大量的信息中，导致消费者无法从众多信息中注意到这些重要信息，这种做法是不对的。

（三）经营者不得作虚假或者引人误解的宣传。本次修改对此义务也作了修改，修改前的消费者权益保护法规定经营者“不得作引人误解的虚假宣传”。在修改过程中，有的提出，有的宣传虽然表面上并不“虚假”，但是引人误解，误导消费者。因此，本次将其修改为“不得作虚假或者引人误解的宣传”。虚假宣传和引人误解的宣传存在区别。虚假宣传是指宣传内容与商品或者服务的客观事实不符，如明明商品中不包含某种物质，宣传时宣称商品包含某种物质。引人误解的宣传则是指可能使消费者对宣传或者服务的真实信息产生不正确的认识,误导消费者,如将商品包装成类似某知名品牌特有包装而让消费者误以为是某知名品牌的商品而购买。食品安全法第四十八条第一款规定,食品和食品添加剂的标签、说明书,不得含有虚假、夸大的内容,不得涉及疾病预防、治疗功能。生产者对标签、说明书上所载明的内容负责。广告法第四条规定,广告不得含有虚假的内容,不得欺骗和误导消费者。

二、经营者对消费者就其提供的商品或者服务的质量和使用方法等问题提出的询问,应当作出真实、明确的答复

经营者除应当主动向消费者提供商品和服务真实、全面的信息外,对于消费者提出的关于商品或者服务的质量和使用方法等询问,也应当积极回应,作出真实、明确的答复,有助于消费者全面准确地获取商品信息,从而正确地行使选择权。

三、经营者提供商品或者服务应当明码标价

修改前的消费者权益保护法规定"商店提供商品应当明码标价",本次修改为"经营者提供商品或者服务应当明码标价"。一是将"商店"修改为"经营者",将明码标价的义务扩展到所有经营者;二是增加"服务",即除商品外,经营者对提供的服务也应明码标价。商品或者服务价格的真实性和合理性直接关系到消费者合法权益的维护。价格信息是消费者决定是否消费的重要信息,经营者提供商品或者服务应当明码标价。

其他国家和地区对经营者信息提供义务和明码标价义务也有类似规定。如欧盟《关于一揽子旅游的指令 90/314》第三条规定,组织者或者零售商向消费者提供的关于一揽子旅游服务的描述性事项、一揽子旅游服务的价格以及其他合同条件均不得含有任何误导性信息。欧盟《关于向消费者发出产品要约的价格提示的指令 98/6》第四条规定,销售价格与单价不得产生

歧义，必须易于识别和理解。日本《消费者基本法》第五条规定，经营者有向消费者明确且简明地提供必要信息的职责。

第二十一条　经营者应当标明其真实名称和标记。

租赁他人柜台或者场地的经营者，应当标明其真实名称和标记。

【释义】　本条是关于经营者标明真实名称和标记义务的规定。

本法第二十条规定了经营者应当明确提供商品或者服务信息的义务，本条则是对经营者应当提供自身相关信息的规定。

经营者的名称和标记，是经营者之间相互区别的重要标志，对消费者来说是判断商品或者服务来源及其品质的重要依据之一。有的消费者选择商品或者服务时专门选择其信赖的经营者的商品或者服务。如果经营者不标明其名称和标记或者标明虚假的名称和标记，一是可能让消费者无法正确判断是否是其真正想要选择的商品或者服务，标明虚假的名称和标记，可能让消费者误认为是其想要选择的商品或者服务。二是如果商品或者服务发生质量问题，消费者受到损失，无法找到真正的经营者，也无法及时向有关行政管理部门和司法机关寻求救济。因此，在商品或者服务上标明经营者的真实名称和标记非常重要。我国许多法律、法规都对经营者名称的规范使用作了规定。如民法通则第九十九条第二款规定，法人、个体工商户、个人合伙享有名称权。企业法人、个体工商户、个人合伙有权使用、依法转让自己的名称。企业名称登记管理规定对企业名称的规范使用作了明确规定，包括企业名称经核准登记注册后方可使用，在规定的范围内享有专用权。企业只准使用一个名称，在登记主管机关辖区内不得与已登记注册的同行业企业名称相同或者近似。

首先,经营者应当标明其真实名称和标记。我国其他法律对经营者的此种义务也作过类似规定。产品质量法第二十七条规定,产品或者其包装上的标识必须真实,并符合下列要求:(1)有产品质量检验合格证明;(2)有中文标明的产品名称、生产厂厂名和厂址……食品安全法第四十二条规定,预包装食品的包装上应当有标签。标签应当标明下列事项:……(3)生产者的名称、地址、联系方式。

其次,租赁他人柜台或者场地的经营者,应当标明其真实名称和标记。在经济交易中,租赁他人柜台或者场地提供商品或者服务已经成为很多经营者从事经营行为的重要方式。有的经营者租赁信誉较好的柜台或者场地,出于经济利益的考虑,故意不使用自己的名称和标记,甚至直接使用出租者的名称或标记,使消费者误认为出租人为提供商品或者服务的经营者,影响消费者的正确判断和选择。因此,本条规定,经营者租赁他人柜台或者场地进行经营的,应当标明其真实名称和标记。

随着网络交易的发展,我国一些法规规章对网络交易的经营者的信息披露义务也作了规定。国家工商行政管理总局《网络商品交易及有关服务行为管理暂行办法》第十条规定,已经工商行政管理部门登记注册并领取营业执照的法人、其他经济组织或者个体工商户,通过网络从事商品交易及有关服务行为的,应当在其网站主页面或者从事经营活动的网页醒目位置公开营业执照登载的信息或者其营业执照的电子链接标识。

其他国家和地区对经营者披露其真实身份信息的义务也有类似规定。欧盟《关于远程销售合同缔结中的消费者保护指令97/7》第四条规定,消费者在签订远程销售合同之前必须能够及时获得如下信息:供货人的身份,在要求预先付款的情况下,尤其是供货人的地址。日本《特定商业交易相关法律》第三条规定了访问推销中姓名等的明示，销售者或劳务提供者在实施访问推销之际，必须事先明确告知推销对象方销售者或劳务提供者的姓名或名称。韩国《电子交易消费者保护法》第十条规定，管理电子业务网络商场的人应根据国务总理令的规定标明以下资料，以便消费者识别经营者的身份：(1)商号名称和代表董事的姓名；(2)企业办公地址(包括处理消费者投诉的地址)；(3)电话号码、传真号码、电子邮件地址；(4)商业登记号码。我国台湾地区“消费者保护法”第十八条规定，企业经营者为邮购买卖或访问买卖时，应将其买卖之条件、出卖人之姓名、名称、负责人、事务所或住、居所告知买受之消费者。

第二十二条　经营者提供商品或者服务，应当按照国家有关规定或者商业惯例向消费者出具发票等购货凭证或者服务单据；消费者索要发票等购货凭证或者服务单据的，经营者必须出具。

【释义】　本条是关于经营者出具发票等购货凭证或者服务单据义务的规定。

本次修改消费者权益保护法对本条作了修改。

发票等购货凭证或者服务单据是经营者在履行合同义务后向消费者出具的证明合同履行完毕的书面凭证，一般的表现形式有发票、收据、小票、门票等。发票等购货凭证或者服务单据具有证明合同存在和履行、税务管理、账目管理等多种功能，不仅是经营者与消费者之间合同关系的最直接的证明，更是商品或者服务出现质量问题，消费者合法权益受到损害时主张权利的证据。但在现实生活中，有的经营者出于减少税款、规避责任等对经营者有利的原因在向消费者提供商品或者服务后不主动出具发票等购货凭证或者服务单据，有的经营者甚至在消费者主动索要发票等购货凭证或者服务单据时，仍拒绝出具。此种行为使消费者无法获取交易凭证，在消费者权利受损时无法得到有效的救济。因此，本条规定，经营者提供商品或者服务，应当按照国家有关规定或者商业惯例向消费者出具发票等购货凭证或者服务单据；消费者索要发票等购货凭证或者服务单据的，经营者必须出具。

修改前的消费者权益保护法规定"向消费者出具购货凭证或者服务单据"，在修改过程中，有的提出，经营者向消费者出具发票，有利于消费者更好地维护自身权益，也有利于增强全社会的纳税意识，建议明确规定经营者应当依法向消费者出具发票。因此，本次修改明确点出"发票"，将"购货凭证或者服务单据"修改为"发票等购货凭证或者服务单据"。

首先，经营者提供商品或者服务，应当按照国家有关规定或者商业惯例向消费者出具发票等购货凭证或者服务单据。我国法律、法规和规章对发票等购货凭证或者服务单据的出具有具体的规定，如《发票管理办法》第十九条规定，销售商品、提供服务以及从事其他经营活动的单位和个人，对外发生经营业务收取款项，收款方应当向付款方开具发票。除法规和规章的规定外，经营者还应按照商业惯例向消费者出具发票等购货凭证或者服务单据。

其次，消费者索要发票等购货凭证或者服务单据的，经营者必须出具。也就是说，经营者不得拒绝消费者索要发票等购货凭证或者服务单据的要求。我国对单位和从事生产、经营活动的个人在购买商品和接受服务时取得发票有要求，但是日常生活中以生活消费为目的购买商品和接受服务时并未要求消费者应当取得发票。《发票管理办法》第二十条规定，所有单位和从事生产、经营活动的个人在购买商品、接受服务以及从事其他经营活动支付款项，应当向收款方取得发票。取得发票时，不得要求变更品名和金额。在日常生活中，消费者对有关凭证和单据的重要性认识不足，在购买商品或者接受服务后，主动索要发票等购物凭证或者服务单据的情况并不普遍，但是如果消费者向经营者索要发票等购物凭证或者服务单据的，经营者有义务出具。消费者权益保护部门也应当加大宣传，让更多的消费者认识到索要发票等购货凭证或者服务单据的重要性。

其他国家和地区对此义务也有类似规定。如墨西哥《消费者保护法》第十二条规定，在不违反税法的前提下，经营者有义务向消费者提供发票、收据或凭证，载明买卖行为、所提供服务或所进行交易的具体信息。

第二十三条　经营者应当保证在正常使用商品或者接受服务的情况下其提供的商品或者服务应当具有的质量、性能、用途和有效期限；但消费者在购买该商品或者接受该服务前已经知道其存在瑕疵，且存在该瑕疵不违反法律强制性规定的除外。

经营者以广告、产品说明、实物样品或者其他方式表明商品或者服务的质量状况的，应当保证其提供的商品或者服务的实际质量与表明的质量状况相符。

经营者提供的机动车、计算机、电视机、电冰箱、空调器、洗衣机等耐用商品或者装饰装修等服务，消费者自接受商品或者服务之日起六个月内发现瑕疵，发生争议的，由经营者承担有关瑕疵的举证责任。

【释义】　本条是关于经营者保证商品或者服务质量状况的义务、瑕疵举证责任承担的规定。

本次修改消费者权益保护法对本条作了修改。

本条第一款、第二款是关于经营者保证商品或者服务质量状况义务的规定。商品或者服务的质量状况包括质量、性能、用途和有效期限。经营者提供的商品或者服务的质量状况应当符合双方约定的要求,如果有强制性标准,应当符合该强制性标准。对于约定的方式,经营者和消费者可以以合同书的形式对提供的商品或者服务的质量状况作出约定。但是在消费领域,实践中更多的情况是,本条第二款中规定的经营者以广告、产品说明、实物样品或者其他方式表明商品或者服务的质量状况。这些情况都应当视为经营者的承诺,经营者应当按照以广告等形式表明的质量状况提供商品或者服务,不得拒绝或者不适当履行。还需要明确一点,就是在具体适用中,应注意本条第二款与本法第二十八条规定的无理由退货制度的关系。本次修改消费者权益保护法新增加了无理由退货制度。在网络、电视、电话、邮购等购物形式中,消费者无法直接看到或者直观感受商品的实物,由此赋予消费者一定期限内的无理由退货权。但是,在以上交易形式中,如果经营者以广告等方式明确表明商品的质量状况的,消费者购买的商品与经营者表明的质量状况不符合的,完全可以依据本条以及本法第二十四条或者合同法等有关规定,以经营者提供的商品不符合质量要求为由,要求经营者承担相关责任,并负担运费等,而不是适用无理由退货。

这次修改消费者权益保护法将本条第一款中的“但消费者在购买该商品或者接受该服务前已经知道其存在瑕疵的除外”修改为“但消费者在购买该商品或者接受该服务前已经知道其存在瑕疵,且存在该瑕疵不违反法律强制性规定的除外”。消费者在购买商品或者接受服务前已经知道其存在瑕疵的,可以免除经营者相应的质量保证义务。例如,对于超市打折出售的纸巾,如果超市已经明确告知消费者纸巾存在破包的情况,那么对于纸巾的该项质量问题，超市不再承担保证义务。如果超市仅仅标示纸巾是打折商品，而没有对纸巾的瑕疵情况向消费者说明，超市不能免除自身的质量保证义务。这次修改消费者权益保护法，又对“消费者已经知道其存在瑕疵”这一经营者质量保证义务的免责条款作了进一步的限制，即该瑕疵不能违反法律的强制性规定。违反法律强制性规定的疵瑕商品或者服务，不得生产销售或者向消费者提供，即便经营者明确告知了消费者，也不能作为经营者免除自身质量保证义务的根据。

这次修改消费者权益保护法新增加了瑕疵举证责任的规定。经营者提供的机动车、计算机、电视机、电冰箱、空调器、洗衣机等耐用商品或者装饰装修等服务，消费者自接受商品或者服务之日起六个月内发现瑕疵，发生争议的，由经营者承担有关瑕疵的举证责任。

实践中，消费者“维权难”的一个重要原因来自于“举证难”。消费者在日常生活中购买、使用的商品或者接受的服务种类繁多，不可能对每一类商品或者服务的信息都能全面把握，并且随着生产技术的进步，一些商品的生产工艺和流程非常复杂，消费者更加难以掌握。消费者因商品或者服务的质量问题与经营者发生争议的，往往被要求提供有关鉴定机构作出的鉴定意见书。而在实践中，鉴定费用相对于商品本身的价值往往过于高昂，以及有些商品或者服务故障等问题产生的原因难以鉴定等因素，更增加了普通消费者维权的难度。

一些意见提出，针对实践中反映出来的“举证难”问题，法律应当规定对于消费纠纷实行完全的举证责任倒置，即只要消费者与经营者就质量问题发生争议，都应当由经营者承担举证责任。对于消费纠纷的举证责任问题，国外也有相关规定。欧盟《关于消费商品销售及其相应担保几个问题的指令 1999/44》

第五条规定，商品在送达后六个月内开始显露的任何不一致，将被假定送达时已经存在，除非提供相反证明或者这种假设不符合商品的自然性质或不一致的自然性质。《德国民法典》落实了上述欧盟指令，对消费品的买卖作出了特别规定。《德国民法典》第四百七十六条规定，买卖物（消费品）在风险转移后六个月内发现瑕疵的，则推定该物于风险转移时已经出现瑕疵，除非该推定与物或瑕疵的属性不相容。欧盟指令和德国民法是通过法律推定的方式适当减轻消费者的举证负担，并且对该法律推定的适用限定为购买商品后六个月内。

消费纠纷从性质上属于一般的民事纠纷，一般情况下仍应实行“谁主张，谁举证”的原则。如果实行完全的举证责任倒置，势必给经营者造成过重的举证负担，不利于正常的生产经营，也不利于消费者的长远利益。但对于一些耐用商品，尤其是科技含量较高的商品，或者装饰装修等一些技术性较强或者结构程序复杂的服务，消费者缺乏相关专业知识，也难以掌握该类商品或者服务较为深入的信息，甚至在购买商品或者接受服务之时也难以发现一些隐蔽的瑕疵。为了合理平衡消费者和经营者之间的举证负担，这次修改消费者权益保护法明确规定，对于经营者提供的机动车、计算机、电视机、电冰箱、空调器、洗衣机等耐用商品或者装饰装修等服务，发现瑕疵，发生争议的，由经营者承担有关瑕疵的举证责任，但同时将起止时间限定为消费者接受商品或者服务之日起六个月内。该规定中，消费者在接受商品或者服务之日起六个月内发现的“瑕疵”，不是对商品或者服务存在质量问题的定性，而是指商品或者服务表面不符合质量要求，如电视机出现一些使用性能上的故障、新装修的地板出现裂缝等问题。对于消费者发现的“瑕疵”，发生争议，由经营者承担有关瑕疵的举证责任，主要是指经营者应当举证证明该瑕疵的产生不是由于商品或者服务自身的质量问题，否则即承担败诉的风险。经营者可通过证明商品或者服务本身符合质量要求，或者该瑕疵是由于消费者使用不当或者外部环境因素所造成，或者该瑕疵是商品或者服务的正常损耗等，完成自身的举证责任。消费者在接受商品或者服务之日起六个月后发现的瑕疵，即按照“谁主张，谁举证”的一般原则承担举证责任。

另外需要注意的一点就是，“谁主张，谁举证”是较为概括的关于举证责任承担的表述。“谁主张，谁举证”来源于我国民事诉讼法第六十四条的规定，即“当事人对自己提出的主张，有责任提供证据”。实践中很多情况下对该原则作机械、僵化的理解，也是造成“举证难”的一方面原因。法庭审判的过程是原被告双方攻防、交锋的过程，“谁主张，谁举证”并不意味着对某一待证事实自始至终都完全由一方举证并证实，而另一方可以作为旁观者，不需要提供任何证据即可胜诉。例如，消费者就商品是否存在质量问题与经营者发生争议，起诉到法院，依据民事诉讼法第六十四条“谁主张，谁举证”原则的规定，消费者作为原告应当就商品存在质量问题提供证据。如果消费者提供了能够证明商品存在质量问题的初步证据，如消费者提供了相关证据，证实在正常开启啤酒瓶的情况下，啤酒瓶突然爆炸，法庭如果综合各种因素，依据一般的经验常识可以初步推断啤酒瓶存在质量问题，那么此时，就应当转由被告提供证据进行反证，如果被告不能提供任何证据或者提供的证据不足以动摇上述推断，法庭即可判决原告胜诉，而无须再由原告就啤酒瓶质量问题申请鉴定，也避免了高昂鉴定费用的发生。这就需要在司法实践中，法官要善于运用经验法则，综合各种因素，就案件事实作出判断。在经营行为中，经营者也不能在任何情况下，即使商品或者服务存在明显可见的质量问题，都以“谁主张，谁举证”进行推脱，要求消费者提供鉴定机构出具的鉴定意见，证明商品或者服务质量不符合要求。

第二十四条　经营者提供的商品或者服务不符合质量要求的，消费者可以依照国家规定、当事人约定退货，或者要求经营者履行更换、修理等义务。没有国家规定和当事人约定的，消费者可以自收到商品之日起七日内退货；七日后符合法定解除合同条件的，消费者可以及时退货，不符合法定解除合同条件的，可以要求经营者履行更换、修理等义务。

依照前款规定进行退货、更换、修理的，经营者应当承担运输等必要费用。

【释义】　本条是关于经营者承担退货、更换、修理等“三包”义务的规定。

本次修改消费者权益保护法对本条作了修改。

适用本条的前提是“经营者提供的商品或者服务不符合质量要求”，也就是说，经营者提供的商品或者服务存在质量问题。本法第二十五条规定，“经营者采用网络、电视、电话、邮购等方式销售商品，消费者有权自收到商品之日起七日内退货，且无需说明理由”，适用的前提就是不管商品是否存在质量问题，即使商品不存在质量问题，消费者也可以主张无理由退货。

修改前的消费者权益保护法第二十三条规定：“经营者提供商品或者服务，按照国家规定或者与消费者的约定，承担包修、包换、包退或者其他责任的，应当按照国家规定或者约定履行，不得故意拖延或者无理拒绝。”第四十五条规定：“对国家规定或者经营者与消费者约定包修、包换、包退的商品，经营者应当负责修理、更换或者退货。在保修期内两次修理仍不能正常使用的，经营者应当负责更换或者退货。对包修、包换、包退的大件商品,消费者要求经营者修理、更换、退货的,经营者应当承担运输等合理费用。”这次修改消费者权益保护法,对这两条规定加以整合,并作出补充完善,强化了经营者的义务,进一步保护了消费者的合法权益。

经营者提供的商品或者服务不符合质量要求的,消费者可以依照国家规定、当事人约定退货,或者要求经营者履行更换、修理等义务。这一规定与原法第二十三条规定的精神基本一致,只是把退货和更换、修理分开表述,因为退货从法律性质上属于合同的解除。这里的“国家规定”,主要是指国家有关部门发布的有关商品“三包”的规定。国家经贸委、国家技术监督局、国家工商局、财政部于1995年发布《部分商品修理更换退货责任规定》,对自行车、彩色电视机、黑白电视机、家用录像机、摄像机、收录机、电子琴、家用电冰箱、洗衣机、电风扇、微波炉、吸尘器、家用空调器、吸排油烟机、燃气热水器、缝纫机、钟表、摩托车共18种商品的修理、更换、退货作出了规定。以后有关部门又陆续出台《微型计算机商品修理更换退货责任规定》、《家用视听商品修理更换退货责任规定》、《移动电话商品修理更换退货责任规定》、《固定电话机商品修理更换退货责任规定》,最近的是国家质检总局发布并于2013年10月1日起施行的《家用汽车产品修理、更换、退货责任规定》。这样,国家有关“三包”的规定一共涵盖23种商品。此外,还有一个《农业机械产品修理更换退货责任规定》。本法第六十二条规定:“农民购买、使用直接用于农业生产的生产资料,参照本法执行。”因此,农业机械产品的“三包”属于参照消费者权益保护法适用的范畴。这些规章对商品的“三包”期、经营者具体的“三包”义务等都作了明确规定,如《部分商品修理更换退货责任规定》明确家用电冰箱整机的“三包”期为一年,压缩机、风扇电机、温控器、蒸发器、电磁阀、过滤器、冷凝器、毛细管等主要部件的“三包”期为三年。第九条规定，产品自售出之日起七日内，发生性能故障，消费者可以选择退货、换货或修理。第十条规定，产品自售出之日起十五日内，发生性能故障，消费者可选择换货或者修理。本条规定，消费者可以依照这些国家规定退货，或者要求经营者履行更换、修理等义务。此外，经营者和消费者就“三包”问题有约定的，经营者也必须遵守约定，承担相应的义务。如果某种商品国家有“三包”规定，约定的“三包”义务的标准一般不能低于国家规定的标准。

这次修改消费者权益保护法，增加规定了本条第一款后面的内容，即没有国家规定和当事人约定的，如何处理。首先，消费者可以自收到商品之日起七日内退货。也就是说，消费者在收到商品之日起七日内，只要是商品不符合质量要求，无论该质量问题是否严重到符合解除合同条件，都可以要求退货。这个规定，对消费者权益的保护力度很大。上述的国家“三包”规定中，一般都有类似的规定，如上例《部分商品修理更换退货责任规定》第九条。再如《微型计算机商品修理更换退货责任规定》第十一条规定，自售出之日起七日内，微型计算机主机、外设商品出现本规定所列性能故障时，消费者可以选择退货、换货或者修理。本条“消费者可以自收到商品之日起七日内退货”的规定，等于规定消费者七日内因商品质量问题可以退货的权利，适用于所有情况。其次，本条规定，七日后符合法定解除合同条件的，消费者可以及时退货。这里的“法定解除合同条件”，主要是指合同法第九十四条规定，当事人一方的违约行为致使不能实现合同目的的，也就是根本违约的，当事人可以解除合同。对于商品的质量问题来说，致使不能实现合同目的的违约行为可以包括严重的质量问题致使商品根本无法具备应用的使用性能，或者原消费者权益保护法第四十五条规定的“两次修理仍不能正常使用”。这次修改删去了原法“两次修理仍不能正常使用”的规定，目的就是要明确，这并不是判断根本违约的唯一标准，实践中可能有的质量问题严重到无需修理就可以认为是根本违约，消费者就可以要求退货，即解除合同。最后，如果商品的质量问题并未达到根本违约的程度，即“不符合法定解除合同条件”的，依照本法及合同法的有关规定，消费者可以要求经营者承担更换、修理等违约责任。

本条第二款规定，依照前款规定进行退货、更换、修理的，经营者应当承担运输等必要费用。修改前的消费者权益保护法第四十五条规定，“对包修、包换、包退的大件商品，消费者要求经营者修理、更换、退货的，经营者应当承担运输等合理费用”。这次修改，删去了“大件商品”，以加大对消费者权益保护的力度。

第二十五条　经营者采用网络、电视、电话、邮购等方式销售商品，消费者有权自收到商品之日起七日内退货，且无需说明理由，但下列商品除外：

（一）消费者定作的；

（二）鲜活易腐的；

（三）在线下载或者消费者拆封的音像制品、计算机软件等数字化商品；

（四）交付的报纸、期刊。

除前款所列商品外，其他根据商品性质并经消费者在购买时确认不宜退货的商品，不适用无理由退货。

消费者退货的商品应当完好。经营者应当自收到退回商品之日起七日内返还消费者支付的商品价款。退回商品的运费由

消费者承担;经营者和消费者另有约定的,按照约定。

【释义】 本条是关于网购、电视电话购物和邮购等领域消费者无理由退货权的规定。

本条规定是本次修改消费者权益保护法新增加的内容。

本条共分三款,第一款规定无理由退货的适用范围与法定排除适用的情形;第二款规定约定排除的情形;第三款规定退货费用的承担、价款的返还和消费者退货时的应尽义务。对本条的理解,需要把握以下几个方面:

一、本条的立法背景

无理由退货制度,我国台湾地区称为“消费者之犹豫权”,英美等国称为“冷静期规则”,欧盟称为“撤销权”,实质是赋予消费者在合同缔结之后适当期间内单方解除合同的权利。赋予消费者单方解除合同的权利,与消费者在特定交易中由于信息不对称而导致的意思表示不真实有关。特定交易领域的信息不对称,主要包括两种情形:

第一种情形是非固定经营场所的交易(off - premises contract),即经营者离开其固定的经营场所,在消费者住所、工作场所等推销商品或者服务,典型的例子是上门推销,这种情形下,消费者在交易前一般没有购买商品或者接受服务的意愿,在信息有限的情况下面对经营者的推销突袭,可能冲动、仓促购买一些不合实用或者价格过高的商品,而不合实用或者价格过高等问题,不构成产品质量问题,消费者很难根据合同法变更或者解除合同,因此法律赋予消费者在“犹豫期”内单方解除合同的权利,以平衡双方在信息上的不对称,这也是无理由退货制度产生的历史由来。第二种情形是远程交易(distance sale),即经营者通过网络、电视、电话或者邮购向消费者销售商品,在这类交易中,虽然消费者在交易前具有主动购买商品或者接受服务的意愿，但消费者在合同缔结时无法见到商品实物，只能根据经营者的文字描述或者图片了解有关的商品信息，收到商品后可能发现实物与经营者的描述存在差异，而微小差异难以构成产品质量问题，消费者也难以解除合同。鉴于上述两种情形，许多国家和地区相继立法赋予消费者在适当期限内的无理由退货权，以平衡双方因信息不对称而导致的实质缔约不公平的问题。

实践中，大多数消费者对经营者采取上门推销、直销等非固定经营场所的销售模式并不陌生，而网购、邮购、电视或者电话购物也不是新生事物。尤其是网络购物的迅猛发展，更是对传统的商业销售模式带来了巨大的影响。据统计，2012 年国内网络购物用户达 2.47 亿人，网络零售市场交易额达 1.3205 万亿元，占社会消费品零售总额的 6.3%。作为一种新兴的消费模式，网络购物在给消费者提供更多交易便利的同时，也带来一些新的问题。据统计，2012 年全国消协组织受理的网购投诉 2.5649 万件，同比上升 1.86 倍；中国电子商务投诉与维权公共平台受理的网购投诉 5.1854 万件，其中，无理由退货纠纷占 24.1%，虚假宣传占 12.1%，网络诈骗和网络售假占 8.3%。针对上述新情况和新问题，从维护消费者权益与电子商务市场长远发展的角度出发，消费者权益保护法的修改增加规定了七日无理由退货制度的内容。

二、本条的适用范围

关于无理由退货的适用范围，根据本法第二十五条的规定，适用于“经营者采用网络、电视、电话、邮购等方式销售商品”。考虑到设立无理由退货制度的初衷，是解决消费者在特定交易领域因信息不对称而导致的意思表示真实受影响的问题，本条的适用范围应作广义理解，既包括采用网络、电视、电话、邮购等远程方式的销售，也包括上门推销、直销等非固定经营场所的销售。实践中，在直销领域，无理由退货制度早已实行，2005 年国家工商总局《直销管理条例》赋予消费者三十日内的单方解约期限。并且，从无理由退货制度的渊源和发展情况看，无理由退货制度最早起源于上门推销等非固定经营场所的销售（或称无店铺销售），后来随着技术的发展，经营者采取网络、电视、电话或者邮购方式推销商品的交易模式兴起，该类交易模式下由于信息不对称导致消费者意思表示真实受影响的问题也非常突出，无理由退货制度的适用范围遂扩展至这些新兴领域。

从国际上多数国家的立法情况看，无理由退货权的适用范围，基本都涵盖了上门推销等非固定经营场所的销售以及网购、电视或者电话购物等远程销售。如欧盟《保护消费者指令2011/83/EU》明确了两类情形：一类是在非固定经营场所缔结的消费合同（off－premises contract），包括上门推销以及经营者通过组织短途旅行等方式邀请消费者到访经营场所缔结的合同；第二类是远程消费合同（distance contract），即经营者与消费者通过一种或多种远程通讯而不是当面磋商的方式缔结的合同，这些远程通讯方式包括互联网、电话、传真或者利用传统邮递网络寄送商品目录等。再如我国台湾地区“消费者保护法”也明确两类交易适用无理由退货：一类是邮购买卖，是指“企业经营者以广播、电视、电话、传真、报纸、杂志、因特网、传单或其他类似之方法，使消费者未能检视商品而与企业经营者所为之买卖”；另一类是访问买卖，是指“企业经营者未经邀约而在消费者之住居所或其他场所从事销售，而发生之买卖行为”。

需要说明的是，消费者权益保护法修改过程中，有意见提出以非现场购物概括网购、电视购物、电话购物及邮购。但是，从语义上看，“非现场购物”主要包括网购、电视购物、邮购等消费者不与经营者当面磋商且不接触商品实物的销售模式，并不能涵盖上门推销这类消费者与经营者当面磋商并“现场”接触商品实物的类型。鉴于非固定经营场所的销售与远程销售在性质上有本质差异，二者在范围上不是包容关系，并且“非现场购物”不是汉语中的固定表达，不易为公众理解，因此，消费者权益保护法修改时未采取“非现场购物”的表述。此外，本条“采用网络、电视、电话、邮购等方式”中的“等”字具有开放性，法律要为未来技术发展而催生的新型交易类型留出空间，只要是经营者采用区别于传统实体店铺式的销售模式，而这类销售模式中消费者与经营者的信息不对称严重影响了消费者的缔约意思表示真实，消费者都应享有七日内的单方解约权。

三、无理由退货的适用期限

无理由退货制度赋予消费者的撤销权，并不以缔约时消费者存在重大误解、显失公平或者商品存在瑕疵为前提，这是它区别于依照合同法一般原则提起撤销权的根本区别，这也是被称为“无理由退货”或者“无因退货”规则的由来。依照合同法一般原则提起的撤销权，即“有因退货”权的行使期间一般较长，如我国合同法第五十五条规定了自“知道或者应当知道撤销事由之日起一年”内的期间；具体就消费合同中的“有因退货”期限而言，本法第二十四条规定在没有国家规定和双方约定的情况下，消费者可以在收到商品之日起七日内退货；七日后符合法定解除合同条件的，消费者仍然可以及时退货。就其他国家和地区的情况看，“有因退货”应当符合合同法的一般原则，即构成根本违约等法定解除条件，方可行使，且行使期限较长。如日本 2008 年《消费者合同法》规定了“自可进行追认时起六个月”或者“自合同缔结时起五年”的撤销权行使期间。

但是，“无理由退货”中的撤销权，正因为“无因”，具有任意性，一般期限较短，如三天、六天、七天、八天或者十四天，各国针对不同类型和不同领域，规定略有差异。许多国家和地区一般赋予消费者至少七日的单方解约期限。我国台湾地区“消费者保护法”将该期限称“鉴赏期”，消费者收受商品后的七日内，可以退回商品或以书面通知经营者解除买卖契约，无须说明理由及负担任何费用或者价款。韩国《电子交易消费者保护法》规定的期限也是七天，日本《特定商交易法》的规定是八天。欧盟指令规定的期限较长，根据商品或者服务的不同类型，分别为十四日和三十日：对远程销售合同和非在经营者经营场所签订的消费合同，欧盟《消费者权利指令 2011/83》规定了十四日的单方解约期限；对于通过远程通讯手段进行的金融服务销售，《消费者远程金融服务指令 2002/65》规定的解约期限是十四日；人寿保险和个人养老金合同，解约期限为三十日。此外，欧盟指令要求经营者在缔约前必须明确提示消费者无条件解约权的行使期间，如果未尽该项义务，解约期限不受十四日的限制，而是延长至消费者接受商品之日起一年。

鉴于国内的实践情况及国际上多数国家的做法，本条将消费者无理由退货权的行使期限定为七天，规定消费者有权自收到商品之日起七日内退货，且无须说明理由。关于“七日”期间的起算，根据民法通则第一百五十四条的规定，民法所称期间规定按照日、月、年计算期间的，开始的当天不算入，从下一天开始计算。期间的最后一天是星期日或者其他法定休假日的，以休假日的次日为期间的最后一天。期间的最后一天截止时间为二十四点，有业务时间的，到停止业务活动的时间截止。

四、排除适用无理由退货的情形

并非所有通过网络、电视、电话或者邮购销售的商品，都宜适用无理由退货制度，在维护消费者合法权益的同时，也要平衡经营者的正当利益，对此，国外和地区做法主要分为三类：

第一类以日本为代表，当事人可以就不予退货的商品范围及退货条件等内容另行约定。同时为了防止经营者滥用权利，法律要求约定必须符合一定的程序，经营者仅通过网页或者广告标示等公开不予退货的范围或者退货条件的限制等，并不构成符合法定程序的约定，须经消费者专门确认同意的约定才能产生排除适用的效力。

第二类以欧盟、韩国为代表，法律明确列举消费者不享有单方解约权的情形。欧盟《消费者权利指令 2011/83》列举了十三种例外情形：一是已征得消费者同意并开始实际履行的服务合同；二是价款受金融市场影响而经营者无法控制的商品或服务；三是个性化定制的商品；四是具有易腐、变质特性的商品；五是由于健康、卫生原因等一旦拆封即不适宜退回的商品；六是一经接收即与其他物品混同的商品（如电力、煤气等）；七是双方约定供货时间超过三十日的酒类商品，价款在合同订立时确定，后因市场因素波动而经营者无法控制的；八是经消费者要求，经营者提供的上门维修或保养服务；九是已被消费者拆封的音像制品或者软件产品；十是期刊报纸类商品；十一是公开拍卖缔结的合同；十二是消费者限定期限的住宿、租车、餐饮、快递等服务；十三是已征得消费者同意并实际履行的，无需借助有形媒介传输的数字产品。韩国《电子交易消费者保护法》也列举了五类例外情形：一是非因查验商品需要，由消费者过失导致商品毁损的；二是因消费者的使用而使商品价值显著降低的；三是商品价值下降到难以再次销售的；四是可再次销售的商品，包装受损的；五是总统令规定的其他情形。

第三类以我国台湾地区为代表，法律并未规定无理由退货的例外情形，凡是经营者通过网络使消费者未能检视商品而签订的合同，消费者均可在七日内单方解约。但是，今年我国台湾地区通过“消费者保护法”（修正草案）。修正草案拟增加规定：有维护交易公平之需时，中央主管机关可依职权举行公证会，报请行政院核定后，对性质特殊的商品排除七天鉴赏期之适用。性质特殊的商品，主要包括3C产品（信息小家电）、生鲜易腐商品、电子书、游戏软件等适用无理由退货将有违公平交易的。

从国内实践情况看，目前，已经实行无理由退货制度的网上商业零售企业B2C，均对退货条件进行了明确限制。如一些电商原则规定无理由退货商品必须以未使用或者不影响二次销售等为限，并将大家电、厨房电器、汽车、轮胎、家具、家装材料、医药类商品及餐饮住宿、旅游娱乐等服务排除在外；此外，如果商家对“退换货条件”另有约定的，从其约定。另外一些网上商业零售企业则通过分类列举的方式进行排除，如一些电商将家用电器、化妆洗护用品、办公耗材、食品饮料等排除在外；一些电商规定鲜活易腐或者保质期低于七天的商品，时令、季节性商品，个人卫生类商品，图书、期刊和软件、音像制品以及特殊定制商品等不予适用。C2C网上集市中选择加入无理由退货制度的经营者，与B2C企业的情况大致类似，定制类商品、OTC药品、计生用品、彩票、图书报纸期刊、网游虚拟商品、网络服务和生活娱乐服务等均不予适用。

为了增强法律适用的确定性和可操作性，借鉴国外规定并吸收国内行业实践中的成熟做法，本条对不适用无理由退货的法定情形作了规定，法律列举了四种不宜适用无理由退货的商品：（1）消费者定作的，该类商品应消费者特别要求制作，一旦消费者选择退货，经营者很难再次销售，将对经营者的合法利益造成损害，因此，该类商品不宜适用无理由退货；（2）鲜活易腐的商品，如生鲜食品等，该类商品时间因素对商品价值的影响非常大，一旦消费者选择退货，经营者收到退回商品之时可能商品已经腐烂变质或者商品价值大为减损，因此，该类商品不宜适用无理由退货；(3)在线下载或者消费者拆封的音像制品、计算机软件等数字化商品，该类商品一旦被下载或者拆封即可被无限复制，允许消费者下载或者拆封后退货，将对经营者的正当利益造成严重影响，并可能对数字化商品著作权人的正当利益带来影响；(4)已经交付的报纸、期刊，报纸、期刊类商品与鲜活易腐类商品类似，商品价值与时间因素关系重大，时限一过，商品本身价值大为降低，因此，对该类商品也不适用无理由退货。需要说明的是，以上四项法定排除情形，主要基于平衡经营者正当利益的需要，只是法律对消费者权益保护的一般标准，法律并不禁止经营者作出对消费者更高保护的承诺，如对于消费者定作的商品，经营者承诺予以无理由退货的，应当履行其承诺。

除上述四项法定排除情形外，本条第二款还对经营者与消费者约定排除适用的情形作了规定，即根据商品性质并经消费者在购买时确认不宜退货的，不适用无理由退货。对于网购而言，经营者通过设置专门的提示程序明确某件商品属于商品性质不宜退货，明示不适用无理由退货后，消费者仍然点击购买的，即视为“经消费者确认”。如果经营者仅是在网页上发布不适用无理由退货的声明，并未在消费者购买时作出“一对一”的提示说明，即使消费者点击购买，也不构成本条规定的“确认”。本款规定的立法背景是，消费者权益保护法修正案草案曾规定了“其他根据商品性质不宜退货的”这一排除适用的兜底条款，全国人大常委会审议过程中，有意见认为这一规定过于宽泛，经营者与消费者对“根据商品性质”是否适宜退货的判定标准可能大相径庭，实践中不好掌握，易生新的纠纷。鉴于上述情况，增加了“经消费者确认”的内容。如果经营者未在消费者点击购买前告知消费者该商品不适用无理由退货,消费者自收到商品之日起七日内可以退货。

五、关于运费的承担和消费者的退货义务

消费者选择无理由退货的,可能发生两笔运费:

(1)经营者在消费者购买商品后将商品寄送至消费者处将产生首次运费,实践中,该笔运费多数情况下由消费者承担(消费者点击购买并支付商品价款及运费后经营者才发货),但也有经营者承诺包邮,即首次运费由经营者承担。根据本条的规定,经营者应当自收到退回商品之日起七日内返还消费者支付的商品价款,意味着首次运费由消费者承担,经营者返还的仅是消费者已支付的商品价款,消费者已支付的运费不予返还(经营者承诺包邮的,视为消费者支付的首次运费为零)。关于首次运费,一些国家和地区规定也要由经营者承担,如欧盟《消费者权利指令 2011/83》第十三条规定,经营者自收到消费者撤约通知之日起十四日内应当返还消费者已支付的所有费用,包括商品价款和首次运费;如果商品首次寄送方式由消费者指定,且该方式产生的费用超出普通的运费标准,消费者选择退货的,经营者仅在普通运费范围内予以返还。

(2)消费者选择无理由退货的,需要将商品寄回经营者处,这就产生了二次运费,也就是退货运费。关于消费者选择退货后退货运费(二次运费)的承担,国外和地区做法可以分为两类:第一类以欧盟、日本和韩国为代表,由消费者承担。欧盟《消费者权利指令 2011/83》规定,除非经营者同意上门自取,消费者应当自发出解约通知之日起十四日内将商品寄还经营者,并承担运费。韩国《电子交易消费者保护法》规定消费者负有义务"退回已收到的商品"。日本《特定商交易法》规定,返还商品所需费用,由买方承担。第二类以美国和我国台湾地区为代表,规定经营者“上门自取”原则,消费者不承担任何费用。美国联邦贸易委员会“冷静期规则”规定,消费者选择退货后,卖方应在“20天内取回所售商品”,如果消费者同意将商品寄送卖方,“卖方须在20天内支付相关邮寄费用”。我国台湾地区“消费者保护法”规定,消费者以书面通知解除契约时,除当事人另有约定外,应由企业经营者于通知到达后一个月内,至消费者住所或者工作场所取回商品。

从国内的实践情况看,关于运费的承担,无论是首次运费还是退货运费(二次运费),多数经营者均要求消费者承担,有些电商额外向消费者收取五至十元的手续费;但也有少数电商实行经营者上门自取,消费者一般不承担任何费用。考虑到消费者与经营者利益关系的平衡,尤其是当前网购实践中普遍认可的做法,本条明确规定经营者应当自收到退回商品之日起七日内返还消费者支付的商品价款。退回商品的运费由消费者承担;经营者和消费者另有约定的,按照约定。即消费者无理由退货的,首次运费和退货运费(二次运费)均由消费者承担,但双方另有约定的除外,如约定由经营者承担的,经营者应当履行其承诺。

关于消费者选择退货时需要承担的义务,根据本条的规定,有两项内容:一是支付退货运费,二是保证商品完好。关于商品完好的判断标准,需要说明的是,“商品完好”包括消费者为检查、试用商品而拆封的情况,只要不是因消费者的原因造成价值明显贬损的,均属于“商品完好”。确立消费者无理由退货制度的初衷,是使网购消费者享有与实体商场购物同等的检查、试用商品的机会从而自主决定是否进行交易,如果要求消费者退回的商品必须未拆封,那么规定无理由退货权就失去了意义。对于这一问题,韩国和我国台湾地区的立法较有代表性:我国台湾地区“消费者保护法”施行细则第十七条规定，“消费者因检查之必要，致其收受之商品毁损、灭失或变更者，其解除权不消灭”。韩国2002年《电子交易消费者保护法》第十七条第二款规定，“由于消费者过失而导致商品受损或者损毁的，撤约权消灭；但消费者拆开包装和封套以查验商品的除外”。

第二十六条　经营者在经营活动中使用格式条款的，应当以显著方式提请消费者注意商品或者服务的数量和质量、价款或者费用、履行期限和方式、安全注意事项和风险警示、售后服务、民事责任等与消费者有重大利害关系的内容，并按照消费者的要求予以说明。

经营者不得以格式条款、通知、声明、店堂告示等方式，作出排除或者限制消费者权利、减轻或者免除经营者责任、加重消费者责任等对消费者不公平、不合理的规定，不得利用格式条款并借助技术手段强制交易。

格式条款、通知、声明、店堂告示等含有前款所列内容的，其内容无效。

【释义】　本条是关于消费合同中有关格式条款的规定。

本次修改消费者权益保护法对本条作了修改。

本条共分三款，第一款规定经营者使用格式条款时对与消费者有重大利害关系的内容负有以显著方式提请消费者注意并按照其要求予以说明的义务；第二款是强制性规定，规定经营者不得以格式条款、通知、声明、店堂告示等方式作出对消费者不公平、不合理的规定，不得利用格式条款并借助技术手段强制交易；第三款规定违反强制性规定的法律后果，即含有第二款所列内容的条款无效。对本条的理解，需要把握以下几个方面：

一、本条的修改立法背景

格式条款的产生和发展是20世纪世界各国合同法发展的一个重要方面，我国1999年通过的合同法对此作了具体规定，根据合同法第三十九条第二款的规定，格式条款是当事人为了重复使用而预先拟定，并在订立合同时未与对方协商的条款。日常所说的格式合同指的就是含有格式条款的合同。格式条款在现实生活中大量出现，原因主要有两点：一是社会对交易效率的追求；二是垄断的存在。这两个原因也造成了格式条款的优势与弊端：优点在于效率，就大量发生的合同不必重复缔约的全过程，从而可以节约缔约的时间与成本；弊端在于提供商品或服务的一方在拟订格式合同时，会将一些不利于对方的条款订入合同，以使自己享有较多的权利，承担较少的义务和责任。对作为缔约相对方的消费者而言，格式条款的另一弊端还在于随着商品和服务的专业化，经营者采用的格式条款日益复杂冗长、晦涩难懂，使本就居于缔约劣势地位的消费者与经营者之间的信息不对称情形更加严重。1993年通过的消费者权益保护法仅对“不公平、不合理的格式合同内容”的效力作了原则性规定，经营者不得以格式合同、通知、声明、店堂告示等方式作出对消费者不公平、不合理的规定，或者减轻、免除其损害消费者合法权益应当承担的民事责任；格式合同、通知、声明、店堂告示等含有前款所列内容的，其内容无效。在消费者保护环境发生显著变化的背景下，如何进一步完善格式条款的有关规定，主要涉及两方面的问题：

一是鉴于消费者在交易中的弱势地位，各方普遍认为，合同法的一般规则无法保证消费者获得实质公平的交易，有必要在消费者保护立法中制定全面的特别规则，尤其是强化经营者的信息披露义务，具体就格式条款而言，可以适当加重经营者在缔约前的信息披露义务，保障消费者在订立合同前知悉并了解所有与自身利益有重大利害关系的合同条款。尤其是随着商品和服务的专业化，经营者采用的格式合同或者格式条款日益复杂冗长、晦涩难懂，因此有必要就消费者合同的表达形式作特殊规定，例如要求经营者对消费者有重大利害关系的内容，必须以显著方式提请消费者注意，使消费者对重要合同条款有足够的理解，从实质上保障缔约公平。二是除“减轻、免除其损害消费者合法权益应当承担的民事责任”外，实践中经营者采用“不公平、不合理”格式条款损害消费者合法权益的，还包括一些其他情形，并且这些情形也具有一定共性，可考虑作出一些具体规定，以利于实践操作。欧盟《关于消费者合同中不公平条款的指令 1993/13》明确规定，“为消费者合同确定一个评价合同不平等性的通行标准，十分必要”。欧盟、英国、日本和韩国等，都对“通行的评价标准”作了具体的规范。针对上述问题，并结合合同法的一般性规定，本次消费者权益保护法对本条作了修改完善。

二、有关经营者使用格式条款时的具体义务

1. 提示说明义务。本条第一款规定，经营者在经营活动中使用格式条款的，应当以显著方式提请消费者注意商品或者服务的数量和质量、价款或者费用、履行期限和方式、安全注意事项和风险警示、售后服务、民事责任等与消费者有重大利害关系的内容，并按照消费者的要求予以说明。该项提示和说明义务包含两个方面的内容：

(1)提示说明义务的范围。本条第一款列举了十项与消费者有重大利害关系的内容，“商品或者服务的数量和质量、价款或者费用、履行期限和方式、安全注意事项和风险警示、售后服务、民事责任”。首先需要说明的是，尽管合同法第三十九条已经对格式条款的说明义务作了原则规定，但要求格式条款提供者提请合同相对方注意和说明的内容，仅限于“免除或者限制其责任的条款”，其他对于合同相对方有重大利害关系的内容，合同法并未一一列举。考虑到合同法规定的是民商事合同领域的一般原则，而消费合同作为民商事合同的一种特殊类型，缔约双方在信息掌握、交易地位上优劣势明显，信息不对称情形严重，适用合同法的一般规则可能难以保证实质公平，因此，本条在合同法有关格式条款说明义务一般规定的基础上，进一步强化了格式条款提供方（经营者）的义务，这也是诚实信用原则的具体体现。其次需要说明的是，经营者应当提请消费者注意并按照其要求予以说明的内容，包括但不限于本条所列的十项，实践中可以根据具体的交易类型和合同性质进行判断，只要是与消费者有重大利害关系，对其基本权利可能造成影响的内容，经营者都应以显著方式提请消费者注意并按照其要求予以说明。经营者作为格式条款的提供方，对条款内容的理解和潜在风险的掌控都远超消费者，要求经营者履行上述义务也是公平和诚实信用原则的体现。

（2）提示说明义务的履行方式。根据本条规定，经营者对与消费者有重大利害关系的内容必须以“显著方式”提请消费者注意，并按照消费者的要求予以说明。对格式条款提供方提示说明义务的履行方式，合同法第三十九条规定了“合理的方式”标准，规定提供格式条款的一方应当遵循公平原则确定当事人之间的权利和义务，并采取合理的方式提请对方注意免除或者限制其责任的条款，按照对方的要求，对该条款予以说明。2009年《最高人民法院关于适用〈中华人民共和国合同法〉若干问题的解释（二）》对合同法“采取合理的方式”作了进一步明确，该解释第六条规定，提供格式条款的一方对格式条款中免除或者限制其责任的内容，在合同订立时采用足以引起对方注意的文字、符号、字体等特别标识，并按照对方的要求对该格式条款予以说明的，人民法院应当认定符合合同法第三十九条所称“采取合理的方式”。在合同法规定的基础上，本次消费者权益保护法修改对经营者的格式条款提示说明义务作了更进一步的要求，根据本条第一款的规定，经营者对与消费者有重大利害关系的内容必须以“显著方式”提请消费者注意，并按照消费者的要求予以说明。经营者履行提示和说明义务的表达形式是否显著，是否易于辨识，是否通俗易懂，是近些年来其他国家和地区在消费者权益保护领域重点关注的内容。如欧盟《2000 年电子商务指令》规定，以电子方式签订的合同中，经营者必须保证内容清晰、全面、可被识别和易于获取。对于何种方式构成本法规定的“显著方式”，存在一定的客观标准，需要考虑普通消费者的认知能力，必须足以明显引起普通消费者的注意，如保险合同的重要条款以微小字体印刷于保单背面，就是明显违背上述义务。此外有关“显著方式”的判断标准，还应当区分传统交易模式和新技术背景下的交易模式，如电子商务中的经营者故意将与消费者有重大利害关系的合同条款设置不方便链接，或者以技术手段隐藏该类内容，使消费者难以获取，也是对本条“显著方式”提示义务的违反。还需要说明的一点是，发生纠纷后，经营者应当对已尽以“显著方式”提示及说明义务承担举证责任。如果经营者违反上述义务，如该提示说明的未予提示说明，或者未以“显著方式”按照要求提示说明，则视为经营者未就上述内容向消费者履行告知和说明义务，该条款不构成合同内容，但是消费者主张构成合同内容的，应当允许。

2. 禁止使用对消费者“不公平、不合理”的格式条款。具体而言，不公平、不合理的格式条款主要指经营者违背诚实信用原则单方制定的对消费者明显不利的条款,其范围可能涉及合同的缔结、变更、履行及合同的解释方法和争议的处理机制等各个环节。近年来,一些国家和地区在消费合同领域对不公平格式条款的认定标准,都作了较为详细的规定,如欧盟《关于消费者合同中不公平条款的指令 1993/13》列举了十七类指导性但非穷尽性的具体条款;韩国《格式合同规范法》规定了八条十八项情形,综合各国情况看,对不公平格式条款的判断标准,主要限于排除或者限制消费者权利、减轻或者免除经营者责任以及加重消费者责任等,结合我国合同法第四十条的规定,并参考上述立法例,本款作了相应修改:经营者不得以格式条款、通知、声明、店堂告示等方式,作出排除或者限制消费者权利、减轻或者免除经营者责任、加重消费者责任等对消费者不公平、不合理的规定,不得利用格式条款并借助技术手段强制交易。格式条款、通知、声明、店堂告示等含有前款所列内容的,其内容无效。

消费者权益保护法修改立法过程中,有意见提出,实践中存在经营者利用格式条款并借助技术手段"绑架"消费者的情形,如某些智能手机内置消费者无法删除的恶意软件,该类软件在设计上隐藏强制交易条款,消费者必须点击同意,才能正常使用手机的通讯功能。2013 年 4 月,工业和信息化部发布了《关于加强移动智能终端进网管理的通知》,要求移动智能手机生产企业不得在移动智能终端中预置具有以下性质的应用软件:一是未向用户明示并经用户同意,擅自收集、修改用户个人信息的;二是未向用户明示并经用户同意,擅自调用终端通信功能,造成流量消耗、费用损失、信息泄露等不良后果的。鉴于该类借助技术手段强制交易的情形多采用格式条款的方式进行,消费者权益保护法在有关格式条款的规定中特别增加了一项禁止性规范,规定经营者不得利用格式条款并借助技术手段强制交易。

三、违反本条义务的法律责任

含有本条第二款所列禁止性内容的条款，无论是以格式条款方式作出，还是以通知、声明、店堂告示等作出，若包含对消费者不公平、不合理的内容，条款内容自始无效，对消费者不发生法律效力。需要注意的是，违反本条第一款规定与违反第二款规定的法律后果不同，经营者违反本条第一款提示或者说明义务，仅是视为未履行告知和说明义务，所涉条款不构成合同内容，对消费者不发生法律效力，但消费者主张适用的除外，因此，性质上属于可撤销条款；而违反本条第二款，则是因直接违反法律的强制性规范，性质上属于自始无效条款。

第二十七条　经营者不得对消费者进行侮辱、诽谤，不得搜查消费者的身体及其携带的物品，不得侵犯消费者的人身自由。

【释义】　本条是关于经营者不得侵害消费者人格尊严、侵犯消费者人身自由的规定。

我国宪法第三十七条规定："中华人民共和国公民的人身自由不受侵犯。""禁止非法拘禁和以其他方法非法剥夺或者限制公民的人身自由，禁止非法搜查公民的身体。"第三十八条规定："中华人民共和国公民的人格尊严不受侵犯。禁止用任何方法对公民进行侮辱、诽谤和诬告陷害。"公民包括消费者的人格尊严、人身自由是宪法赋予的神圣权利，不容任何人包括经营者侵犯。从实践来看，经营者侵害消费者人格尊严、侵犯消费者人身自由的情形仍时有发生，本条规定就是针对实践中较为突出的问题，专门对几类行为作禁止性规定。

1. 经营者不得对消费者进行侮辱、诽谤。即经营者不得自己或者利用他人，通过捏造、散布虚伪事实或以不文明、不礼貌的语言，损害消费者名誉，诋毁消费者的人格尊严。比如，有的商店营业员,对于不了解市场行情的消费者,不是耐心介绍有关商品的市场行情,而是侮辱消费者:“乡巴佬,你懂不懂?”“买不起就别乱看!”对于这种侮辱、诽谤消费者的行为,除了需要经营者本身加强商业道德和法制观念的教育外,还必须通过法律的形式予以禁止。因此,本条将“不得对消费者进行侮辱、诽谤”作为经营者的一项义务设定下来,有利于保护消费者的人格权。

2. 经营者不得搜查消费者的身体及其携带的物品。有些经营者由于不注意对自己经营的商品采取适当的保安措施,动辄以商品失窃为由,搜查消费者身体及其携带的物品,给消费者造成了极大的侵扰,增加了心理负担。为了保证消费者在购物时能有一个宽松的环境及愉快的心情,本条将“不得搜查消费者的身体及其携带的物品”作为经营者的一项义务规定下来,以保护消费者的人格尊严。对公民的人身、财产实施检查或者搜查,只能由被法律赋予这种权力的执法机关依照严格的法律依据和程序来执行,其他任何单位和个人均无权进行。消费者作为公民,其人身权受到我国宪法、法律的保护,任何经营者均不得以任何理由,自行搜查消费者的身体及其携带的物品。经营者如发现其商品失窃,应当按照法定程序,由有关部门依法对嫌疑人的身体及其携带的物品进行必要的搜查。

3. 经营者不得侵犯消费者的人身自由。目前,有些经营者法制观念淡漠,随意限制消费者的人身自由,甚至扣留、殴打消费者,干扰了消费者正常的工作、生活,影响恶劣。为了保障消费者的人身自由,本条将“不得侵犯消费者的人身自由”作为经营者的一项义务设定下来,以切实保护消费者的人身自由权。公民的人身自由权受我国宪法、法律的保护,除了有关司法机关依照法定程序有权对公民的人身自由进行限制外,其他任何单位和个人均不得限制公民的人身自由。

无论如何，经营者的一切经营活动与行为都必须建立在充分尊重消费者人格尊严、人身自由权利的基础之上，这是法定的义务，也是文明经商的重要标志。经营者应当严格遵守本条规定，不得以维护自己的利益为借口而侵犯消费者的人格尊严和人身自由，违者将受到法律的制裁。本法第五十条、第五十一条和第五十六条明确规定，侵害消费者人格尊严、侵犯消费者人身自由的，应当停止侵害、恢复名誉、消除影响、赔礼道歉，并赔偿损失；造成严重精神损害的，还应当精神损害赔偿；除承担相应的民事、刑事责任外，还要依照本法或者其他有关法律、法规追究行政责任等。

第二十八条　采用网络、电视、电话、邮购等方式提供商品或者服务的经营者，以及提供证券、保险、银行等金融服务的经营者，应当向消费者提供经营地址、联系方式、商品或者服务的数量和质量、价款或者费用、履行期限和方式、安全注意事项和风险警示、售后服务、民事责任等信息。

【释义】　本条是关于网购、电视电话购物、邮购及金融消费等特定领域经营者的信息披露义务的规定。

本条规定是本次修改消费者权益保护法新增加的内容。对本条的理解，需要把握以下几个方面：

一、本条的立法背景

知情权是消费者的一项基本权利，本法第八条作了明确规定，消费者享有知悉其购买、使用的商品或者接受的服务的真实情况的权利。保障消费者知情权是保证交易实质公平的关键之一，如果消费者在并未充分了解商品或者服务的真实情况，或者并不知悉其交易相对方的经营者真实信息的情形下与之签订消费合同,可能有违消费者真实意思表示。与消费者知情权相对应的是经营者的信息披露义务,强化经营者的信息披露义务是近年来各国消费者保护立法关注的重心。经营者的信息披露义务主要包括两类内容:一类是有关商品或者服务的基本信息的披露,本法第二十条作了规定,要求经营者对所售商品或者服务的质量、性能、用途、有效期限等信息的披露必须真实、全面,不得作虚假或者引人误解的宣传;另一类是对经营者自身身份信息的披露,本法第二十一条要求经营者对自身身份信息的披露必须真实,应当标明真实名称和标记。需要指出的是,上述信息披露义务是对所有经营者普遍适用的一般性规定,在某些特定的经营领域,消费者对信息的掌控更被动,信息不对称的情形更明显。在这些领域要保障消费者在缔约时的意思表示真实,经营者就需要承担更高程度的信息披露义务。

二、本条的适用范围

根据本条的规定,这些负有更高程度信息披露义务的特定经营领域主要分为两类:

一类是"采用网络、电视、电话、邮购等方式提供商品或者服务的经营者",这一领域消费者和经营者之间的信息不对称主要体现在两个方面:一是消费者对商品基本信息的掌握非常被动,消费者主要通过经营者提供的图片、画面或者文字等信息选择商品,难以实地辨识商品的真实性,容易受到不当宣传的影响;二是交易主体虚拟化,消费者难以确定经营者真实身份,发生纠纷后维权困难,这两方面问题使得远程购物中的交易风险大为上升,消费者交易劣势地位更为凸显,因此,为了保证实质的交易公平,法律必须强化这一领域经营者的信息披露义务。另一类负有更高程度信息披露义务的领域是"提供证券、保险、银行等金融服务的经营者",即金融消费领域,该领域信息不对称主要是由金融领域的高度专业化导致，消费者在购买金融产品、接受金融服务时与经营者相比，在信息、专业知识和能力等方面居于明显的劣势地位。为了保证消费者在接受金融服务前对交易性质及交易风险等有真实、充分的了解，保证交易公平，法律应当强化这一领域经营者的信息披露义务。

三、信息披露的主要内容

本条规定的特定领域经营者信息披露义务，其内容主要包括三个方面：一是有关经营者的真实身份信息，如经营地址、联系方式；二是有关商品或者服务的基本信息，如价款、数量、质量等；三是有关风险警示、民事责任等信息。上述三个层面的信息提供义务，在不同性质的经营领域，信息披露的侧重点也有不同，以下就两类领域进行分别说明：

1. 采用网络、电视、电话、邮购等方式提供商品或者服务的经营者的信息披露义务。自 20 世纪 90 年代中期以来，数字化信息技术和网络技术的迅猛发展，催生电子商务环境下的网络购物等新的营销与购物方式。网络购物的迅猛发展在为消费者提供更多交易便利的同时，交易过程电子化、消费者难以实地检视商品以及交易主体虚拟化、消费者难以确定经营者真实身份等问题也给消费者带来更大的交易风险。为解决该领域的信息不对称问题，切实保障消费者的知情权，降低消费者的交易风险，建立消费者与电子商务经营者之间的信任和信心，自 20 世纪 90 年代末起，美国、欧盟、日本、韩国和我国的台湾地区等，相继制定了一系列电子商务领域消费者保护的新规则，重点在于强化经营者信息披露义务，主要包括两个方面的内容：

(1)有关经营者身份信息的强制披露义务。传统交易模式中，消费者一般在经营者的营业场所缔结合同，可以通过对经营者营业执照、登记信息的现场检视，辨识其身份。许多国家和地区的立法者都认为，由于信息技术的优势，电子商务经营者向消费者提供信息的成本微乎其微，因此，对经营者身份信息的披露，应作严格、全面的要求。欧盟《电子商务指令 2000/31》要求经营者必须以“简明、直接和永久”的方式提供至少以下六种身份信息：一是名称，二是详细地址，三是详细联络方式，四是商业登记信息，五是有关主管监督机构的信息及联系方式，六是受管制行业的经营者还需提供在该行业登记或者取得资格的信息及主管机关的联络方式。我国台湾地区“消费者保护法”第十八条规定，企业经营者从事邮购买卖或访问买卖时，应当将其买卖的条件、出卖人的姓名、名称、负责人、事务所或者居所告知消费者。根据远程消费的特点，本条对采用网络、电视、电话、邮购等方式提供商品或者服务的经营者的身份披露义务作了规定，要求其向消费者提供经营地址和联系方式。又根据本法第二十一条的规定，所有经营者都应当标明其真实名称和标记，因此，除经营地址和联系方式外，采用网络、电视、电话、邮购等方式提供商品或者服务的经营者还必须标明其真实名称和标记。

（2）有关待售商品或者服务信息的披露。有关商品或者服务信息披露的一般性原则，本法第二十条已经作了规定，要求经营者对所售商品或者服务的质量、性能、用途、有效期限等信息的披露必须真实、全面，不得作虚假或者引人误解的宣传。但是在采用网络、电视、电话、邮购等方式提供商品或者服务领域，由于消费者无法实地与经营者就合同事项进行当面协商、沟通，消费者也无法实地查验、试用商品，因此经营者有关“商品或者服务的数量和质量、履行期限和方式、安全注意事项和风险警示”、“售后服务”的信息披露就至关重要。如欧盟在《关于在远程合同订立中保护消费者权益的指令 1997/7》规定，经营者应当向消费者披露的范围包括“产品或者服务的特点、价格（包含税率)、运费、各项费用的支付方式和期限、使用远程通讯方式提供产品或者服务的额外费用、报价的有效期”。日本2004年修订的《特定商业交易相关法律》还对合同缔结后的履行期限及权利转移期限作了明确规定,要求经营者在有关商品或者服务的信息中,必须“标示商品的交付期限及权利的转移期限”。针对这一领域的特殊情况,本条在第二十条规定基础上,作了进一步要求,规定经营者应当向消费者提供有关商品或者服务的数量和质量、价款或者费用、履行期限和方式、安全注意事项和风险警示、售后服务、民事责任等信息。

另外需要说明的是,本条在实践适用中,需要考虑网购等非实体店铺销售领域的特殊性。如果经营者以格式条款、通知、声明、店堂告示的方式披露“商品或者服务的数量和质量、价款或者费用、履行期限和方式、安全注意事项和风险警示、售后服务、民事责任”等与消费者有重大利害关系的内容,必须符合本法第二十六条关于以“显著方式”提请消费者注意的规定,在判断是否构成“显著方式”时,要充分考虑非实体店铺销售领域的技术特点。同样是信息披露,将信息放在能够直接打开的网站主页,与放在经多次链接才能到达的页面,效果大相径庭。一些电子商务经营者采用深度链接、分散消费者注意力等方式,对消费者获取信息设置障碍,显然不构成本法所规定的“显著方式”。一些国家和地区均对信息披露的方式加以规范,如欧盟《电子商务指令2000/31》要求经营者对身份信息的披露,必须“简明、直接和永久”;对商品或者服务信息的披露,欧盟《关于远程销售合同缔结中的消费者保护指令1997/7》要求必须便于消费者“方便、直接和随时获取”;我国台湾地区“电子商务消费者保护纲领”要求“信息清楚、明显、正确且易于取得”;美国、日本和韩国要求有关格式条款的表达形式必须“易于获取、易于辨识、易于理解”。

2. 金融服务领域经营者的信息披露义务。规范金融服务领域经营者的信息披露义务,在消费者权益保护法修改立法过程中,面临的主要争议不是信息披露的范围或者具体方式等问题,而是金融行业哪些领域属于金融消费因而经营者需要按照消费者权益保护法的规定履行相应义务的问题,尤其是消费与投资关系的界定问题。对此问题,英国学者 Peter Cartwright 在《金融消费者权益保护论》中提出,“如果把到银行存款,或者与保险公司签订保险合同的个人定义为消费者,可能没什么困难,但是当我们将投资人也视为消费者时,往往面临障碍”。这些问题,不仅在消费者权益保护法修改立法过程中存在不同的看法,在国际上也存在一些不同的认识。尽管对某些具体问题还存在不同看法,但通过立法平衡该领域交易双方信息不对称的问题、遏制市场欺诈、促进交易公平,却是国际上的普遍共识。鉴于上述情况,从侧重解决信息不对称的实际问题入手,而非囿于抽象性的概念界定,本次消费者权益保护法修改针对金融服务领域信息不对称的突出问题作了规定:提供证券、保险、银行等金融服务的经营者,应当向消费者提供经营地址、联系方式、商品或者服务的数量和质量、价款或者费用、履行期限和方式、安全注意事项和风险警示、售后服务、民事责任等信息。理解本条,需要把握以下几点:

(1)适用范围。证券、保险、银行等金融机构无论是销售金融产品还是提供金融服务,在何种情况下需要按照本条的规定,向消费者进行信息披露。要解决这一问题,仍然离不开对金融消费者概念的把握。单纯以投资或者消费来区分投资人与消费者,已经不为大多数国家所采纳。综合目前各国有关法律规定来看,各国对“金融消费者”的定义主要还是基于信息不对称理论，考虑购买金融产品、接受金融服务的交易主体在信息、专业知识和能力等方面是否处于与经营者相比的劣势地位，“金融消费者”的范围涵盖了普通的投资者。如美国 1999 年《金融服务现代化法》将金融消费者定义为“主要是为了用于个人、家庭的目的或者其他个人合法目的而从金融机构获取金融产品或者金融服务的个人”。英国 2000 年《金融服务和市场法》、日本 2000 年《金融商品销售法》和 2006 年《金融商品交易法》，均将投资类金融商品纳入金融消费者保护的范畴。但另一方面，各国一般将具有较强风险承受能力和知识经验的专业投资者(professional investor)排除在金融消费者范围之外，从而使真正的弱势主体得到有效保护，协调好保护投资者和提高市场效率的关系。如日本立法者认为，“金融活动注重效率，关注成本与收益的合理关系，对那些在经济实力、专业水平和交易经验方面皆与金融机构势均力敌的‘个人专家’给予倾斜保护，是一项加重成本且无收益的工作”。日本 2006 年《金融商品交易法》规定，保护一般金融消费者的某些具体规则不适用于“特定投资者”，即在知识、经验以及财产状况等方面具备相当条件的个人，如净资产 3 亿日元以上等。他们在要求金融机构就特定事项进行说明义务等方面，不享有普通消费者的权利。再如我国台湾地区 2011 年“金融消费者保护法”规定，金融消费者是指接受金融服务业提供金融商品或服务者，但不包括专业投资机构和符合一定财力或专业能力之自然人或法人；并规定“一定财力或专业能力”的条件，“由主管机关定之”。

鉴于上述情况，证券、保险、银行等金融机构在销售金融商品或者提供金融服务时，如果交易的相对方并非专业投资人，而是在相关交易信息和知识能力方面居于劣势的自然人，那么该类交易相对方就属于金融消费者，金融机构应当依据本条的规定履行信息披露义务。需要说明的是,本条规定的金融机构,包括但不限于列举的“证券、保险、银行”,只要是向消费者提供金融服务,均属本条调整范围,其他经人民银行批准设立的金融机构也在范围之列,此外,这里的金融服务应采广义解释,既包含金融机构向消费者销售基金等金融产品,也包括金融机构提供存款、贷款和保险等金融服务。金融消费的领域,既涵盖金融产品也包括金融服务,这也是许多国家和地区的共识,如我国台湾地区 2011 年“金融消费者保护法”规定,金融消费者是“接受金融服务业提供金融商品或服务者”,而“金融服务业,包括银行业、证券业、期货业、保险业、电子票证业及其他经主管机关公告之金融服务业”。

(2)信息披露义务的内容。本次消费者权益保护法修改列举了金融服务提供者信息披露的十二项内容:经营地址、联系方式、商品或者服务的数量和质量、价款或者费用、履行期限和方式、安全注意事项和风险警示、售后服务、民事责任等信息,其中,有关风险警示的信息披露对于金融领域的消费者而言,尤为关键。综合各国和各地区立法情况,有关金融机构信息披露和说明义务的规定都较为详细。如日本 2000 年《金融商品销售法》规定,金融商品销售者应履行的说明义务包括:第一,利率、汇率、有价证券市场价格或者其他指标变动,可能直接导致本金亏损或者存在亏损风险的,应当指明是何种指标;第二,金融商品的销售者或者其他人的业务或者财务状况变化,可能直接导致本金亏损或者存在亏损风险的,应当指明;第三,某项政策法规可能影响买方的判断,从而直接导致本金亏损或者存在亏损风险的,应当说明;第四,所销售的金融商品对顾客行使或者解除权利有期限限制的,应当说明。该法还规定,销售者不得提供确定性的判断,否则造成顾客损失的,销售者应当承担赔偿责任。我国台湾地区2011年“金融消费者保护法”规定:“金融服务业与金融消费者订立提供金融商品或服务之契约前,应向金融消费者充分说明该金融商品、服务及契约之重要内容,并充分揭露其风险。”

需要说明的是,如果经营者采用格式条款的方式对上述与消费者有重大利害关系的信息进行披露,必须符合本法第二十五条有关以“显著方式”提请消费者注意和按照消费者的要求予以说明的规定。尤其是当按照消费者要求予以说明时,必须考虑金融服务领域的适合性原则(suitability doctrine)。该原则最早出现在美国证券交易委员会监管规则中,后来逐渐拓展至整个金融领域,强调金融机构负有提供“合适”的金融商品和准确提示风险等义务,否则客户有权解除合同。日本2006年《金融商品交易法》规定,经营者要考虑顾客的知识、经验、财产状况以及签订金融交易合同的目的等,禁止从事“不招请劝诱”、“再劝诱”等不当劝诱行为。我国台湾地区2011年“金融消费者保护法”规定,“金融服务业与金融消费者订立提供金融商品或服务之契约前,应充分了解金融消费者之相关数据,以确保该商品或服务对金融消费者之适合度”。

四、违反本条义务的法律责任

具体就本条的适用,无论是采用网络、电视、电话、邮购等方式提供商品或者服务的经营者,还是提供证券、保险、银行等金融服务的经营者,要符合法律规定的信息披露义务,不仅要依据本条规定进行信息披露,并且还必须符合本法第二十条有关经营者信息披露的一般性规定,即经营者披露的信息应当真实、全面。因此,网购等远程购物及金融消费等领域经营者信息披露义务的范围,包括但不限于本条所列的十二项内容。经营者违反上述义务的,应当根据具体情形承担相应的法律责任。导致消费者重大误解的,消费者有权撤销合同;构成欺诈的,消费者可以依据本法第五十五条的规定要求增加赔偿其受到的损失。

第二十九条　经营者收集、使用消费者个人信息,应当遵循合法、正当、必要的原则,明示收集、使用信息的目的、方式和范围,并经消费者同意。经营者收集、使用消费者个人信息,应当公开其收集、使用规则,不得违反法律、法规的规定和双方的约定收集、使用信息。

经营者及其工作人员对收集的消费者个人信息必须严格保密,不得泄露、出售或者非法向他人提供。经营者应当采取技术措施和其他必要措施,确保信息安全,防止消费者个人信息泄露、丢失。在发生或者可能发生信息泄露、丢失的情况时,应当立即采取补救措施。

经营者未经消费者同意或者请求,或者消费者明确表示拒绝的,不得向其发送商业性信息。

【释义】　本条是关于经营者收集、使用消费者个人信息时应履行义务的规定。

本条规定是本次修改消费者权益保护法新增加的内容。

本条共分三款,第一款规定经营者收集、使用消费者个人信息的原则;第二款规定经营者对收集的消费者个人信息负有信息安全义务;第三款规定经营者负有不得以无关商业信息侵扰消费者的义务。对本条的理解,需要把握以下几个方面:

一、本条的立法背景

信息社会,人的存在不仅涉及生物体征方面的信息(如身高、性别等),也涉及人作为社会成员的基本社会文化信息(如姓名、职业、宗教信仰、消费倾向、生活习惯等)。有学者提出,几乎所有的人类活动都具有信息形式的记录,当个人信息累积到一定程度,就构成与实际人格相似的“信息人格”或者“数据人格”。近年来,网络技术、信息技术的发展和经济全球一体化的趋势一定程度上改变了传统的营销方式和消费方式,传统条件下,由于信息搜集技术的限制,经营者无法有效获取消费者有关消费需求、消费倾向等方面的信息,其商品或者服务的提供带有很大的盲目性,而在当前信息技术发达、个人信息流通便捷的情况下,经营者可以低成本、高效率地利用各种信息搜集方式获取并分析消费者的消费习惯、消费倾向,从而有效为特定消费者提供个性化服务,进而取得市场竞争优势。例如,某公司推行的最典型的个性化服务方式是直邮,即收集明确同意接收公司营销信息的消费者名单,向其邮寄优惠券和产品样品,这类方式也被称为目标广告,这种个性化服务方式不仅避免了盲目投放广告带来的资源浪费,而且为经营者发展更多忠诚的消费者群体进而大幅提升其销售额提供了可能。个人信息在金融领域发挥的作用更为巨大。通过掌握个人信用信息,使用个人信用评分技术,银行业可以更加有的放矢地发放贷款。世界银行2007年的一份报告显示,使用个人信用评分技术后,美国银行业每年减少50亿美元的信贷资产损失,而在一个完善的征信体系下,12%的中小企业更易获得贷款,41%的大银行和78%的小银行将降低自己的呆账比例。对个人信息的有效利用,不仅给经营者带来了利益,对消费者也带来了诸多便利:消费倾向和消费兴趣被商家掌握的消费者,在选择商品和服务时可以节省更多搜索成本;经营者对消费信息的有效掌握可以使其不再向没有该类消费倾向的消费者滥发邮件,减少众多消费者收到垃圾邮件的数量;有良好信用记录的消费者可以更方便取得贷款。

个人信息的利用节约社会发展成本,固然能为经济社会带来巨大的利益,但如果对其不作任何限制,利用技术手段滥用个人信息侵犯个人利益的事件必然增多。2007 年,全美因个人信息被盗而导致的财产损失达到了 493 亿美元。在我国,当前消费者个人信息被滥用的问题也日益严重,主要表现为四类情形:一是一些经营者对经营活动中收集的消费者个人信息在管理上存在诸多安全漏洞,如某航空公司乘客信息泄露事件、连锁酒店顾客信息管理存在安全风险事件;二是一些经营者将经营活动中掌握的个人信息进行买卖而谋取非法利益,形成个人信息买卖的地下产业,如某快递公司承认客户信息遭内部高层人员倒卖事件;三是经营者对采集到的个人数据进行未经许可的二次开发利用,为细分市场、制定营销战略提供依据,进而实施对重点人群或者重点客户的定向强制推销,侵扰消费者生活安宁;四是经营者擅自公开、传播敏感性个人信息,造成侵害他人人格尊严或者利用非法收集到的消费者个人信息实施诈骗等违法犯罪活动。上述情形给消费者带来的侵害主要有三方面:一是侵犯消费者人格权益。经营者没有合法依据或者不经消费者同意收集、存储、传输、处理和利用消费者个人信息,可能导致对消费者个人人格的错误描述,如影响消费者能否得到一份工作、能否获得特定贷款等。二是侵犯消费者财产权益。如经营者将收集到的消费者个人信息非法出售或者不当泄露给第三方,可能导致非法获取上述信息的主体冒充消费者进行诈骗,如盗用消费者身份申请信用卡并透支等。三是破坏消费信心。近年来由于信息数据处理技术的飞速发展,通过网络等途径非法收集、存储、传输、处理和利用个人信息的现象屡见不鲜,众多调查显示,电子商务网络用户最大忧虑是个人信息泄露。因此,采取适当的个人信息保护措施,对恢复消费信心、维护市场秩序的正常运行具有极其重要的意义。

基于上述原因,个人信息保护立法在全球范围内受到了广泛关注,越来越多的国际组织、国家与地区着眼于个人信息安全,相继立法。上述立法中的个人信息保护,除涉及非公共机构(包括企业经营者及第三方征信机构等)在收集、处理公众个人信息上的权利义务外,还涉及公共机构(包括行政机关)在信息收集、管理方面的职责。因此,个人信息保护立法的内容不局限于某一特定部门法,但信息主体的人格利益及财产权益的维护等与民法直接相关的问题成为个人信息保护立法的基点。

我国目前并没有专门的个人信息保护法,但由于个人信息的人格属性,对个人信息的保护主要基于法律对公民一般人格权和隐私权的保护。如宪法第三十八条、第四十条分别对公民人格尊严不受侵犯和通信自由、通信秘密权作了原则性规定。民法通则第九十九条、第一百条、第一百零一条、第一百零二条分别对公民的姓名权、肖像权、名誉权和荣誉权作了规定。侵权责任法第二条、妇女权益保障法第三十九条在姓名权、肖像权的基础上又进一步明确了对隐私权的保护。2012 年全国人民代表大会常务委员会《关于加强网络信息保护的决定》对于网络服务提供者和其他企事业单位收集、使用公民个人身份的电子信息和个人隐私的电子信息的规则作了全面规定。在消费者权益保护法修改立法过程中,有的意见提出,隐私比个人信息范围更宽,包括隐私信息、隐私活动和隐私空间,建议以消费者隐私权的保护涵盖对个人信息的保护。但是,尽管个人信息与隐私在权利内容方面存在一些交叉,二者的区别也非常明显,尤其是考虑到消费者权益保护法所调整的特定法律关系,既需要保护消费者个人信息中体现的人格利益,又要促进信息作为信息社会一种重要资源的合理流通,因此,本次修法并未采取传统民法以姓名权、肖像权及隐私权为框架保护个人信息的方式,而是明确将个人信息得到保护的权利列为消费者的一项单独的基本权利，主要基于以下三点考虑：

第一，“隐私”与“个人信息”二者的范围有重合（重合部分可以称为隐私信息，即权利主体不愿为他人知晓的个人信息，如病史、犯罪记录等），但“个人信息”不仅包括不愿为外人知晓的“隐私信息”，还包括可以公开的“非隐私信息”（如姓名、性别等）；并且，“隐私”带有主观色彩，如身高、住址、电话号码等个人信息，有些人视为隐私，有些人视为可公开信息。其次，我国现有法律制度中涉及的“隐私权”，是与“生命权、健康权、姓名权、名誉权、荣誉权、肖像权”等并列的概念，范围比美国法窄得多。美国法中的“隐私权”范围极广，几乎囊括了私人活动的各个领域，而不仅局限于私生活秘密，有学者认为该权利在美国已经发展为一项宪法意义的一般人格权。但是，在我国现有法律制度中的隐私权，范围要窄得多。一些侵犯个人信息的行为，未必构成侵犯“隐私”，如自然人的“姓名”，当然属于个人信息，但却不是“隐私权”的保护客体；再如肖像也属于个人信息，但不当利用他人肖像，构成对“肖像权”而非“隐私权”的侵害；再如不当删除、不完整记录或者错误记录他人信息，或者根据不实信息对他人信用作出错误评级等，这些都属于侵犯他人信息权利的行为，但一般不涉及侵犯隐私。

第二，消费者权益保护法有关个人信息的保护，重点在于调整经营者在收集、处理众多消费者个人信息中的义务，如要求经营者依法收集、合理使用、安全防护、禁止或者限制披露等。法律既要保护消费者对其个人信息享有的人格权益，又要兼顾社会对个人信息的合理利用。鉴于信息自由流通具有的巨大社会效益和经济效益，消费者权益保护法对个人信息权利的规定，应当兼顾消费者个人信息权益和信息资源有效利用的双重目的。而隐私权的保护，一般多着眼于权利主体的人格权益，更倾向于限制个人信息的搜集与利用。因此,“个人信息”比“隐私”更适宜消费者权益保护法所要调整的法律关系。

第三,从权利内容和救济方式而言,隐私权作为一种私生活受尊重的权利,多表现为消极被动和防御性的特点,它以侵害行为或侵害可能为前提,以维护人格尊严为目的,一般不具有财产利益。而个人信息得到保护的权利,从世界主要国家的立法来看,表现为一种积极主动的请求权,不仅包括个人信息不受非法收集、处理的内容,还包括权利主体对其个人信息的积极控制:如权利人有权决定其个人信息能否被他人收集、处理和利用以及如何利用,有权要求信息处理者修改不正确、不完整的个人信息以保证信息质量,有权针对商业目的的个人信息利用获取报酬等。从德国、日本等主要国家在有关个人信息保护立法方面的发展趋势来看,“个人信息得到保护的权利”兼顾权利人的人格尊严与信息资源的有效利用,比“隐私权”更符合现代信息社会的发展需求。

二、本条规定的具体内容

对消费者个人信息的保护,应从源头上强化对收集、使用消费者信息的经营者行为的规范,本条从三个方面对经营者在收集、使用消费者个人信息时应尽的义务作了规定:

(一)经营者收集、使用消费者个人信息的原则

根据本条第一款的规定,经营者收集、使用消费者个人信息,应当遵循合法、正当、必要的原则,明示收集、使用信息的目的、方式和范围,并经消费者同意。经营者收集、使用消费者个人信息,应当公开其收集、使用规则,不得违反法律、法规的规定和双方的约定收集、使用信息。对本款的理解,需要把握以下几点:

首先,经营者收集、使用消费者个人信息,应当以合法、正

当、必要及消费者自愿为原则。具体就本款的规定，经营者在收集、使用消费者个人信息时，首先要遵循合法性原则，目前我国有关收集、使用个人信息涉及的相关法律，如民法通则有关不得干涉、盗用、假冒他人名称，未经许可不得以营利为目的使用他人肖像；妇女权益保障法有关保护妇女隐私权；未成年人保护法禁止披露未成年人个人隐私；身份证法第十九条有关泄露公民个人信息依法承担民事责任的规定，以及刑法第二百五十三条国家机关或者金融、电信、交通、教育、医疗等单位的工作人员非法出售或者提供公民个人信息的刑事责任等，这些法律关注公民个人信息的安全和对个人信息侵害的法律责任。2012 年全国人民代表大会常务委员会《关于加强网络信息保护的决定》对于网络服务提供者和其他企事业单位收集、使用公民个人身份的电子信息和个人隐私的电子信息的规则作了全面规定，本条主要参照了该决定的相关内容。

其次，有关本款规定的“正当、必要”的原则，主要指任何个人信息都必须采用合法、公平的手段收集，经营者收集信息应当事先向消费者明示的使用目的相关，不得收集、使用与消费交易无关的其他信息，不得违反法律、法规的规定和双方的约定收集、使用信息。这一原则与亚太经合组织《关于隐私保护和个人信息跨界流动的指导原则》中明确的“收集限制原则”（collection limitation）与“目的既定原则”（purpose specification）是一致的。此外，需要特别强调的是消费者自愿原则，即经营者收集、使用个人信息，必须事先明示其收集、使用信息的目的、方式和范围，并经消费者同意。个人信息的范围很广，既包括与个人私生活和人格尊严密切相关的一些敏感信息，如身体信息、病史、婚史等；又包括一些非敏感的个人信息，如浏览网页的记录、手机号码、消费记录等，敏感信息直接与个人隐私及人格尊严相关,因此,经营者在收集、使用消费者个人信息时必须事先明示其收集、使用目的、方式和范围,并取得消费者的同意。否则,一旦被收集或者使用的信息涉及消费者的个人隐私,极有可能造成对消费者个人隐私权的侵犯,而经营者则需要依法承担相应的民事责任,情节严重的,还要承担相应的刑事责任。需要强调的是,经营者在收集、使用消费者个人信息时,不得利用格式条款并借助技术手段强制消费者同意,实践中某些智能手机内置消费者无法删除的恶意软件,该类软件在设计上隐藏强制交易条款,消费者必须点击同意经营者对其个人信息的收集、使用才能使用手机的基本通讯功能,根据本法第二十六条的规定,经营者通过上述手段收集、使用消费者个人信息的行为,视为未经消费者同意,根据具体情节,经营者应当承担相应的法律责任。

(二)经营者应当确保收集到的消费者个人信息的安全

根据本条第二款的规定,经营者及其工作人员对收集的消费者个人信息必须严格保密,不得泄露、出售或者非法向他人提供。经营者应当采取技术措施和其他必要措施,确保信息安全,防止消费者个人信息泄露、丢失。在发生或者可能发生信息泄露、丢失的情况时,应当立即采取补救措施。对这一规定的理解,需要把握以下两点:

首先,经营者对收集的消费者个人信息负有严格保密的义务,不得泄露、出售或者非法向他人提供,即除信息主体同意或者法律授权外,收集信息的主体不得披露数据,不得将其用于与最初收集时预定目的不符的其他目的,这与亚太经合组织《关于隐私保护和个人信息跨界流动的指导原则》中“使用限制原则”(use limitation)是一致的。其次,经营者应当采取技术措施和其他必要措施,确保信息安全,防止消费者个人信息泄露、丢失。在发生或者可能发生信息泄露、丢失的情况时,应当立即采取补救措施。“安全保护原则”(security safeguards)是亚太经合组织《关于隐私保护和个人信息跨界流动的指导原则》中明确的另一项重要原则,作为收集和使用消费者个人信息的经营者必须采取合理的安全防范措施保证个人信息的安全,如防止丢失、防止未经授权的访问等风险。一些国家已经通过立法制定了一系列个人信息安全保护措施,如德国联邦数据信息保护法规定自动化处理个人信息数据时,信息收集、使用主体应采取保护措施,包括入口管制,防止无权者擅自处理个人信息数据处理设备;出口管制,防止擅自阅读、复印或者变更数据库;输入管制,防止擅自复印、存储信息数据;取用管制,确保有权利用数据处理系统者只能根据其权限使用相关信息数据。

(三)经营者应当确保消费者不受无关商业信息的侵扰

信息技术的飞速发展使商业信息的传播成本日益降低,这也给消费者个人私生活不受侵扰的权利带来了严重影响。为保证消费者不受无关商业信息的侵扰,欧盟和日本的法律都规定,在消费者表明不希望接收有关商品或者服务信息的情况下,禁止经营者通过邮件或者其他方法继续向消费者发送促销信息。日本《特定商业交易相关法律》规定,“如果消费者已经表明不希望接收有关商品或者服务的电磁性广告信息”,经营者不得继续以该类方法向消费者提供。欧盟《关于远程销售合同缔结中的消费者保护指令1997/7》区分经营者使用的技术手段,规定:第一,使用传真技术和非人工服务寻呼技术向消费者推销的,必须事先征得消费者同意;第二,使用其他远程通信手段向消费者发送有关商品或者服务促销信息的,可以不经消费者事先同意,但在消费者明确反对时,必须立即停止。鉴于上述情况,本条第三款明确规定了经营者负有确保消费者不受无关商业信息侵扰的义务,未经消费者同意或者消费者明确表示拒绝的，经营者不得向其发送商业性信息。

三、违反本条义务的法律责任

违反本条所列义务，经营者除应向消费者承担相应的民事责任外，还可能涉及相应的行政责任，根据本法第五十六条第九项的规定，可以由工商行政管理部门或者其他有关行政部门根据情节单处或者并处警告、没收违法所得、处以违法所得一倍以上十倍以下的罚款，没有违法所得的，处以五十万元以下的罚款；情节严重的，责令停业整顿、吊销营业执照。根据2012年全国人民代表大会常务委员会《关于加强网络信息保护的决定》，对有违反本决定行为的，如以其他非法方式获取公民个人电子信息出售，或者非法向他人提供公民个人电子信息行为的，将依法给予警告、罚款、没收违法所得、吊销许可证或者取消备案、关闭网站、禁止有关责任人员从事网络服务业务等处罚，记入社会信用档案并予以公布；构成违反治安管理行为的，依法给予治安管理处罚。构成犯罪的，依法追究刑事责任。侵害他人民事权益的，依法承担民事责任。根据刑法第二百五十三条的规定，国家机关或者金融、电信、交通、教育、医疗等单位的工作人员，违反国家规定，将本单位在履行职责或者提供服务过程中获得的公民个人信息，出售或者非法提供给他人，情节严重的，处三年以下有期徒刑或者拘役，并处或者单处罚金。

第四章 国家对消费者合法权益的保护

本章共六条，主要对各级人民政府及其有关部门和人民法院等其他国家机关保护消费者合法权益的职责作了规定。国家对消费者合法权益的保护是消费者权益保护的重要环节，本章从立法、行政、司法三个方面对消费者权益保护作出了全方位的规定。本章第三十条是关于立法保护的内容，这次修改消费者权益保护法进一步强调国家的立法活动和规范性标准的制定，应当听取消费者和消费者协会等组织的意见，充分反映消费者的意见和呼声，体现了民主立法、科学立法的要求。本章第三十一条、第三十二条、第三十三条是关于国家行政保护的内容。行政保护是否有力直接关系到经营者义务与责任的落实，对预防和惩处侵害消费者合法权益的行为发挥着关键性的作用。这次修改消费者权益保护法新增一个条文，即第三十三条，规定了行政部门进行抽查检验的职责，明确了行政部门对缺陷商品或者服务可以采取责令召回等措施，加强了有关国家对消费者合法权益的行政保护力度。第三十四条是原则性的规定，强调了国家机关依法惩处侵害消费者合法权益的违法犯罪行为的职责。第三十五条是关于国家司法保护的内容。司法保护是保障消费者合法权益的最后一道防线，人民法院应当为消费者提起诉讼提供便利，使消费纠纷得到及时、公正的解决。

第三十条　国家制定有关消费者权益的法律、法规、规章和强制性标准,应当听取消费者和消费者协会等组织的意见。

【释义】　本条是关于国家有关立法和制定强制性标准应当听取消费者及消费者组织意见的规定。

本次修改消费者权益保护法对本条作了修改。

国家进行立法活动应当广泛听取意见,尤其是要积极听取利益相关方的意见,这既是科学立法的体现,也是民主立法的必然要求。立法法第五条规定:“立法应当体现人民的意志,发扬社会主义民主,保障人民通过多种途径参与立法活动。”第六条规定:“立法应当从实际出发,科学合理地规定公民、法人和其他组织的权利与义务、国家机关的权力与责任。”有关消费者权益的法律、法规等,调整消费者和经营者之间的法律关系,规范经营行为,是行政机关执法和法院审判消费纠纷的依据,是消费者进行维权的依据,事关每一个消费者的切身利益,涉及广大人民群众生活的方方面面。国家制定有关消费者权益的法律、法规、规章,必须广泛调研,充分论证,体现立法的科学性,保证立法的民主性,听取消费者的意见是其必然要求。

消费者权益的保护只有通过国家的立法活动上升到法律的层面,形成具体的法律规范,以国家强制力为后盾,才能得到普遍的遵守与严格的执行。三十年来,我国形成了较为完善的消费者权益保护法律制度。在法律层面,不仅有消费者权益保护法,还有其他多部法律都有大量消费者权益保护的内容,如产品质量法、食品安全法、药品管理法、广告法等。在法规层面,消费者权益保护规范也较为丰富、完善,例如国务院制定的行政法规,各省、自治区、直辖市在消费者权益保护法实施后根据本地的实际情况制定的消费者权益保护条例等地方性法规。

1. 这次修改消费者权益保护法在应当听取消费者意见的

规范性法律文件中增加了“规章”，主要有以下考虑：一是立法法对国家的立法活动进行了规范，立法活动的范围不仅包括法律、行政法规、地方性法规的制定，也包括国务院部门规章和地方政府规章的制定。二是在消费者权益保护实践中，规章也扮演着非常重要的角色。有关消费者权益的规章，对消费者的权利、经营者的义务与责任作出了更为细化的规定，操作性更强，其制定也要深入听取消费者或者消费者协会等组织的意见，接受消费者的监督。

当然，以上所提到的法律、法规、规章的“制定”是从广义上来说的，该“制定”不仅包括狭义的制定，还包括修改、废止，不仅包括制定、修改的内容是否可行，还包括制定、修改的时机是否成熟等。

2. 本次修改消费者权益保护法在本条中增加“强制性标准”，要求强制性标准的制定也要听取消费者和消费者协会等组织的意见，这对保障广大消费者的利益具有较大的必要性。第一，强制性标准事关消费者的人体健康，人身、财产安全，强制性标准是否合理、可靠事关消费者的重大利益。标准化法第十四条规定：“强制性标准，必须执行。不符合强制性标准的产品，禁止生产、销售和进口。”食品安全法第十九条规定：“食品安全标准是强制执行的标准。除食品安全标准外，不得制定其他的食品强制性标准。”第二，让消费者参与强制性标准的制定，对强制性标准的制定主体、内容及程序进行全方位的监督，提出意见，有助于保证强制性标准的制定更加科学，有助于保证强制性标准的制定不偏离保障消费者人身、财产安全的宗旨。

3. 这次修改消费者权益保护法增加规定，国家进行立法活动和强制性标准的制定，也应当听取消费者协会等组织的意见。依据消费者权益保护法第三十六条的规定，消费者协会和其他消费者组织是依法成立的对商品和服务进行社会监督的保护消费者合法权益的组织。消费者组织具有一定的专职工作人员和经费保障，相对于单个的消费者，在掌握商品和服务的信息、维护消费者权益方面具有更强的实力，有必要明确国家制定法律、法规、规章和强制性标准，也必须听取消费者协会等组织的意见，以更好地保护消费者利益。

立法活动和强制性标准的制定听取意见的方式多种多样，可以通过网络、报纸等媒体公开征求意见，也可以通过召开座谈会、论证会、听证会等多种形式，与消费者进行面对面的沟通、讨论。总之，听取消费者意见的宗旨就是让消费者更充分地表达自己的意见和呼声，深入地参与制定过程。这次修改消费者权益保护法，就十分注意听取消费者意见。在修改过程的前期、中期和后期，立法机关召开多次消费者座谈会，开展多次调研，既有全面地听取消费者意见，也有就某一专题征求消费者的意见。在修改草案经全国人大常委会初次审议、二次审议之后，分别两次上网公布草案，向社会公众公开征求意见。在草案提交全国人大常委会进行第三次审议之前，还邀请各方面代表，尤其是消费者代表，进行了法律案出台前立法评估，就消费者权益保护法修改的时机是否成熟，内容是否可行及如何进一步完善，实施后的效果及可能出现的问题，全面征求了意见，保证了立法的质量，也体现了民主立法的要求，取得了良好效果。

第三十一条　各级人民政府应当加强领导，组织、协调、督促有关行政部门做好保护消费者合法权益的工作，落实保护消费者合法权益的职责。

各级人民政府应当加强监督，预防危害消费者人身、财产安全行为的发生，及时制止危害消费者人身、财产安全的行为。

【释义】 本条是关于各级人民政府保护消费者权益职责的规定

本次修改消费者权益保护法对本条作了修改。

消费者权益的保护事关我国的民生建设。群众的衣、食、住、行等基本生活需要都离不开消费,加强对消费者权益的保护是改善民生、加强民生建设的重要内容,是党和国家坚持"以人为本"的执政理念的直接体现。同时,做好保护消费者合法权益的工作,创造良好的消费环境,有利于扩大内需,促进我国经济结构的调整。随着经济社会的快速发展和科技的进步,消费领域表现出了新的特点,出现了很多新情况新问题,一方面,商品和服务的类型日益多样,尤其是一些高科技技术的应用,使得消费者对一些商品的信息了解与掌握极为有限,加大了消费者的维权难度。另一方面,消费领域不断拓展,从基本的衣食住行发展到休闲娱乐、金融消费等众多领域,侵害消费者权益行为的花样繁多。对于消费领域表现出的这些新特点,单靠某一行政部门往往不容易解决,需要多个部门的相互配合,这就对政府的组织协调职能提出了新的要求。

本条第一款规定了各级人民政府对有关行政部门保护消费者合法权益的领导、组织、协调、督促职责,这次修改又增加了"落实保护消费者合法权益的职责"。我国消费者权益的保护由不同的行政部门分工负责,各部门在自己的职责范围内履行保护消费者合法权益的职责。消费领域广泛复杂,相对应的消费者权益的保护部门众多,有工商部门、质监部门、食药监督部门、商务部门、卫生部门、交通部门、文化旅游部门、物价部门等。这就需要各级人民政府,加强领导,组织、协调并督促有关行政部门履行好保护消费者合法权益的职责。实践中,各级人民政府往往通过专项检查、联合执法的形式打击侵害消费者合法权益的行为,开展保护消费者合法权益的工作,取得了一定的成效。如每年的“3·15”消费者权益保护日前后,各部门联合执法查处了一批侵害消费者合法权益的经营者。但总体而言,各级人民政府组织的联合执法一般只是针对某一特定问题或者在某一时间内临时采取的执法行动,并没有形成常态化的机制。在日常工作中,各部门更多是各自为战,加上各部门之间保护消费者权益的职责界定与分工还不甚明确,有的部门相互推诿、扯皮的现象也有发生,难以真正做到各负其责,影响了打击违法犯罪、保护消费者合法权益的效果。由此本次修改消费者权益保护法增加规定各级人民政府应当“落实保护消费者合法权益的职责”,加强组织协调,明确各部门的职责分工,聚各部门之合力,打击侵害消费者合法权益的违法犯罪行为。

鉴于消费者权益保护涉及层面广、涉及部门多的特点,很多国家或者地区也都在积极探索保护消费者权益的新机制。主要有两种做法:一是设立专门的行政部门,实行消费行政事务一元化。例如,针对不断发生的伪造食品产地等损害消费者利益的事件,日本政府为统一管理消费者行政事务,纠正“纵向分割”管理的偏差,实现“推进跨部门的消费者行政一元化”的目标,于2008年向国会提交了设立消费者厅的有关法案,并于2009年获得国会通过。日本消费者厅设立于内阁府之下,负责统一承担原先由各相关省厅(中央部门)分别管辖的有关消费者权益保护的各种行政事务。具体的工作程序是:消费者向国民生活中心和各地生活消费中心进行投诉,投诉信息登入统一的信息平台,消费者厅根据投诉的信息可以向有关省厅提出处理违法行为的建议,也可以直接对一些违法经营者课以行政处分。二是设立专门的协调监督机构,这些机构本身不具有行政执法权,但可以对各部门的执法事项进行协调或者监督。例如,美国

1971 年在白宫设立了综合性的消费者权益保护机构“消费者事务办公室”，负责协调联邦政府的消费者权益保护工作。我国台湾地区在“消费者保护法”第四章“行政监督”中专门规定设立消费者保护委员会，并对消费者保护委员会的设置目的及职权作了规定。依据我国台湾地区“消费者保护法”第四十条、第四十一条的规定，消费者保护委员会是行政部门为研拟及审议消费者保护基本政策与监督其实施而设置，其职权包括七个方面：(1)消费者保护基本政策及措施之研拟及审议；(2)消费者保护计划之研拟、修订及执行成果检讨；(3)消费者保护方案之审议及其执行之推动、连系与考核；(4)国内外消费者保护趋势及其与经济社会建设有关问题之研究；(5)消费者保护之教育宣传、消费资讯之采集与提供；(6)各部会局署关于消费者保护政策、措施及主管机关之协调事项；(7)监督消费者保护主管机关及指挥消费者保护官行使职权。由此看出，我国台湾地区的消费者保护委员会一个重要的职责就是研究起草消费者保护的基本政策，并对有关主管部门的执法进行协调与监督。

我国对于如何建立常态化的执法指导、协调机制，也进行了积极的探索，并在食品安全法中有了体现。为了应对食品安全领域复杂、严峻的形势，打击食品违法犯罪案件，食品安全法第四条规定：“国务院设立食品安全委员会，其工作职责由国务院规定。国务院卫生行政部门承担食品安全综合协调职责，负责食品安全风险评估、食品安全标准制定、食品安全信息公布、食品检验机构的资质认定条件和检验规范的制定，组织查处食品安全重大事故。国务院质量监督、工商行政管理和国家食品药品监督管理部门依照本法和国务院规定的职责，分别对食品生产、食品流通、餐饮服务活动实施监督管理。”根据有关文件，国务院食品安全委员会的性质定位为国务院食品安全工作的高层次议事协调机构，主要职责有：分析食品安全形势，研究部署、统筹指导食品安全工作；提出食品安全监管的重大政策措施；督促落实食品安全监管责任。同时规定设立国务院食品安全委员会办公室，具体承担委员会的日常工作。从以上国家食品安全委员会的设立、职责及其日常工作机构国家食品安全委员会办公室的设立、调整来看，我国对如何建立高效的跨部门综合协调机制仍处于探索之中。在立法调研过程中，也有的建议效仿我国台湾地区建立具有指导、协调及监督职能的消费者保护委员会，或者仿照日本建立类似于消费者厅的独立的部门。

本条第二款规定，各级人民政府应当加强监督，预防危害消费者人身、财产安全行为的发生，及时制止危害消费者人身、财产安全的行为。国家通过有关法律、法规对可能危害人身、财产安全的商品或者服务构建了较为完善的监督管理制度，如产品质量法、食品安全法、药品管理法等均对行政监督管理作了专章规定。各级人民政府应当积极督促有关部门落实各项监督管理制度，对危害消费者人身、财产安全的行为做到提前预防，及时制止。

第三十二条　各级人民政府工商行政管理部门和其他有关行政部门应当依照法律、法规的规定，在各自的职责范围内，采取措施，保护消费者的合法权益。

有关行政部门应当听取消费者和消费者协会等组织对经营者交易行为、商品和服务质量问题的意见，及时调查处理。

【释义】　本条是关于行政部门履行职责的规定。

本条第一款规定了工商行政管理部门和其他有关行政部门应当在各自的职责范围内，采取措施，保护消费者的合法权益。保护消费者权益涉及工商部门以及其他多个部门的职责。本条将工商行政管理部门作为保护消费者合法权益的重要部门予以明确。2008年《国家工商行政管理总局主要职责内设机构和人员编制规定》,对国家工商行政管理总局的主要职责作了规定:(1)负责市场监督管理和行政执法的有关工作,起草有关法律法规草案,制定工商行政管理规章和政策。(2)负责各类企业、农民专业合作社和从事经营活动的单位、个人以及外国(地区)企业常驻代表机构等市场主体的登记注册并监督管理,承担依法查处取缔无照经营的责任。(3)承担依法规范和维护各类市场经营秩序的责任,负责监督管理市场交易行为和网络商品交易及有关服务的行为。(4)承担监督管理流通领域商品质量和流通环节食品安全的责任,组织开展有关服务领域消费维权工作,按分工查处假冒伪劣等违法行为,指导消费者咨询、申诉、举报受理、处理和网络体系建设等工作,保护经营者、消费者合法权益。(5)承担查处违法直销和传销案件的责任,依法监督管理直销企业和直销员及其直销活动。(6)负责垄断协议、滥用市场支配地位、滥用行政权力排除限制竞争方面的反垄断执法工作(价格垄断行为除外)。依法查处不正当竞争、商业贿赂、走私贩私等经济违法行为。(7)负责依法监督管理经纪人、经纪机构及经纪活动。(8)依法实施合同行政监督管理,负责管理动产抵押物登记,组织监督管理拍卖行为,负责依法查处合同欺诈等违法行为。(9)指导广告业发展,负责广告活动的监督管理工作。(10)负责商标注册和管理工作,依法保护商标专用权和查处商标侵权行为,处理商标争议事宜,加强驰名商标的认定和保护工作。负责特殊标志、官方标志的登记、备案和保护。(11)组织指导企业、个体工商户、商品交易市场信用分类管理,研究分析并依法发布市场主体登记注册基础信息、商标注册信息等,为政府决策和社会公众提供信息服务。(12)负责个体工商户、私营企业经营行为的服务和监督管理。(13)开展工商行政管理方面的国际合作与交流。(14)领导全国工商行政管理业务工作。(15)承办国务院交办的其他事项。由此可以看出,工商总局主要负责市场主体的登记注册及其市场交易等经营行为的监督管理,以上职责直接或者间接地均与维护消费者合法权益相关。尤其是上述第四项明确规定了工商总局指导消费者咨询、申诉、举报受理等保护消费者合法权益的职责。各级工商行政管理机关根据消费者权益保护法的本条规定等法律规定和2008年《国家工商行政管理总局主要职责内设机构和人员编制规定》,都设立了相应的消费者权益保护的内设机构。国家工商总局专门设立了消费者权益保护局,各省、市、自治区工商行政管理部门设立了消保处,地(市)、县(市)区等工商部门设立了消保科等专门机构,规范了机构配置,配备了一批专职的消费者权益保护行政执法人员,制止和查处各种违法行为,直接或间接地维护消费者权益。全国工商系统设立了"12315"消费维权平台,受理大量消费者咨询、申诉、举报,对切实维护消费者合法权益发挥了重要作用。

遇到消费纠纷找工商,已经成为群众消费维权的主要渠道。但消费领域情况复杂,单靠工商部门是不够的,需要工商部门、质监部门、食药监督部门、商务部门、卫生部门、交通部门、文化旅游部门、物价部门等各部门切实履行好各自的职责。

本条第二款是关于行政部门应当听取消费者及消费者组织意见,及时调查处理的规定。有关行政部门一方面要做好日常的市场监管工作,另一方面要对消费者及消费者协会等消费者组织就经营者交易行为、商品和服务质量问题等提出的意见认真对待,对消费纠纷积极进行调解,对可能涉及侵害消费者合法权益的违法行为进行调查,对违法主体予以惩处。行政部门应当创造条件便利消费者反映意见，拓宽消费者反映意见的渠道。听取消费者意见的方式不应当仅仅停留在处理投诉，还可以采取多种形式主动听取消费者的意见，通过开展知识讲座等活动进一步增强消费者掌握商品和服务信息的能力，使消费者更好地反映意见。

第三十三条　有关行政部门在各自的职责范围内，应当定期或者不定期对经营者提供的商品和服务进行抽查检验，并及时向社会公布抽查检验结果。

有关行政部门发现并认定经营者提供的商品或者服务存在缺陷，有危及人身、财产安全危险的，应当立即责令经营者采取停止销售、警示、召回、无害化处理、销毁、停止生产或者服务等措施。

【释义】　本条是关于有关行政机关抽查检验、责令召回缺陷产品等职责的规定。

本条规定是本次修改消费者权益保护法新增加的内容。有关部门对商品和服务进行抽查检验是国家进行质量监督的一种制度性安排。通过实施监督抽查，不但可以扶优治劣、引导消费，督促企业提升产品质量保障能力，掌握产品质量动态状况，促进产品质量整体水平提高，更重要的是通过行政部门的抽查检验，可以及时发现商品或者服务的缺陷，及时预防和制止缺陷商品或者服务对消费者的危害。从消费者权益保护法实施以来的实际情况看，进一步明确行政部门对商品和服务经营活动的监管职责，对切实保护消费者合法权益是必要的。明确有关行政部门的抽查检验职责，是加强行政部门监管职责的重要内容。通过抽查检验等途径发现并认定有关商品或者服务有危及人身、财产安全危险的，有关行政部门应当立即采取责令经营者停止销售、召回等措施。因此,在现行有关法律、法规规定的有关行政部门抽查检验职责的基础上,增加了本条规定。

本条有两款规定。第一款规定了有关行政部门抽查检验职责的一般要求,第二款规定了有关行政部门发现并认定经营者提供的商品或者服务存在缺陷后应当采取的措施。

一、抽查检验

本条第一款规定了行政部门对经营者提供的商品和服务进行抽查检验的职责。根据现行的法律、行政法规的规定,有关行政部门可以在以下领域内履行对商品或者服务的抽查检验职责,并及时向社会公布抽查检验的结果:

(一)对产品的抽查检验

根据产品质量法的规定,国家对产品质量实行以抽查为主要方式的监督检查制度,对可能危及人体健康和人身、财产安全的产品,影响国计民生的重要工业产品以及消费者、有关组织反映有质量问题的产品进行抽查。抽查的样品应当在市场上或者企业成品仓库内的待销产品中随机抽取。监督抽查工作由国务院产品质量监督部门规划和组织。县级以上地方产品质量监督部门在本行政区域内也可以组织监督抽查。法律对产品质量的监督检查另有规定的,依照有关法律的规定执行。国家监督抽查的产品,地方不得另行重复抽查;上级监督抽查的产品,下级不得另行重复抽查。根据监督抽查的需要,可以对产品进行检验。检验抽取样品的数量不得超过检验的合理需要,并不得向被检查人收取检验费用。监督抽查所需检验费用按照国务院规定列支。生产者、销售者对抽查检验的结果有异议的,可以自收到检验结果之日起十五日内向实施监督抽查的产品质量监督部门或者其上级产品质量监督部门申请复检,由受理复检的产品质量监督部门作出复检结论。

对产品的抽查检验实际上是分为抽查和检验两个步骤：

1. 抽查。根据《产品质量监督抽查管理办法》的规定，抽样人员应当是承担监督抽查的部门或者检验机构的工作人员。抽样人员不得少于两名。抽样前，应当向被抽查企业出示组织监督抽查的部门开具的监督抽查通知书或者相关文件复印件和有效身份证件，向被抽查企业告知监督抽查性质、抽查产品范围、实施规范或者实施细则等相关信息后，再进行抽样。抽样人员应当核实被抽查企业的营业执照信息，确定企业持照经营。对依法实施行政许可、市场准入和相关资质管理的产品，还应当核实被抽查企业的相关法定资质，确认抽查产品在企业法定资质允许范围内后，再进行抽样。抽样人员抽样时，应当公平、公正，不徇私情。监督抽查的样品应当由抽样人员在市场上或者企业成品仓库内待销的产品中随机抽取，不得由企业抽样。抽取的样品应当是有产品质量检验合格证明或者以其他形式表明合格的产品。监督抽查的样品由被抽查企业无偿提供，抽取样品应当按有关规定的数量抽取，没有具体数量规定的，抽取样品不得超过检验的合理需要。有下列情形之一的，抽样人员不得抽样：(1)被抽查企业无监督抽查通知书或者相关文件复印件所列产品的；(2)有充分证据证明拟抽查的产品是不用于销售的；(3)产品不涉及强制性标准要求，仅按双方约定的技术要求加工生产，且未执行任何标准的；(4)有充分证据证明拟抽查的产品为企业用于出口，并且出口合同对产品质量另有规定的；(5)产品或者标签、包装、说明书标有“试制”、“处理”或者“样品”等字样的；(6)产品抽样基数不符合抽查方案要求的。抽样人员应当使用规定的抽样文书，详细记录抽样信息。抽样文书必须由抽样人员和被抽查企业有关人员签字，并加盖被抽查企业公章。对特殊情况，双方签字确认即可。抽样文书应当字迹工整、清楚，容易辨认，不得随意涂改，需要更改的应当由双方签字确认。抽样文书分别留存企业和检验机构，并报送组织监督抽查的部门。国家监督抽查抽样文书同时由承担抽样工作的检验机构报送企业所在地的省级质量技术监督部门。抽取的样品需送至承担检验工作的检验机构的，应当由抽样人员负责携带或者寄送。需要企业协助寄、送样品时，所需费用纳入监督抽查经费。对于易碎品、危险化学品、有特殊储存条件等要求的样品，抽样人员应当采取措施，保证样品运输过程中状态不发生变化。

2. 检验。检验机构接收样品时应当检查、记录样品的外观、状态、封条有无破损及其他可能对检验结果或者综合判定产生影响的情况，并确认样品与抽样文书的记录是否相符，对检验和备用样品分别加贴相应标识后入库。检验原始记录必须如实填写，保证真实、准确、清晰，并留存备查；不得随意涂改，更改处应当经检验人员和报告签发人共同确认。对需要现场检验的产品，检验机构应当制定现场检验规程，并保证对同一产品的所有现场检验遵守相同的规程。检验机构应当按照规定出具抽查检验报告，检验报告应当内容真实齐全、数据准确、结论明确。检验机构应当对其出具的检验报告的真实性、准确性负责。禁止伪造检验报告或者伪造其数据、结果。检验工作结束后，检验机构应当在规定的时间内将检验报告及有关情况报送组织监督抽查的部门。国家监督抽查同时抄送生产企业所在地的省级质量技术监督部门。组织监督抽查的部门应当及时将检验结果和被抽查企业的法定权利书面告知被抽查企业，也可以委托检验机构告知。在市场上抽样的，应当同时书面告知销售企业和生产企业，并通报被抽查产品生产企业所在地的质量技术监督部门。被抽查企业对检验结果有异议的，可以自收到检验结果之日起十五日内向组织监督抽查的部门或者其上级质量技术监督部门提出书面复检申请。逾期未提出异议的，视为承认检验结果。对需要复检并具备检验条件的，处理企业异议的质量技术监督部门或者指定检验机构应当按原监督抽查方案对留存的样品或抽取的备用样品组织复检，并出具检验报告，于检验工作完成后十日内作出书面答复。复检结论为最终结论。复检结论表明样品合格的，复检费用列入监督抽查经费。复检结论表明样品不合格的，复检费用由样品生产者承担。检验机构应当将复检结果及时报送组织监督抽查的部门。国家监督抽查应当同时抄报企业所在地省级质量技术监督部门。组织监督抽查的部门应当汇总分析监督抽查结果，依法向社会发布监督抽查结果公告，向地方人民政府、上级主管部门和同级有关部门通报监督抽查情况。对无正当理由拒绝接受监督抽查的企业，予以公布。对监督抽查发现的重大质量问题，组织监督抽查的部门应当向同级人民政府进行专题报告，同时报上级主管部门。

（二）对药品的抽查检验

根据药品管理法的规定，药品监督管理部门根据监督检查的需要，可以对药品质量进行抽查检验。抽查检验应当按照规定抽样，并不得收取任何费用。所需费用按照国务院规定列支。药品监督管理部门对有证据证明可能危害人体健康的药品及其有关材料可以采取查封、扣押的行政强制措施，并在七日内作出行政处理决定；药品需要检验的，必须自检验报告书发出之日起十五日内作出行政处理决定。国务院和省、自治区、直辖市人民政府的药品监督管理部门应当定期公告药品质量抽查检验的结果；公告不当的，必须在原公告范围内予以更正。

根据《药品质量抽查检验管理规定》，药品监督管理部门在开展药品抽样工作时，应当由药品监督管理部门派出两名以上药品抽样人员完成。评价抽验的抽样工作可由药品检验机构承担;监督抽验的抽样工作由药品监督管理部门承担。抽样人员在执行抽样任务时,应当主动出示药品监督人员的证件或派遣单位出具的证明文件。执行抽样任务的人员有权按照法律、法规的规定对药品的生产、经营、使用情况进行监督检查和抽样,被抽样单位应当提供抽检样品和有关文件或资料,不得拒绝。药品抽样应当在被抽样单位存放药品的现场进行,被抽样单位应当派专人协助抽样。药品抽样应当按照国务院药品监督管理部门制定的《药品抽样指导原则》进行,保证抽样的代表性。抽样操作应当规范、迅速、注意安全,抽样过程包括样品的抽取和储运,不得影响所抽样品和被拆包装药品的质量。抽样时,抽样人员应当认真检查药品储存条件是否符合要求;药品包装是否按照规定印有或者贴有标签并附有说明书,字样是否清晰;标签或者说明书的内容是否与药品监督管理部门核准的内容相符;麻醉药品、精神药品、医疗用毒性药品、放射性药品、外用药品和非处方药的标签是否印有规定的标志等。同时,应当核实被抽取药品的库存量。抽样结束后,抽样人员应当用"药品封签"将所抽样品签封,据实填写"药品抽样记录及凭证"并根据工作需要做现场监督检查记录。"药品封签"、"药品抽样记录及凭证"应当由抽样人员和被抽样单位有关人员签字,并加盖抽样单位和被抽样单位公章;被抽样对象为个人的,由该个人签字、盖章。

抽样人员完成药品抽样后,应当及时将所抽取的样品移交承担检验任务的药品检验机构;药品检验机构应在核对被抽取样品与"药品抽样记录及凭证"所记录的内容相符、"药品封签"完整等情况下予以收检。抽查检验应按照国家药品标准进行检验,并可根据监督工作的需要进行部分检验。药品检验机构接到样品,在取得检验必要的材料后应当按照法定质量标准在规定周期内完成检验,并出具药品检验报告书。被抽样单位或药品生产企业对药品检验机构的检验结果有异议的,可以自收到药品检验结果之日起7个工作日内提出复验申请。受理复验的药品检验机构应当在收到留样之日起及时作出复验结论。

承担药品抽查检验工作的各级药品检验机构应当按照每年抽验计划的规定和要求上报药品抽查检验结果;承担药品抽查检验工作组织实施的部门应当及时对检验结果汇总、整理和分析,并报国务院药品监督管理部门。各级药品检验机构上报药品抽查检验结果必须准确、规范、及时,不得隐瞒或篡改。国家和省(区、市)药品监督管理部门可以按照规定依据抽查检验结果及时或定期发布国家药品质量公告。对由于药品质量严重影响用药安全、有效的,应当及时发布;对药品的评价抽验,应给出药品质量分析报告,定期在药品质量公告上予以发布。

(三)对食品的抽查检验

根据食品安全法,国务院卫生行政部门通过食品安全风险监测或者接到举报发现食品可能存在安全隐患的,应当立即组织进行检验和食品安全风险评估。食品安全监督管理部门对食品不得实施免检。县级以上质量监督、工商行政管理、食品药品监督管理部门应当对食品进行定期或者不定期的抽样检验。进行抽样检验,应当购买抽取的样品,不收取检验费和其他任何费用。县级以上质量监督、工商行政管理、食品药品监督管理部门在执法工作中需要对食品进行检验的,应当委托符合本法规定的食品检验机构进行,并支付相关费用。对检验结论有异议的,可以依法进行复检。

(四)对进口商品的抽查检验

根据进出口商品检验法,商检机构对本法规定必须经商检机构检验的进出口商品以外的进出口商品,根据国家规定实施抽查检验。国家商检部门可以公布抽查检验结果或者向有关部门通报抽查检验情况。国家商检部门和商检机构依法对经国家商检部门许可的检验机构的进出口商品检验鉴定业务活动进行监督,可以对其检验的商品抽查检验。进出口商品的报检人对商检机构作出的检验结果有异议的,可以向原商检机构或者其上级商检机构以致国家商检部门申请复验,由受理复验的商检机构或者国家商检部门及时作出复验结论。当事人对商检机构、国家商检部门作出的复验结论不服的,可以依法申请行政复议,也可以依法向人民法院提起诉讼。

需要指出的是,本条第一款强调有关行政部门履行抽查检验职责,应当是“定期”和“不定期”相结合。各有关行政部门根据相应的法律等规定,结合监管行业的特点,制订定期的检验计划,将抽查检验制度化。同时根据实际问题状况,及时进行不定期的抽查检验,促使有关经营者始终保证商品或者服务的质量管理,避免向消费者提供的商品或者服务出现缺陷。如果出现部分商品或者服务出现缺陷,通过不定期的抽查检验,对整个有关行业进行清查,避免对消费者的损害进一步扩大。

抽查检验后,应及时向社会公布抽查检验的结果,保证公众对商品和服务的知情权,同时有利于监督经营者依法经营。

二、对缺陷商品或者服务采取的行政措施

根据本条第二款的规定,有关行政部门发现并认定经营者提供的商品或者服务存在缺陷,有危及人身、财产安全危险的,应当立即责令经营者采取停止销售、警示、召回、无害化处理、销毁、停止生产或者服务等措施。

本款规定适用的前提是,有关行政部门通过抽查检验、消费者投诉等途径,发现并认定经营者提供的商品或者服务存在缺陷,有危及人身、财产安全危险的。这里的“缺陷”就是指经营者提供的商品或者服务有危及人身、财产安全的不合理危险。

一般来说，商品存在缺陷，即存在“不合理危险”，按照产生的原因主要有四种情况：一是商品设计上的缺陷。即由于设计上的原因，导致商品存在危及人身、财产安全的不合理危险。例如，使用瓦斯炉的火锅，因结构或安全系数设计上的不合理，有可能导致在正常使用中爆炸的，该商品即为存在设计缺陷的商品。二是商品制造上的缺陷。即由于商品加工、制作、装配等制造上的原因，导致商品存在危及人身、财产安全的不合理危险。例如，生产的幼儿玩具制品，未按照设计要求采用安全的软性材料，而是使用了金属材料并带有锐角，危及幼儿人身安全。该商品即存在制造上的缺陷。三是因告知上的缺陷（也称指示缺陷或说明缺陷）。即由于商品本身的特性而具有一定合理危险性。对这类商品，生产者应当在商品或者包装上，或者在商品说明书中，加注必要的警示标志或警示说明，告知使用注意事项。如果生产者未能加注警示标志或者警示说明，标明使用注意事项，导致商品产生危及人身、财产安全的危险的，该商品即属于存在告知缺陷的商品。例如，燃气热水器在一定条件下对使用者有一定的危险性，生产者应当采用适当的方式告知安全使用注意事项，如必须将热水器安装在浴室外空气流通的地方等。如果生产者没有明确告知，就可认为该商品存在不合理的危险。四是经营缺陷。它是指在产品制造出来之后，产品的运输者、仓储者或销售者未尽到应尽的注意义务，使产品在结构、功能等方面发生了改变，从而致使产品存在不合理的危险。

根据本款规定，如果发现并认定有关商品或者服务存在危及消费者人身、财产安全的缺陷，有关行政部门应当立即或者说在第一时间，采取相应的行政措施，预防或者制止损害的发生，即立即责令经营者采取停止销售，警示、召回、无害化处理、销毁、停止生产或者服务等措施。责令经营者采取何种措施，要针对具体的责任人，根据缺陷危害性的具体状况而定。如缺陷商品已经进入市场销售的，应当责令生产者或者销售者停止销售并及时发出警示，如向社会公告，要求消费者停止使用，必要情况下应当及时召回已经售出的商品。已经生产出来或者召回的缺陷商品不宜使用、销售的，可以责令生产者、销售者进行无害化处理、销毁等措施。缺陷产品涉及生产缺陷或者服务本身缺陷的，就应当责令经营者停止生产或者服务，从源头上避免缺陷商品或者服务的产生。

第三十四条　有关国家机关应当依照法律、法规的规定，惩处经营者在提供商品和服务中侵害消费者合法权益的违法犯罪行为。

【释义】　本条是关于有关国家机关依法惩处经营者的规定。

依法惩处经营者在提供商品和服务中侵害消费者合法权益的违法犯罪行为，是国家对消费者权益保护的重要职责之一。通过对违法经营者的惩处，可以促使经营者改正自己的不法行为，自觉维护消费者的合法权益，同时也对其他经营者起到警示作用，避免他们犯同样的错误，防患于未然，不但能够保障消费者权益不受侵害，而且也促进了经营者合法经营，保障社会经济健康有序地发展。

根据本条的规定，惩处经营者不法行为的前提是经营者在向消费者提供商品或者服务的过程中，违反有关法律、法规等规定，侵害了消费者的合法权益。惩处的依据是有关法律和法规的规定，也就是说，具体惩处的情形、惩处机关、惩处权限和方式要有明确的法律、法规的规定。总体而言，惩处主体是有关的国家机关，也就是说不仅仅指行政机关，而且还包括人民检察院、人民法院等司法机关。惩处的手段主要是指有关行政处罚和刑事处罚。根据行政处罚法的规定,行政责任包括:警告,罚款,没收违法所得、没收非法财物,责令停产停业,暂扣或者吊销许可证、暂扣或者吊销执照,行政拘留以及其他法律、行政法规规定的其他行政处罚。根据刑法的规定,刑事处罚包括管制、拘役、有期徒刑、无期徒刑和死刑五种主刑和罚金、没收财产等附加刑。同时,有关国家机关惩处不法经营者要符合法律规定的程序,如行政机关对经营者处以行政处罚的,应当符合法律规定的权限和程序。有关行政机关对经营者进行行政处罚,必须查明事实。行政机关在作出行政处罚决定之前,应当告知当事人作出行政处罚决定的事实、理由及依据,并告知当事人依法享有的权利。司法机关对经营者进行刑罚处罚的,必须遵守刑事诉讼法的有关规定。

随着我国法制的健全和国家对消费者权益保护的重视,我国已经出台了一系列法律、法规,对经营者侵害消费者的具体情形和相应的处罚及处罚机关等都作了明确的规定。

此次修改本法,充实完善了法律责任一章,不仅在本章明确规定了经营者违法侵害消费者合法权益的法律责任,有关行政机关和司法机关应当依据本法的规定,追究不法经营者的法律责任。还在第五十七条规定,经营者违反本法规定提供商品或者服务,侵害消费者合法权益,构成犯罪的,依法追究刑事责任。

除本法外,行政机关、司法机关还应当依据其他法律、法规的规定,追究侵害消费者权益的不法经营者的行政责任和刑事责任。例如,根据产品质量法第四十九条规定,生产、销售不符合保障人体健康和人身、财产安全的国家标准、行业标准的产品的,责令停止生产、销售,没收违法生产、销售的产品,并处违法生产、销售产品(包括已售出和未售出的产品,下同)货值金额等值以上三倍以下的罚款;有违法所得的,并处没收违法所得;情节严重的,吊销营业执照。又如,根据食品安全法第八十五条规定,经营者有下列情形之一的,由有关主管部门按照各自职责分工,没收违法所得、违法生产经营的食品和用于违法生产经营的工具、设备、原料等物品;违法生产经营的食品货值金额不足一万元的,并处二千元以上五万元以下罚款;货值金额一万元以上的,并处货值金额五倍以上十倍以下罚款;情节严重的,吊销许可证:(1)用非食品原料生产食品或者在食品中添加食品添加剂以外的化学物质和其他可能危害人体健康的物质,或者用回收食品作为原料生产食品;(2)生产经营致病性微生物、农药残留、兽药残留、重金属、污染物质以及其他危害人体健康的物质含量超过食品安全标准限量的食品;(3)生产经营营养成分不符合食品安全标准的专供婴幼儿和其他特定人群的主辅食品;(4)经营腐败变质、油脂酸败、霉变生虫、污秽不洁、混有异物、掺假掺杂或者感官性状异常的食品;(5)经营病死、毒死或者死因不明的禽、畜、兽、水产动物肉类,或者生产经营病死、毒死或者死因不明的禽、畜、兽、水产动物肉类的制品;(6)经营未经动物卫生监督机构检疫或者检疫不合格的肉类,或者生产经营未经检验或者检验不合格的肉类制品;(7)经营超过保质期的食品;(8)生产经营国家为防病等特殊需要明令禁止生产经营的食品;(9)利用新的食品原料从事食品生产或者从事食品添加剂新品种、食品相关产品新品种生产,未经过安全性评估;(10)食品生产经营者在有关主管部门责令其召回或者停止经营不符合食品安全标准的食品后,仍拒不召回或者停止经营的。再如,根据刑法第一百四十条规定,生产者、销售者在产品中掺杂、掺假,以假充真、以次充好或者以不合格产品冒充合格产品,销售金额五万元以上不满二十万元的,处二年以下有期徒刑或者拘役,并处或者单处销售金额百分之五十以上二倍以下罚金;销售金额二十万元以上不满五十万元的,处二年以上七年以下有期徒刑,并处销售金额百分之五十以上二倍以下罚金;销售金额五十万元以上不满二百万元的,处七年以上有期徒刑,并处销售金额百分之五十以上二倍以下罚金;销售金额二百万元以上的,处十五年有期徒刑或者无期徒刑,并处销售金额百分之五十以上二倍以下罚金或者没收财产。

第三十五条　人民法院应当采取措施,方便消费者提起诉讼。对符合《中华人民共和国民事诉讼法》起诉条件的消费者权益争议,必须受理,及时审理。

【释义】 本条是关于人民法院保障消费者依法提起维权诉讼的规定。

公民的民事权益受到侵害,可以寻求司法救济。通过民事诉讼的方式维护自己的权益,是公民的一项基本权利。消费者的权益受到损害,可以通过民事诉讼的途径,起诉经营者,要求经营者承担损害赔偿等民事责任。作为国家保障消费者权益的一项重要责任,司法机关应当保障消费者依法提起民事诉讼的权利。

根据本条的规定,人民法院首先要应当采取措施,方便消费者提起诉讼。根据民事诉讼法的规定,方便消费者提起诉讼的措施主要有以下几个方面:第一,起诉时,消费者书写起诉状确有困难的,可以口头起诉,由人民法院记入笔录,并告知对方当事人。第二,消费者可以聘请律师担任诉讼代理人,也可以委托基层法律服务工作者、其近亲属或者其所在社区、单位以及有关社会团体推荐的公民担任诉讼代理人。第三,共同诉讼和代表人诉讼。消费者是多人而被告的经营者是一人的,其诉讼标的是共同的，或者诉讼标的是同一种类、人民法院认为可以合并审理并经当事人同意的，可以作为共同诉讼。消费者一方人数众多的共同诉讼，可以由当事人推选代表人进行诉讼。第四，基层人民法院和其派出的法庭审理事实清楚、权利义务关系明确、争议不大的简单的消费者权益争议，可以适用简易程序，作为原告的消费者可以口头起诉。基层人民法院或者其派出的法庭对此类案件可以用简便方式传唤当事人和证人、送达诉讼文书、审理案件。对简单的消费者权益争议，标的额为各省、自治区、直辖市上年度就业人员年平均工资百分之三十以下的，实行一审终审。

本条还明确规定，人民法院应当保障当事人依照民事诉讼法的规定享有的起诉权利，对符合《中华人民共和国民事诉讼法》起诉条件的消费者权益争议，必须受理，及时审理。按照民事诉讼法的规定，消费者提起民事诉讼，应当符合以下条件：一是作为原告的消费者是与本案有直接利害关系的自然人；二是有明确的被告，也就是有具体的经营者；三是有具体的诉讼请求和事实、理由；四是属于人民法院受理民事诉讼的范围和受诉人民法院管辖。

消费者提起民事诉讼，一般应当向人民法院递交起诉状，并按照被告人数提出副本。起诉状应当记明下列事项：(1)原告的姓名、性别、年龄、民族、职业、工作单位、住所、联系方式；(2)被告的姓名、性别、工作单位、住所等信息，法人或者其他组织的名称、住所等信息；(3)诉讼请求和所根据的事实与理由；(4)证据和证据来源，证人姓名和住所。书写起诉状确有困难的，可以口头起诉，由人民法院记入笔录，并告知对方当事人。

消费者提起民事诉讼应当向有管辖权的法院提起。如果对公民提起的民事诉讼，由被告住所地人民法院管辖；被告住所地与经常居住地不一致的，由经常居住地人民法院管辖。对法人或者其他组织提起的民事诉讼，由被告住所地人民法院管辖。同一诉讼的几个被告住所地、经常居住地在两个以上人民法院辖区的，各该人民法院都有管辖权。涉及消费合同诉讼的，由被告住所地或者合同履行地人民法院管辖。经营者和消费者事先书面协议选择经营者住所地、消费者住所地、合同履行地、合同签订地、标的物所在地等与争议有实际联系的地点的人民法院管辖，如果不违反民事诉讼法对级别管辖和专属管辖规定的，由该约定的人民法院管辖。因消费侵权提起的诉讼，由侵权行为地或者被告住所地人民法院管辖。

消费者的起诉符合上述规定的，人民法院必须受理。符合起诉条件的，应当在七日内立案，并通知当事人；不符合起诉条件的，应当在七日内作出裁定书，不予受理；原告对裁定不服的，可以提起上诉。人民法院在消费者提起民事诉讼时，可以进行调解，但消费者拒绝的，人民法院必须按照民事诉讼法规定及时作出受理与否的处理。

人民法院受理案件后，必须及时受理，必须在法律规定的审限内审结。根据民事诉讼法的规定，人民法院适用普通程序审理的一审民事案件，应当在立案之日起六个月内审结。有特殊情况需要延长的，由本院院长批准，可以延长六个月；还需要延长的，报请上级人民法院批准。适用简易程序审理的一审民事案件，应当在立案之日起三个月内审结。人民法院在审理消费者权益争议案件时，可以通过调解解决纠纷，但要注意两点：一是消费者拒绝调解的，不能久调不决，必须及时审理；二是即使进行调解，也要遵守上述审限的规定。

除了消费者本人就消费者权益争议向人民法院提起民事诉讼外，根据本法第四十七条的规定，中国消费者协会以及在省、自治区、直辖市设立的消费者协会，对侵害众多消费者合法权益的行为，可以向人民法院提起诉讼。人民法院应当依法受理，并及时作出裁判。

第五章　消费者组织

本章共三条，主要对消费者组织的定位、消费者协会和其他消费者组织职责的履行、消费者组织不得以收费或者其他牟利的方式推荐商品或者服务作出规定。

第三十六条　消费者协会和其他消费者组织是依法成立的对商品和服务进行社会监督的保护消费者合法权益的社会组织。

【释义】　本条是关于消费者组织性质的规定。

本次修改消费者权益保护法对本条作了修改。此次修改消费者权益保护法时，有的部门和单位提出，消费者协会由政府主导设立，没有会员，履行职责具有公益性，与《社会团体登记管理条例》规定的由会员组成的社会团体不同，建议根据实际情况定性。经研究，为了加强消费者协会和其他消费者组织的建设，充分发挥其作用，将消费者协会和其他消费者组织的性质由"社会团体"修改为"社会组织"。

一、消费者协会和其他消费者组织的现状

根据本条的规定，我国的消费者组织包括消费者协会和其他消费者组织，"消费者协会"是指中国消费者协会以及各地消费者协会（有的也称为消费者权益保护委员会等），"其他消费者组织"除保护消费者基金会外，据了解，目前还尚无其他全国性或者地区性的维护普通消费者权益的社会组织。

(一)消费者协会

我国的消费者协会分为中国消费者协会与地方消费者协会。

中国消费者协会是1985年由质检总局报请国务院批准后设立的、归口国家工商行政管理总局领导的全国性消费者协会。中国消费者协会实行理事会制度,由国家各有关部门,各有关人民团体(社会团体),各有关新闻媒介,各省、自治区、直辖市及副省级市消费者协会(委员会)组织推举的理事组成。地方消费者协会主要是由地方人民政府设立或者批准设立的消费者保护组织,有的地方消费者协会是由政府机关、社会团体、行业组织和消费者代表组成的。到目前为止,除中国消费者协会外,全国共有县级以上消费者协会3279个,其中省级31个,地级405个,县级2843个。这些消费者协会均为独立法人,实行理事制,理事来自立法机关、司法机关、行政机关、人民团体、新闻媒体等,理事会是其领导机构,主要工作由常设办事机构承担。在这些消费者协会中,独立办公的有1730多个,与工商行政部门合署办公的有1540多个。从登记情况来看,在民政部门登记的有1670个,在机构编制部门登记的有686个,在民政部门和机构编制部门同时登记的有758个,在民政部门和机构编制部门都未登记的有165个。除县级以上的消费者组织外,全国县以下还设有消费者分会和消费者协会联络站等37万个左右。

(二)中国保护消费者基金会

中国保护消费者基金会是1989年11月经中国人民银行批准、民政部登记注册成立的全国性、非营利的独立公益性社团法人,由国资委归口管理。根据章程规定,基金会的主要职责有:进行市场调查帮助消费者了解市场,向消费者提供消费信息和商品知识,帮助消费者了解有关法律、法规提高维权意识,参与有关行政部门对消费品、服务质量监督、检查，支持、参与打假，向政府有关部门反映意见、要求、建议，受理消费者投诉等。

二、消费者协会的定位

1993年的消费者权益保护法将消费者协会和其他消费者组织定性为“社会团体”。此前1989年国务院颁布的《社会团体登记管理条例》规定，凡叫协会、学会、研究会的都是“社会团体”。1998年修改后的《社会团体登记管理条例》从性质上对“社会团体”作出界定：“本条例所称的社会团体，是指由公民自愿组成，为实现会员共同意愿，按照其章程开展活动的非营利性社会组织。”此次修改过程中，不少意见提出，消费者协会与现行《社会团体登记管理条例》所规定的社会团体有本质不同。其一，从成立的动因看，消费者协会是由政府发起成立的保护消费者权益的组织，肩负着沟通、联系、协调社会各方面力量，共同保护处于弱势地位的消费者的任务，不是消费者自发成立的自我保护组织；其二，从服务的对象看，消费者协会的服务对象是覆盖全国人口的众多消费者，不是特定会员；其三，从机构职能看，消费者协会承担着若干项法定职能，从事的是公共事务服务方面的工作，目的是保护社会公共利益，体现着政府和全社会加强对消费者权益保护的意志，不是按章程自行开展活动的社团组织；其四，从人员组成看，消费者协会实行的不是会员制，不是为实现少数会员共同意愿而存在的民间社团，它实行的是单位理事制，理事成员由立法、司法机关，工商、质监、物价、卫生、商务等部门，群众团体、行业组织、专家、律师、媒体等代表组成，涉及消费者事务的各个方面，核心任务是在政府的领导下动员社会各有关方面加强对消费者的保护；其五，从经费来源看，消协是他益性的、外部保护的组织，体现着国家加强对消费者保护的意旨，它没有会员，不收会费，主要由政府支持。而不是部分消费者自由结合、交纳会费、自我保护的自益性组织。因此，建议将目前的消费者协会定位为“具有公共事务管理职能的组织”。为了保障其履行职能，各级人民政府应当为其提供必要的条件，配备必要的人员，所需经费列入同级财政预算。

也有些意见提出，如何定位消费者组织，应考虑与政府机构改革的精神衔接起来，不但要考虑消费者协会的发展，也要考虑将来整个社会组织的发展，在监督和维权方面，要进一步发挥社会组织、民间组织的作用。目前消费者协会是否要改为具有公共管理职能的组织，国家是否给予其经费保障，涉及消费者权益保护组织管理体制和具体管理制度的调整，需要编制等部门结合我国国情和行政管理体制改革精神，进一步慎重研究。有的意见提出，根据目前的社团登记管理体制，成立社团有两个限制：一是要有主管部门；二是“一业一会”。因此，目前真正由消费者成立的社会团体基本没有，消费者权益保护组织主要就是各级工商行政管理部门主管下的消费者协会。而根据政府机构改革和职能转变的要求，有关部门正在探索如何加快形成政社分开、权责明确、依法自治的现代社会组织体制，推进各类协会与行政机关脱钩，引入竞争机制，探索一业多会，以改变协会行政化倾向，增强其自主性和活力。因此，消费者协会仍应维持其社会团体的定性。

此次修改消费者权益保护法，我们认为，如何定位消费者组织，需要考虑我国消费者维权能力、消费者组织发展现状、事业单位和社会组织发展方向以及机构改革和职能转变的目标。从目前看，除了中国消费者协会、各地消费者协会外，基本没有普遍性的、由消费者组成的消费者社会团体。消费者协会在保护消费者权益方面一直发挥着积极的作用，目前的职能无法由其他消费者组织替代。即使随着社会团体登记管理的改革，消费者自行依法成立消费者社会组织，但这些组织真正能够发挥出积极的作用尚需时日，仍然需要目前的消费者协会履行消费者权益保护法规定的职能。消费者权益保护法规定消费者协会和其他消费者组织的性质是社会团体，实际上是突出其非行政性质。但消费者协会与一般社会团体不同。按照《社会团体登记管理条例》的规定，社会团体是指由公民自愿组成，为实现会员共同意愿，按照其章程开展活动的非营利性社会组织。而消费者协会实际上是由政府主导设立的，而非由消费者自愿组成，也没有普通的消费者会员。因此，消费者协会不宜再称为社会团体，而且考虑到另一个全国性消费者组织"中国保护消费者基金会"也不属于社会团体，因此，将消费者协会和其他消费者组织定位为涵盖性更宽的"社会组织"更为合适。

三、消费者协会的名称

与消费者协会定位相关联的，还涉及"消费者协会"是否更名的问题。各级消费者协会组织初始成立时均称为"消费者协会"。由于消费者协会不同于律师协会、公证协会等由会员组成的协会，近些年，有的地方通过制定地方消费者权益保护法实施办法、条例，或者通过地方政府批准将协会更名，有的更名为"消费者委员会"，如湖北、湖南、广东、海南等地；有的更名为"消费者权益保护委员会"，如上海、重庆、浙江、福建、广西等地；有的更名为"保护消费者权益委员会"，如四川。更名后的消费者协会的职能不变。

在修改消费者权益保护法的过程中，有的地方、部门和单位提出，消费者协会目前的名称与一般的民间组织难以区分，而民间组织主要依靠"自收自支"解决生存问题。一些地方的相关部门，因"协会"之名，认为消协组织应当自行解决人员和经费，不给其批编、拨款，在登记上也多有困扰。据2005年统计，全国

43%的地方消协在编制部门登记，由编制部门批给了人员编制，经费由财政全额或差额保障。50%的地方消协在民政部门登记。7%的地方消协未登记。由于消协组织的定性不清，发展前景不明，编制、经费难以保障，人员后顾之忧严重，直接影响了其作用发挥。为能够正常履行法定职能，目前，全国46个副省级以上地方的消协中，已有17个将名称更改为“消费者委员会”、“消费者权益保护委员会”等。因此，建议将其与会员制社会团体相区别，将“消费者协会”更名为“消费者权益保护委员会”。

但也有不少意见认为，目前的“消费者协会”的名称可不更改。主要理由有：一是“消费者协会”的名称已为广大消费者所熟知，变更名称有可能在社会上造成混淆，一定程度上影响其工作的开展。二是改不改名称，并不会影响消费者协会履行职能。相关单位希望变更“消费者协会”名称，实质是希望进一步明确其性质，解决其人员编制和经费问题，这需要协调编制机构、财政部门、民政部门等相关单位的意见，结合我国国情、行政体制改革和事业单位改革的方向作出考虑。如果消费者协会仍然作为社会团体，作为民间组织，名称就不宜采用带有行政色彩的“委员会”。

经研究，此次对消费者协会的名称不作修改，主要考虑是，自1985年中国消费者协会成立以来一直使用现名称，各级消费者协会长期使用“消费者协会”名称，1993年制定消费者权益保护法时就从法律上确定了“消费者协会”的名称，随着该法的实施和各级消费者协会工作的开展，“消费者协会”的名称已经被社会熟知和接受，改不改名称不会影响其履行职责，也不会影响各级政府依照本法对其履行职责给予经费等保障。虽然有些地方的消费者协会已经更名为“消费者权益委员会”等，但在性质、职责上与此前的“消费者协会”并无本质上不同。

第三十七条　消费者协会履行下列公益性职责：

（一）向消费者提供消费信息和咨询服务，提高消费者维护自身合法权益的能力，引导文明、健康、节约资源和保护环境的消费方式；

（二）参与制定有关消费者权益的法律、法规、规章和强制性标准；

（三）参与有关行政部门对商品和服务的监督、检查；

（四）就有关消费者合法权益的问题，向有关部门反映、查询，提出建议；

（五）受理消费者的投诉，并对投诉事项进行调查、调解；

（六）投诉事项涉及商品和服务质量问题的，可以委托具备资格的鉴定人鉴定，鉴定人应当告知鉴定意见；

（七）就损害消费者合法权益的行为，支持受损害的消费者提起诉讼或者依照本法提起诉讼；

（八）对损害消费者合法权益的行为，通过大众传播媒介予以揭露、批评。

各级人民政府对消费者协会履行职责应当予以必要的经费等支持。

消费者协会应当认真履行保护消费者合法权益的职责，听取消费者的意见和建议，接受社会监督。

依法成立的其他消费者组织依照法律、法规及其章程的规定，开展保护消费者合法权益的活动。

【释义】　本条是关于消费者协会履行公益性职责的规定。

本次修改消费者权益保护法对本条作了修改。

根据消费者协会的职责和实践情况，自1985年中国消费者协会成立以来，各级消费者协会在保护消费者权益方面发挥了重要作用,在需要进一步强化消费者权益保护的要求下,应当进一步发挥消费者协会保护消费者权益的作用。此次修改,在原法第三十二条的基础上,在以下几个方面作出了修改完善:首先,将原法第三十二条改作本条第一款,强调消费者协会履行职责是“公益性”的,并充实了消费者协会的具体职责。其次,增加了三方面的规定:一是明确各级人民政府对消费者协会履行职责的“必要的经费等支持”;二是增加规定消费者、社会对消费者协会履行职责的监督;三是明确其他依法成立的消费者组织保护消费者权益的职责。

一、消费者协会的公益性职责

此次修改,将原法中的“消费者协会履行下列职能”修改为“消费者协会履行下列公益性职责”。一是明确其履责的“公益性”,强调消费者协会作为由政府发起设立的保护消费者权益的社会组织,其履行的职责是公益性的,是为保护广大消费者权益履行职责。二是将“职能”改为“职责”,避免与政府部门的职能相混淆,符合其作为社会组织的定位。根据本次修改,将原先规定的七项职责完善为以下八项:

1. 向消费者提供消费信息和咨询服务,提高消费者维护自身合法权益的能力,引导文明、健康、节约资源和保护环境的消费方式。向消费者提供消费信息和咨询服务,是消费者协会的重要职责。以中国消费者协会为例,近年来,广泛开展各种形式的活动,为广大消费者提供消费者信息和咨询服务。例如,创办中国消费者杂志,提供权威信息和维权指导;组织地方消协共同开展保暖内衣、化妆品、手机、木地板、儿童学具等比较试验近千次,涉及品牌近万种;发布有关食品、商品房、留学、银行卡、家庭装修、美容隆胸等消费警示、消费提示近八万条;举办展览讲座、建立中心基地、合作专栏专题、组织征文比赛、编写教材引入学校教育、深入社区农村进行消费指导等活动，受到广大消费者欢迎。消费者协会向消费者提供消费信息和咨询服务的主要目的，一是提高消费者维护自身合法权益的能力，如通过比较试验等方式，向广大消费者提供同类商品的比较信息，让消费者充分了解有关商品的信息，以便进行准确的选择；二是引导文明、健康、节约资源和保护环境的消费方式。本法在总则中明确规定，国家倡导文明、健康、节约资源和保护环境的消费方式，作为由政府发起设立的消费者组织，消费者协会应当起到积极的引导作用。

2. 参与制定有关消费者权益的法律、法规、规章和强制性标准。作为国家对消费者权益保护的责任，本法明确规定，国家制定有关消费者权益的法律、法规、规章和强制性标准，应当听取消费者和消费者协会等组织的意见。相应地，消费者协会也应当认真履行有关职责，积极、认真地参与制定有关消费者权益的法律、法规、规章和强制性标准。近年来，中国消费者协会就扩大居民消费、制定服务标准、保障食品安全等问题提出政策规划建议；组织参与铁路价格、民航价格、药品价格、出租车运费、煤气管道初装费、水表安装价格、电视维修费、公园门票价格等方面的听证会，提出保护消费者权益的建议；参与消费者权益保护法、企业破产法、反垄断法、食品安全法、民事诉讼法、保险法、邮政法、侵权责任法、道路安全交通法、电信法、人民调解法等重大法律和众多国家标准、行业标准制定修订，从制度层面加强对消费者的保护。此次修改，也是结合中国消费者协会近年来的工作实践，增加了本项规定。

3. 参与有关行政部门对商品和服务的监督、检查。根据本法和其他有关法律的规定，有关行政部门应当就涉及消费者权益的产品、食品、药品等商品和服务进行监督检查，这些行政部门在进行监督检查时,应当邀请消费者协会参与监督检查,消费者协会应当认真参与监督、检查:一是从保护消费者权益的角度,提出监督、检查的建议,参与制订监督检查的具体方案,参与监督、检查的具体过程;二是对行政部门的监督、检查行为进行社会监督,保障依法对有关商品或者服务进行监督、检查,切实保障消费者权益。

4. 就有关消费者合法权益的问题,向有关部门反映、查询,提出建议。消费者协会作为主要的消费者社会组织,是广大消费者与政府之间的桥梁。对涉及消费者合法权益的问题,应当主动向有关部门进行反映、查询,有关部门应当认真听取消费者协会的意见,积极提供有关查询信息,消费者协会应当将有关部门的反馈意见等情况及时告知广大消费者;认为有关部门对有关消费者权益问题的解决,应当采取积极有效的措施的,消费者协会应当在调研的基础上,有理有据地提出建议。

5. 受理消费者的投诉,并对投诉事项进行调查、调解。受理消费者的投诉,既能方便消费者反映问题,又能为政府分忧解难,这是消费者协会作为保护消费者权益的社会组织所具有的积极意义。近年来,全国各级消费者组织都受理了大量的消费者投诉,截至 2012 年年底,全国消协组织共受理消费者投诉 1208 万件,为消费者挽回经济损失 112.6 亿元,通过揭露、批评、支持起诉等综合职能运用,妥善处理了日航事件、三菱汽车事件、造成未成年人伤残并影响全国的 OK 镜事件、国际友谊花园商品房面积缩水以及用电、农资等方面众多的群体投诉案件。2013 年上半年,全国消协组织共受理消费者投诉 265,572 件,解决 244,601 件,投诉解决率 92.1%,为消费者挽回经济损失 59,057 万元。其中,因经营者有欺诈行为得到加倍赔偿的投诉 3628 件,加倍赔偿金额 864 万元。消费者协会接到消费者的投诉后，采取积极措施化解纠纷，解决问题，维护消费者的权益。一是对投诉涉及的事项进行调查，分析原因，确定责任；二是依法进行调解，促使当事人在平等、自愿的基础上达成调解协议，解决纠纷。

6. 投诉事项涉及商品和服务质量问题的，可以委托具备资格的鉴定人鉴定，鉴定人应当告知鉴定意见。投诉事项涉及商品和服务质量问题的，往往消费者和经营者各执一词，而消费者如果自己进行鉴定确有很多困难，一是难以选择有资格的鉴定人；二是一些情况下，鉴定机构不接受个人的委托；三是有些情况下，鉴定费用很高，消费者个人难以承受。在这些情况下，消费者协会接到投诉后，经当事人申请或者根据情况自行决定，可以委托具备资格的鉴定人鉴定，要求其及时出具鉴定意见，作为定纷止争的依据。而鉴定人接受委托的，应当及时进行鉴定，并将鉴定意见告知消费者协会。

7. 就损害消费者合法权益的行为，支持受损害的消费者提起诉讼或者依照本法提起诉讼。如果经营者的行为损害了消费者合法权益，通过民事诉讼要求经营者承担民事责任是一种有效的途径。根据民事诉讼法和本法的有关规定，受到损害的消费者可以自己的名义提起民事诉讼，消费者协会可以支持起诉，包括帮助消费者提供证据，推荐有关人员担任消费者的诉讼代理人或者接受消费者的委托代理诉讼。如果经营者行为侵害了众多消费者的合法权益，中国消费者协会或者在省、自治区、直辖市设立的消费者协会，可以自己的名义向法院提起诉讼，维护广大消费者的权益。

8. 对损害消费者合法权益的行为，通过大众传播媒介予以揭露、批评。作为对商品、服务进行社会监督的保护消费者合法权益的社会组织，消费者协会对损害消费者合法权益的行为，可以通过广播电视、报纸杂志、互联网等大众媒介予以揭露、批评。自 1991 年以来，中国消费者协会与中央电视台合作，每年举办“3 · 15”晚会，揭露了大量的损害消费者权益的典型案例，不仅对不法经营者进行揭露，还使他们得到了法律制裁，并提高了广大消费者的维权意识和能力。但消费者协会不能仅通过一年一度的“3 · 15”晚会进行揭露、批评，对通过投诉、调查等途径发现的损害消费者权益的行为，应当通过各种方式进行及时揭露、批评。

二、对消费者协会履行公益性职责给予必要的经费等支持

这次修改消费者权益保护法，明确规定了消费者协会履行公益性职责，因此，各级人民政府应当对消费者协会履行职责给予必要的经费等支持。据有关部门介绍，目前各级消费者协会都挂靠在当地的工商部门，中国消费者协会的经费是财政部通过国家工商行政管理总局予以拨付；而地方工商部门是各省、自治区、直辖市垂直管理的，地方消费者协会的经费多由省级财政拨付。需要注意的是，本款规定的“必要的经费等支持”，表明各级人民政府对消费者协会的支持，不仅限于经费保障，还应当在其他履职必要条件方面予以必要的支持。

三、对消费者协会履行职责的监督

消费者协会既然履行法定的职责，各级人民政府又对其履行职责给予必要的经费等保障，消费者协会就应当认真履行保护消费者合法权益的职责，在工作中通过各种方式，听取消费者的意见和建议，切实加强工作。在本法的修改过程中，有的意见提出，一些地方的消费者协会形同虚设，除了“3 · 15”活动外，平日消费者前来投诉或者反映意见，只见门牌不见人。因此，有必要在法律中强调消费者协会认真履职的责任，同时，应当在履行法定职责、使用经费等方面，做到公开透明，接受社会监督。

四、其他消费者组织依照法律和章程保护消费者权益

除消费者协会外,其他消费者组织,如中国保护消费者基金会等以及今后依法成立的消费者组织都要依照法律、法规和章程的规定,开展保护消费者合法权益的活动。

第三十八条　消费者组织不得从事商品经营和营利性服务,不得以收取费用或者其他牟取利益的方式向消费者推荐商品和服务。

【释义】　本条是关于消费者组织不得以牟利方式推荐商品和服务的规定。

本次修改消费者权益保护法对本条作了修改细化,将原来的"不得以牟利为目的向社会推荐商品和服务"修改为"不得以收取费用或者其他牟取利益的方式向消费者推荐商品和服务"。

本法第三十六条规定,消费者协会和其他消费者组织是依法成立的对商品和服务进行社会监督的保护消费者合法权益的社会组织。第三十七条规定,消费者协会应当履行公益性职责,包括:向消费者提供消费信息和咨询服务;参与有关行政部门对商品和服务的监督、检查;就有关消费者合法权益的问题,向有关部门反映、查询,提出建议;受理消费者的投诉,并对投诉事项进行调查、调解;投诉事项涉及商品和服务质量问题的,可以委托具备资格的鉴定人鉴定,鉴定人应当告知鉴定意见;就损害消费者合法权益的行为,支持受损害的消费者提起诉讼或者依照本法提起诉讼;对损害消费者合法权益的行为,通过大众传播媒介予以揭露、批评。为了保证消费者协会履行公益性职责的需要,法律规定,各级人民政府对消费者协会履行职责应当予以必要的经费等支持。既然消费者组织是对商品服务进行社会监督

的保护消费者合法权益的社会组织，特别是消费者协会履行的职责是公益性的，又获得各级人民政府的履行职能所需经费等支持，因此，消费者组织就不能从事商品经营和营利性服务，否则就难以起到保护消费者合法权益的社会监督作用。

在这次修改消费者权益保护法的过程中，有的提出，现代社会商品经济非常发达，品种繁多，科技含量高，结构、性能、用途也都与过去的日用消费品不同，消费者由于缺乏相关的专业知识和了解信息的途径，往往对商品不知所措，而且有一些报纸、杂志、广播、电视，尤其是网络等媒体作不实报道，使老百姓真假难辨。此时就需要消费者组织利用自己的专业优势和资源优势收集市场信息和商品信息，并将获取的信息及时、广泛地公之于众，将经营者的不法经营行为和质量低劣的商品予以公布。比如，商品和服务的性能、质量、用途和价格，经营者的信誉与业绩等，这些信息的提供能够帮助消费者理性消费，避免事后的权益损害与赔偿，从而避免了消费纠纷的出现。但是消费者组织这些职责的履行，如向社会大众公布商品的质量等数据时是否有推荐商品和做广告之嫌？为此，有的建议规定“消费者组织不得以任何形式向消费者推荐特定商品和服务”。但也有的意见提出，如果这样规定就束缚住了消费者组织的手脚，不仅“商品比较试验”的职责不能履行，而且也不利于消费者获得真实信息，对消费者来说并不是好事。有的意见还提出，如果对消费者组织作出这一限制规定容易在社会上产生误读、误解，比如发布商品或者服务的比较试验结果，是消费者组织提供消费信息、引导消费的一项重要公益服务，法律对此宜作出适当区分。经研究，将本条修改为“消费者组织不得以收取费用或者其他牟取利益的方式向消费者推荐商品和服务”。

需要注意的是，理解适用本条，要厘清消费者协会向消费者提供消费信息和咨询服务这一公益性职责之间的关系。本法第八条规定了消费者的权利之一是消费者享有知悉其购买、使用的商品或者接受的服务的真实情况的权利。这是法律赋予掌握商品信息不够而相对处于弱势的消费者必要的权利。因此,消费者组织有职责向消费者提供消费信息和咨询服务。这里就涉及商品的“比较试验”问题。开展商品比较试验是国际惯例。世界各国消费者组织普遍开展商品比较试验,如德国的商品检验基金会,专门开展商品比较试验工作,并通过自己的刊物《检测》发布试验结果,向消费者提供选择信息,具有一定的权威性;美国消费者联盟创办的《消费者报道》,英国消费者组织创办的《选择》月刊,都以刊发消费者组织的商品比较试验内容为主,对消费者的消费进行指导。1997 年 9 月 1 日原国家技术监督局发布实施了《消费品和有关的服务比较试验总则》和《制定消费品性能测试标准方法的总则》两个国家标准,对消费者协会所开展的商品比较试验以国家标准的形式作了规定和规范。根据《消费品和有关的服务比较试验总则》的解释,“消费品和服务的比较试验是指对同一类型的不同产品或服务通过标准的实验方法进行检测,并将检测结果进行比较,然后将比较结果提供给消费者”。同时指出:“本标准的目的是指出有意义的试验结果和信息的表述方法,以帮助消费者和其他人做出有信息依据的、适合自己需要的选择。”与《消费品和有关的服务比较试验总则》相配套的《制定消费品性能测试标准方法的总则》提出,“这些信息对实验室或消费者组织等都可能有用”,还规定了消费者组织是开展商品比较试验工作的主体。“比较试验”是建立在科学基础上、运用技术手段对商品进行调查了解的一项工作。可以说,消费者组织对商品进行“比较试验”是落实保护消费者权益的重要手段和措施。“比较试验”就是要保证消费者组织在提供信息和咨询时,所提供信息的科学性、可靠性和安全性,避免传播不实信息和不完整信息而误导消费者。消费者协会组织进行比较试验,并将试验结果数据公之于众,不能认为是推荐商品。消费者组织在增进消费知识、引导消费行为、保护消费者权益、维护市场秩序方面应当继续发挥积极作用。与此同时,消费者组织是公益性社会组织,应当坚持不从事商品经营和营利性服务,不以收费和其他牟取利益的方式开展活动,这是保证消费者组织独立性、公正性和权威性的前提。

第六章 争议的解决

本章是关于消费者权益纠纷解决的规定。第三十九条规定了纠纷解决途径:和解、调解、投诉、仲裁和诉讼。第四十条至四十五条规定了责任主体,这次修改特别增加了网络交易平台和虚假广告的责任主体。第四十六条增加规定了投诉的基本程序。第四十七条增加规定了消费公益诉讼。

第三十九条 消费者和经营者发生消费者权益争议的,可以通过下列途径解决:

(一)与经营者协商和解;

(二)请求消费者协会或者依法成立的其他调解组织调解;

(三)向有关行政部门投诉;

(四)根据与经营者达成的仲裁协议提请仲裁机构仲裁;

(五)向人民法院提起诉讼。

【释义】 本条是关于消费纠纷解决途径的规定。

本次修改消费者权益保护法对本条的第二项和第三项作了修改,但在内容上没有实质性变化。

消费每天都在进行,消费纠纷也时有发生,消费者权益受到损害如何获得救济,关系到消费者权益能否得到应有的保护,关系到社会的和谐与稳定。本条规定了五种途径解决:一是当事人协商和解;二是通过消费者协会或者依法成立的其他调解组织调解;三是向有关行政部门投诉;四是根据当事人达成的仲裁协议，可以向仲裁机构提请仲裁；五是当事人不愿通过协商、调解解决或者协商、调解不成，又没有达成仲裁协议的，可以向人民法院起诉。这五种纠纷解决途径，其约束力和效力是依次增强的，关系却是并列的，消费者可以根据纠纷的具体情况，选择适合自己的救济方式来保护自己的合法权益。

一、与经营者协商和解

和解是消费者与经营者在平等自愿的基础上进行和平协商，解决消费纠纷的方式。运用和解的形式解决纠纷应该说是上上之策，有助于双方平和、快捷地解决纠纷，但和解协议的内容不得违反法律的强制性规定，经营者不得以不利的条件迫使消费者接受和解。由于和解协议是双方当事人自愿达成的协议，因此其效力不同于法院的裁判或者仲裁机构的裁决，它不具有强制执行的法律效力，只对双方当事人有约束力，如果一方或者双方就和解达成的协议反悔，一方或者双方都可以就纠纷重新通过调解、仲裁或者诉讼途径解决。实践中经常有人将和解与调解混同，二者的区别在于：一是行为主体不同。和解是当事人自己协商，解决纠纷；调解是在第三方的主持下，促使双方当事人达成调解协议。二是法律后果不同。和解协议靠当事人双方自觉履行，不能作为人民法院的执行根据；调解协议如果是在法院主持下进行的，其调解书直接具有强制执行的法律效力，如果是通过人民调解委员会调解达成的，需要经司法确认后具有执行力。

二、请求消费者协会或者依法成立的其他调解组织调解

本次修改消费者权益保护法对本项作了修改，扩大了可以作为调解消费纠纷组织的范围，将原来只能“请求消费者协会”进行调解增加了“依法成立的其他调解组织”调解。这样规定，可以让消费者更加清楚，调解并不是只能到消费者协会去调解，

其他依法成立的调解组织也是可以调解消费纠纷的。

消费纠纷发生后,如果双方协商和解,当然是上上之策,但是很多情况下,双方协商和解未果,希望有个第三方出面调停。调解就是调解组织通过说服、疏导等方法,促使当事人在平等协商基础上自愿达成调解协议,解决民间纠纷的活动。调解这种形式被实践证明是解决消费纠纷最为有效的方式之一。与协商和解相比,调解因有处于中立地位的第三方参与,双方当事人更容易达成合意;与仲裁、诉讼相比,调解程序简便快捷。

(一)消费者协会的调解

消费者协会作为调解的主体,在社会上、在消费者心目中具有很高的认可度。消费者协会在接到消费者请求调解后,不得加以拒绝。在调解过程中,消费者协会可以对有关事项展开调查、了解情况,收集证据,通过摆事实、讲道理,促使双方正确对待自己的行为结果。在查明事实、分清责任的前提下,站在第三方公正的立场上,最终把纠纷妥善解决,使双方都能接受。当任何一方或者双方不同意调解时,消费者协会应终止调解,而不得以任何理由强迫调解。

(二)依法成立的其他调解组织的调解

这是本次修改增加的内容。根据该规定,不仅消费者协会可以进行调解,依法成立的其他调解组织同样也可以进行调解。在我国调解组织形式多样,有全国性的,也有地方性的,有民间的,也有受到政府财政支持的;有专业性的,也有行业性的。例如,为了解决特定类型纠纷如旅游纠纷、保险纠纷而设立的专业性人民调解委员会;为了及时方便解决消费纠纷而在集贸市场、经济开发区等特定区域设立的区域性人民调解委员会等。由于这些调解组织大多具有与纠纷相关的专业知识,熟悉相关纠纷的特点,因此,比较容易获得纠纷当事人的认同,能够更加有效地调解相关纠纷。这些调解组织的存在，为不同诉求的消费者提供了解决纠纷的平台，使调解发挥了更大的作用。

（三）调解的原则和效力

1. 调解组织应遵循的原则

按照人民调解法的规定，调解必须自愿，其自愿原则包括两个方面：一是调解工作必须在双方当事人自愿的基础上进行；二是调解协议内容必须出自双方自愿。由于调解是在中立第三方的主持下，依据一定的社会规范（包括法律规范、道德、习惯等），通过劝解、疏导，摆事实、讲道理，促成纠纷双方相互妥协和谅解而达成解决纠纷的合意。而且调解的形式有利于消除隔阂，防止矛盾激化、维护社会稳定。因此，调解消费纠纷，调解组织应当遵循下列原则：（1）在当事人自愿、平等的基础上进行调解；（2）不违背法律、法规和国家政策；（3）尊重当事人的权利，不得因调解而阻止当事人依法通过仲裁、行政、司法等途径维护自己的权利；（4）调解组织的工作人员在调解工作中不得偏袒一方当事人，更不得侮辱当事人；不得索取、收受财物或者牟取其他不正当利益；（5）调解消费纠纷，不收取任何费用。

当事人达成调解协议应当是双方自愿的，调解协议的内容必须是反映了双方当事人的真实意愿。调解组织的调解方案和意见不能强加于当事人，否则即使达成了调解协议，也可能得不到履行，达不到定纷止争的目的。同时，调解组织在调解纠纷过程中，如果发现纠纷有可能激化的，应当采取有针对性的预防措施；对有可能引起治安案件、刑事案件的纠纷，应当及时向当地公安机关或者其他有关部门报告。调解组织在调解纠纷过程中，发现纠纷调解不成的，应当终止调解，并依据有关法律、法规的规定，告知当事人可以依法通过仲裁、行政、司法等途径维护自己的权利。调解组织应当记录调解情况，建立调解工作档案，将调解登记、调解工作记录、调解协议书等材料立卷归档。

2. 调解的效力

调解是当事人自愿选择的解决纠纷的一种方式,调解协议也是双方经过调解后自愿达成的,协议的履行也应当靠双方当事人的诚信自觉自愿履行。按照人民调解法的规定,调解协议书自各方当事人签名、盖章或者按指印,人民调解员签名并加盖人民调解委员会印章之日起生效。在实践中,经调解组织调解达成协议后百分之九十以上的当事人都能够自觉履行调解协议,达到"调结事了",只有极少数的当事人事后反悔或者不履行调解协议。

三、向有关行政部门投诉

本次修改消费者权益保护法对本项作了修改,将原来的"申诉"改为"投诉"。这一改动没有实质性的变化,只是与其他法律的表述相一致。

消费者在购买、使用商品或者接受服务过程中,由于经营者不依法履行义务或者履行义务不适当,使消费者的合法权益受到侵害的,消费者有权向有关行政部门投诉。

目前,我国没有一个专门处理消费者的投诉的行政机构,而是由不同的政府部门分别承担着受理、处理消费者投诉的职责,如工商行政管理部门、质量监督部门、食品卫生管理部门及各有关行政部门。消费者可以根据自己的情况到相应的管理部门,通过口头、书面或者其他形式陈述、反映自身权益遭受到侵害和损害的事实,请求解决纠纷,赔偿损失。行政部门受理后,依照法律法规,在各自职责范围内对消费纠纷进行调解或者依法处理。依照本法第四十六条的规定,消费者向有关行政部门投诉的,该部门应当自收到投诉之日起七个工作日内,予以处理并告知消费者。行政机关受理投诉应当做到:(1)建立和保存消费者投诉的受理记录。记录内容包括:投诉者姓名、联系方式、投诉问题、购买数量及时间、购买地点、购货票据、企业采取的处理措施及处理结果等。(2)设置专人负责处理消费者的投诉。(3)投诉处理部门根据投诉内容对投诉情况进行核查,确定投诉是否属实。(4)经核查投诉问题属实的,立即采取有效纠正措施,防止事件再次发生,并要求有关经营者向消费者承担赔礼道歉、赔偿损失等法律责任;经核查投诉问题不属实的,处理人员应向消费者进行解释和说明。

四、根据仲裁协议提请仲裁

仲裁,是指当事人根据事先或者事后达成的书面仲裁协议自愿将争议提交仲裁机构裁决以解决争议的一种法律制度。提请仲裁的前提必须是消费者和经营者在纠纷发生前或者发生后达成仲裁协议。按照仲裁法规定,当事人用仲裁方式解决争议,应当双方自愿,达成书面仲裁协议,没有仲裁协议,一方申请仲裁的,仲裁机构不予以受理。仲裁没有级别管辖和地域管辖,仲裁机构也不按行政区划设置,当事人可以按双方的意愿选择任何仲裁机构对争议进行仲裁。仲裁裁决具有强制性,当事人应当履行,否则权利人有权申请人民法院强制执行。仲裁实行一裁终局制度,裁决作出后,除被人民法院裁定撤销或者不予以执行的外,当事人就同一争议再申请仲裁或者向人民法院起诉的,仲裁委员会或者人民法院不予以受理。消费者与经营者就消费纠纷提请仲裁同样适用仲裁法的有关规定。

五、向人民法院提起诉讼

诉讼是指消费者与经营者发生纠纷后,由消费者根据民事诉讼法的有关规定,向人民法院提起民事诉讼,经人民法院审理后,依法作出裁判,以解决消费纠纷的一种方式。它是人民法院代表国家通过行使司法审判权来解决争议的一种途径。人民法院作出的判决或者裁定一经生效,就有国家强制力保证其实施,具有最高的权威性和最终的决定力。需要说明的是,和解、调解、投诉、仲裁不是提起诉讼的必经程序,只要一方认为有必要,就可以直接向法院提起诉讼。

第四十条　消费者在购买、使用商品时,其合法权益受到损害的,可以向销售者要求赔偿。销售者赔偿后,属于生产者的责任或者属于向销售者提供商品的其他销售者的责任的,销售者有权向生产者或者其他销售者追偿。

消费者或者其他受害人因商品缺陷造成人身、财产损害的,可以向销售者要求赔偿,也可以向生产者要求赔偿。属于生产者责任的,销售者赔偿后,有权向生产者追偿。属于销售者责任的,生产者赔偿后,有权向销售者追偿。

消费者在接受服务时,其合法权益受到损害的,可以向服务者要求赔偿。

【释义】 本条是关于消费者受到损害后由谁承担责任及先行赔偿人追偿权的规定。

消费者购买、使用商品,合法权益受到损害后,往往不清楚究竟是谁造成的,经常出现销售者推给生产者,生产者推给销售者,消费者维权来回遭折腾。那么到底应当向谁请求赔偿,是向销售者要求赔偿还是向生产者要求赔偿,或者是向销售者和生产者都可以提出?为解决这一问题,本条规定,消费者在购买、使用商品时,其合法权益受到损害的,可以向销售者要求赔偿。销售者赔偿后,属于生产者的责任或者属于向销售者提供商品的其他销售者的责任的,销售者有权向生产者或者其他销售者追偿。消费者或者其他受害人因商品缺陷造成人身、财产损害的,可以向销售者要求赔偿,也可以向生产者要求赔偿。属于生产者责任的,销售者赔偿后,有权向生产者追偿。属于销售者责任的,生产者赔偿后,有权向销售者追偿。消费者在接受服务时,其合法权益受到损害的,可以向服务者要求赔偿。

我国现行一些法律、法规对消费者受到损害的索赔途径,先行赔偿人的追偿权等作出了规定。例如,侵权责任法第四十三条规定,因产品存在缺陷造成损害的,消费者可以向产品的生产者请求赔偿,也可以向产品的销售者请求赔偿。产品缺陷由生产者造成的,销售者赔偿后,有权向生产者追偿。因销售者的过错使产品存在缺陷的,生产者赔偿后,有权向销售者追偿。产品质量法第四十三条规定,因产品存在缺陷造成人身、他人财产损害的,受害人可以向产品的生产者要求赔偿,也可以向产品的销售者要求赔偿。属于产品的生产者的责任,产品的销售者赔偿的,产品的销售者有权向产品的生产者追偿。属于产品的销售者的责任,产品的生产者赔偿的,产品的生产者有权向产品的销售者追偿。乳品质量安全监督管理条例第四十三条规定,乳制品销售者应当向消费者提供购货凭证,履行不合格乳制品的更换、退货等义务。乳制品销售者依照前款规定履行更换、退货等义务后,属于乳制品生产企业或者供货商的责任的,销售者可以向乳制品生产企业或者供货商追偿。《最高人民法院关于贯彻执行〈中华人民共和国民法通则〉若干问题的意见(试行)》第一百五十二条也对此问题作了规定,即消费者、用户因为使用质量不合格的产品造成本人或者第三人人身伤害、财产损失的,受害人可以向产品制造者或者销售者要求赔偿。本条的规定与其他法律规定的精神是一致的。

第四十一条　消费者在购买、使用商品或者接受服务时,其合法权益受到损害,因原企业分立、合并的,可以向变更后承受

其权利义务的企业要求赔偿。

【释义】 本条是关于企业变更后责任主体的规定。

经营者分立和合并不仅是现实中经常出现的情况,也是容易出现纠纷的问题。民法通则第四十四条针对企业法人分立和合并的情况规定,企业法人分立、合并,它的权利和义务由变更后的法人享有和承担。根据民法通则的精神,合同法第九十条规定,当事人订立合同后合并的,由合并后的法人或者其他组织行使合同权利,履行合同义务。当事人订立合同后分立的,除债务人和债权人另有约定的以外,由分立后的法人或者其他组织对合同的权利和义务享有连带责任,承担连带债务。本条规定,消费者在购买、使用商品或者接受服务时,其合法权益受到损害,因原企业分立、合并的,可以向变更后承受其权利义务的企业要求赔偿。本条的规定与民法通则、合同法的精神是一致的。

企业合并一般指两种情况:一是企业合并,是指两个以上的企业合并成为一个新的企业,由新的企业承继被合并企业的权利和义务;二是吸收合并,是指一个企业被另一个企业吸收后,将其债权债务一并转让给一个企业。企业分立是指一个企业被分为两个以上的新企业,原企业的权利和义务由新的企业承继。

当事人合并或者分立后,不仅原有的一切债权和债务依法由合并或者分立后的企业承继,而且原有的财产所有权、经营权、知识产权等也移转给合并或者分立后的企业。随着经济的发展,不少企业根据市场要求进行了重组和改建。无论企业的改变是出于何种原因,其合并或者分立后的债权及债务都应当按照法律的规定来确定,这样才能有效地防止假借合并或者分立逃避债务、逃避责任,更好地保护债权人包括消费者的合法权益。

第四十二条 使用他人营业执照的违法经营者提供商品或者服务，损害消费者合法权益的，消费者可以向其要求赔偿，也可以向营业执照的持有人要求赔偿。

【释义】 本条是关于营业执照持有人和借用人承担责任的规定。

营业执照是企业取得法人资格和合法经营权的凭证，是企业的“户口簿”，也是工商行政管理部门对市场经营主体的经营行为依法实施监管的依据与重要内容。国家对营业执照的使用与管理有一系列的法律法规来规范，企业登记管理方面的法律法规明确规定，禁止出租或者变相出租营业执照，违反规定的要受到法律的制裁。如公司登记管理条例规定，出租营业执照，构成犯罪的要依法追究刑事责任。企业法人登记管理条例及施行细则规定，出租营业执照应受到相应的制裁。出借自己的营业执照，借用他人的营业执照从事经营活动属于违法行为。本条针对营业执照持有人、借用人在经营过程中对消费者造成损害，违法的持有人、出借人如何承担责任作出了规定。

有案例如下：王某和李某订立协议，由王某开火锅店，李某出名办理营业执照。某日，甲、乙到王某的火锅店用餐，吃饭过程中，两人均发生头晕、呕吐，经医院诊断为急性一氧化碳中毒。甲经抢救无效死亡，乙住院治疗八天。事发后，被告王某外逃。乙及甲的亲属以李某为被告诉至法院。法院审理认为，原告甲、乙到被告王某经营的火锅店用餐时，因一氧化碳中毒，导致一死一伤，应获得赔偿。被告李某为营业执照持有人，对损害结果的发生应承担责任。依照民法通则、消费者权益保护法、民事诉讼法等有关规定，判决被告支付原告丧葬费、死亡赔偿金、精神抚慰金及医疗费等费用。

这是一起营业执照登记人与实际经营人不一致而承担赔偿

责任的典型案例。李某是营业执照的登记人,是消费关系中的名义经营者,王某是实际经营者,也是侵害消费者权益的真正行为人。当营业执照登记人与实际经营者不一致时,为保护消费者的合法权益,方便消费者主张权利,消费者可以向营业执照的持有人李某要求赔偿,也可以向营业执照实际使用人王某要求赔偿。

第四十三条　消费者在展销会、租赁柜台购买商品或者接受服务,其合法权益受到损害的,可以向销售者或者服务者要求赔偿。展销会结束或者柜台租赁期满后,也可以向展销会的举办者、柜台的出租者要求赔偿。展销会的举办者、柜台的出租者赔偿后,有权向销售者或者服务者追偿。

【释义】　本条是关于消费者在展销会、租赁柜台购买商品或者接受服务合法权益受损害时赔偿主体的规定。

展销会是由一个或几个经营者举办的,在特定的场所和期限内,由多个经营者集中展示各自的商品,并以现货或者预售方式对外销售商品的交易活动。一个经营者在自己的经营场所内销售自行采购的商品的展销活动,不属于展销会。展销会的内容是复杂多样的,如珠宝首饰展销会、家具展销会、名酒展销会、日常生活用品展销会等。以其他名字出现的如展览会、博览会、展销订货会等,只要含有展销的内容,均为本条规定所称的展销会。展销会的举办时间一般为短期的,有的几天,有的几周,也有的几个月,当然还有个别的变成了长年展销。展销会的举办者和参展者之间一般没有固定联系,展销会结束,参展者即各自离散,有的在外地,有的甚至在国外。时间较长的展销活动中的参展者也经常发生退出或加入的变动。这些特点就决定了在展销会上购买商品或者接受服务而受到损害的消费者往往很难找到展销会上的销售者或者服务者,并要求其赔偿,而相对容易找到展销会的举办者。近年来各种展销会上所发生的侵害消费者合法权益的行为,主要表现是所提供商品或者服务质量大大低于展示样品质量,还有的参展者在收取消费者的定金之后溜之大吉,根本不再交货等。在展销会结束后,许多受害消费者找不到销售者或者服务者,有的展销会举办者又借口不是自己的行为而拒绝承担责任,使消费者受损害的合法权益得不到赔偿。事实上展销会的举办者与参展者参加展销会,都以获利为共同目的。举办者向参展者收取参展费用,实质上是与参展者共同分享展销利润,举办者负有审查参展者信誉和保证其在展销会期间的活动符合法律规定的义务。对参展者销售商品或者提供服务损害消费者合法权益的行为,包括发生在展销会期间而延续到展销会结束之后的行为,举办者都应负有一定的责任。

租赁柜台销售商品或者提供服务,有与展销会相近似的特征。租赁柜台有一定的租赁期限,承租者使用出租者的柜台销售商品或者提供服务,租赁合同期满,承租者撤出柜台后,受其侵害的消费者便难再向其请求赔偿。而出租者向承租者收取的租金,实质上是与承租者共同分享销售利润。出租者负有保证承租者在租赁柜台期间经营活动符合法律规定的义务。对承租者在此期间内损害消费者合法权益的行为,出租者应负有一定的责任。

为切实保障消费者的合法权益,本条明确规定了因展销会、租赁柜台销售商品或者提供服务而致消费者权益损害的赔偿主体。本条规定区别了两种情况:第一种情况是,在展销会进行期间或者租赁柜台合同存续期间,消费者可以就所受损害向销售者或者服务者要求赔偿,因为在这种情况下消费者比较容易直接找到销售者或者服务者,与其交涉,请求赔偿。第二种情况是，展销会结束后或者柜台租赁期满后，消费者可以就所受损害直接向销售者或者服务者要求赔偿；消费者也可以向展销会的举办者、柜台的出租者要求赔偿。不论展销会的举办者、柜台的出租者对销售者或者服务者损害消费者权益的行为是否具有直接的责任，他们均有对消费者的损失先行赔偿的义务。

为保护展销会举办者、柜台出租者的权益，对确系由于销售者或者服务者过错而致消费者合法权益损害的，本条还规定展销会举办者、柜台出租者在向消费者先行赔偿后，有权向销售者或者服务者追偿。

第四十四条　消费者通过网络交易平台购买商品或者接受服务，其合法权益受到损害的，可以向销售者或者服务者要求赔偿。网络交易平台提供者不能提供销售者或者服务者的真实名称、地址和有效联系方式的，消费者也可以向网络交易平台提供者要求赔偿；网络交易平台提供者作出更有利于消费者的承诺的，应当履行承诺。网络交易平台提供者赔偿后，有权向销售者或者服务者追偿。

网络交易平台提供者明知或者应知销售者或者服务者利用其平台侵害消费者合法权益，未采取必要措施的，依法与该销售者或者服务者承担连带责任。

【释义】　本条是关于网络交易平台提供者责任的规定。

本条规定是本次修改消费者权益保护法新增加的内容。本条共分两款，第一款就消费者通过网络交易平台购物发生损害时的求偿对象作了规定；第二款就网络交易平台提供者在过错范围内对消费者承担侵权连带责任作了规定。对本条的理解，需要把握以下几个方面：

一、本条的立法背景

本条所指的网络交易平台仅指由第三方经营的为交易提供网络空间与技术服务的信息网络系统，平台提供者自身并不参与交易，只是根据与买卖双方分别订立的协议提供技术服务以保证网上交易的顺利进行，这类平台也被称为中介型或者开放型。根据卖方的情况再对网络交易平台进行细分，又有 B2C 网上商厦平台与 C2C 网上集市平台（也称为网上个人交易市场）两类，如阿里巴巴集团的天猫商城属于 B2C 网上商厦平台，淘宝网则属于 C2C 网上集市平台。

对于希望通过网络向消费者提供商品或者服务的中小微企业、个体工商户来说，自己注册网站，建立并维护一套网络交易系统，成本高昂，而利用他人经营的网络交易平台仅需支付服务费用（一般为交易额的 2% ~2.5%，或者定额年费），成本相对低廉，因此网络交易平台对中小经营者优势明显。截至 2012 年底，国内通过网络交易平台达成的交易占整个网络零售市场规模的 90%（美国为 24%），而通过经营者自营式网店完成的交易仅占 10%。可以看出，网络交易平台对整个市场的主导作用构成了中国电子商务发展的一大特点。尽管发展迅猛，但通过网络交易平台购物，对消费者而言潜藏诸多风险：平台提供者不是卖方经营者，利用平台与消费者进行交易的各经营者资质、信誉往往良莠不齐，发生纠纷后，不可控因素增大，甚至出现经营者注销账户而消费者难以求偿的情况。司法实践中，早在 2000 年就有上海消费者将某网络交易平台诉之法院，要求其与售假经营者承担连带责任的案例；近年来因经营者售假或者侵犯专利、商标等知识产权而对网络交易平台提起诉讼的民事案件更是层出不穷。因此，要切实保障网络购物中消费者的合法权益，提升网购消费信心，就要合理确定网络交易平台的责任。

确定网络交易平台提供者对消费者的责任，问题并不简单。就二者的法律关系而言，可以分为三类：第一类是合同责任，消费者在使用交易平台时，都必须先通过签署技术服务协议成为平台注册用户，此时平台就是提供网络服务的经营者，对消费者应当根据技术服务协议承担保障消费者账户安全、交易安全等各项合同责任；第二类是广告发布者责任，交易平台上发布的各类广告是其盈利收入的重要部分，如果因虚假广告导致消费者权益受侵害的，作为广告发布者的平台要承担相应的责任；第三类是第三方责任，消费者通过平台与商品销售者或者服务提供者签订消费合同，平台作为合同之外的第三方，应当对消费者承担相应的责任。前两类法律关系相对简单，现行消费者权益保护法也已有规定，第三类法律关系是法律修改需要增加规定的内容。在制度设计上，是将平台提供者一律视为柜台出租者或者展销会开办者，无论其是否尽到注意义务，只要平台上的经营者不再利用平台的，平台提供者就必须对消费者承担先行赔付责任；还是适用侵权责任法的过错责任原则，仅在对消费者违反注意义务的情况下承担责任，情况非常复杂。

对这一问题，国内学术界和实务界也存在一些不同看法：

一种观点认为，买卖双方在使用网络交易平台时，都必须先通过与平台签署技术服务协议而注册成为平台用户，服务协议一般承诺提供必要的技术手段和管理措施以保证网上交易的顺利进行。因此，平台仅是为交易双方提供磋商的网络环境，并非交易的参与者。而且平台对使用平台的买方（消费者）不收取任何费用；对作为卖方的经营者，平台有的不收费，有的收取低廉的技术服务费或者按交易额比例收取费用，但即使收费也仅是依照技术服务合同产生的对价，与消费者与经营者之间的交易无关。因此，基于技术中立者的地位，平台责任应当仅以侵权责任法第三十六条的规定为限,即网络交易平台提供者知道经营者利用平台侵害消费者合法权益而未采取必要措施的,平台与该经营者承担连带责任。

另一种观点认为,网络交易平台就是一个网络商场,平台提供者与卖方的关系类似于柜台租赁关系,消费者通过线下实体商场柜台购物,发生纠纷可以向销售者要求赔偿,也可以向柜台的出租者要求赔偿,消费者通过网络上的商场购物也应享有同样的权利。并且,网络交易平台提供者对卖方经营者具有一定的控制能力,技术上可以对利用平台的卖家身份进行审查,如果平台提供者在其能力范围内对交易风险不加任何控制,发生纠纷,消费者难以找到经营者求偿,而平台提供者也拒绝承担责任,则对消费者失之公平。反对意见提出,首先,从是否收取租金看,商场出租柜台收取高额租金,百货商场一般按照交易额的20% ~28%收取,而平台基本不收租金,集市平台完全不收费,商厦平台收取3万~6万元的技术服务年费,且多向经营者半额或者全额返还,如果比照柜台出租者承担连带责任,权利义务不平衡;其次,柜台出租者和展销会举办者对经营者的资质和待售商品的控制能力都较强,而平台面对的是海量的经营者与商品信息,如目前有的网络交易平台卖家约700万,上线商品约9亿件,平台难以做到实质性审查监控,技术和经济成本上都存在障碍。

还有一种观点认为,网络交易平台提供者应视为撮合交易的居间人(如房产中介),买卖双方都通过居间人发布供需信息并最终通过居间人订约。但也有意见认为,网络交易平台提供者只是提供信息平台,不参与具体的订约过程,且居间人通过向双方当事人收取中介费营利,而网络交易平台提供者向双方提供的技术服务大多是免费的,营利主要来自其他附加服务,如通过出卖平台上的广告位等,因此,交易平台提供者不应视为居间人。此外,还有观点认为应将平台视为“卖方合营者”,但反对意见认为这种观点完全忽视了网络零售和传统实体零售的区别,要求平台介入上亿个具体交易并承担连带责任,将直接威胁网络交易平台赖以生存的基础。

提交十二届全国人大常委会二次会议审议的消费者权益保护法修正案(草案),曾将网络交易平台提供者比照柜台出租者,规定商品销售者或者服务提供者不再利用平台时,消费者可以要求平台提供者承担先行赔付责任。此后,一些意见提出,网络交易平台提供者与柜台出租者存在较大差异,作为网络服务提供者,对消费者承担的责任应当以过错原则为限,仅在违反合理注意义务时才承担相应的责任,要求平台对违法经营承担准担保性质的先行赔付责任,将对电子商务市场产生重大影响。尽管先行赔付在当前的电商市场具有一定的实践基础,尤其是在网上商业零售市场 B2C,平台提供者对经营者的控制能力相对较强,在现行法律没有规定的情况下,某些交易平台已经推行了先行赔付和消费者保证金制度,但需要研究的是,部分电商目前的做法仅是为了吸引消费者以取得竞争优势的市场行为,如果将市场行为法律化,规定平台一律承担先行赔付责任,会否造成平台大幅提高保证金额度最终导致成本向消费者转嫁的情况。另据不完全统计,网购投诉涉及标的以小额居多,其中,44.1% 在 100~500 元间,25.8% 在 100 元以下,相比交易总量,网购纠纷发生比例较低,平均每 91.69 万笔网购交易产生一次纠纷,如果保证金制度普及,需要考虑是否造成守法经营者为个别违法经营埋单,且最终成本向全体消费者转嫁的结果。

鉴于上述情况,尤其是考虑到网络交易不同于实体交易,具有虚拟性的特点,在网络交易平台上销售商品的电商数量庞大,法律制度需要考虑需求多元化和利益平衡的问题,硬性规定先行赔付责任也不一定对消费者和整个电子商务市场有利,为此,本条明确网络交易平台提供者仅在两种情况下对消费者承担责任:一是不能提供销售者或者服务者的真实名称、地址和有效联系方式的,消费者可以向网络交易平台要求赔偿,网络交易平台提供者赔偿后,有权向销售者或者服务者追偿;二是网络交易平台提供者明知或者应知销售者或者服务者利用其平台侵害消费者合法权益且未采取必要措施,应当依法与该销售者或者服务者承担连带责任。

二、特定条件下的先行赔付责任

根据本条第一款的规定,消费者权益受损害的,可以向销售者或者服务者求偿。由于网络交易主体的虚拟性,消费者可能难以确定商品销售者或者服务提供者的真实身份,如果消费者欲就该纠纷提起民事诉讼,根据民事诉讼法的规定,“明确的被告”是法院受理起诉时的一项审查要件,因此,难以确定销售者或者服务者的真实身份信息将使法律赋予消费者的维权救济方式落空。而网络交易平台作为平台的开办者和管理运营者,对于利用其平台向消费者提供商品或者服务的经营者负有一定的审查、监管责任。目前在规章层面,2010 年国家工商总局《网络商品交易及有关服务行为管理暂行办法》要求其承担三项主要义务:一是对利用平台的经营者主体身份进行审查;二是与经营者就平台进入与退出制度、消费者权益保障等方面的内容进行约定;三是发生消费纠纷,向消费者提供经营者真实的登记信息并积极协助消费者维权。

鉴于上述情况,尤其是考虑到网络交易平台对利用平台的经营者的控制能力要远远超过消费者,同时,作为网络交易市场的开办者和管理者,平台应当也有能力建立健全平台内经营者的准入及退出机制,因此,本条明确规定网络交易平台提供者对平台内经营者的真实名称、地址和有效联系方式的提供义务。根据本条的规定,网络交易平台对于进驻平台的销售者和服务者,应当尽到必要的身份审查义务,该项义务应当是事先的、主动性的。一旦发生纠纷,消费者难以找到经营者求偿的,平台有义务向消费者提供经营者身份、资质的真实信息。不能提供的,消费者可以要求平台承担先行赔付责任。

就国内网络交易平台的实践情况看,在经营者市场准入方面,各网络交易平台已经建立了相应的制度。例如,有的 B2C 平台首先要求所有站内经营者均为注册企业法人,提交审查的信息包括企业法人营业执照、税务登记证、法定代表人信息等;其次,卖方还需向集团的支付宝申请独立账户以便平台对交易资金进行监管;最后,必须就平台的交易规则进行考试,通过后才能在平台上设店经营。相比之下,有的 C2C 平台的审查相对简单,对个人卖家一般仅限于实名认证,需提交证件照及身份证照信息接受审查即可,对个体工商及中小微企业,则要提交营业执照及经营资质信息报备。

另外需要说明的是,特定条件下的先行赔付是法律为维护消费者权益而确定的最低标准,法律鼓励网络交易平台提供者采取更有利于消费者的做法。实践中,有些电商平台已经推行了无限制条件的先行赔付制度,一旦发生消费纠纷消费者与经营者协商无果的,平台一律承诺向消费者先行赔付。这类承诺属于平台提供者与消费者的约定,优于法定标准的,应当首先履行约定。

三、过错原则下的连带侵权责任

本条第二款规定网络交易平台提供者明知或者应知销售者或者服务者利用其平台侵害消费者合法权益,未采取必要措施的,依法与该销售者或者服务者承担连带责任。对本款的理解,需要注意以下两点：

（一）网络交易平台提供者对消费者承担的是过错责任，仅在其明知或者应知销售者或者服务者利用其平台侵害消费者合法权益，而未采取必要措施的，才依法承担连带责任。本款与侵权责任法第三十六条关于网络服务提供者责任的基本原则是一致的。根据侵权责任法第三十六条的规定，网络用户利用网络服务实施侵权行为时，网络服务提供者在接到被侵权人发出的通知后未及时采取必要措施的，对损害的扩大部分与该网络用户承担连带责任；此外，网络服务提供者即使未接到被侵权人通知，如果网络服务提供者知道网络用户利用网络服务侵害他人民事权益，也应当与该网络用户承担连带责任。

目前，各主要国家立法中，尚未见专门就网络交易平台提供者责任作出特别法律规定的立法例。从网络交易平台的性质看，属于一种网络服务平台，其他服务平台包括搜索引擎服务平台、社交网络服务平台等。在广义概念上，它们都属于网络服务提供者 ISP（Internet Service Provider）。2000 年美国的 Hendrickson v. eBay. Inc. 一案明确，eBay 公司作为网络交易平台提供商，符合法律关于网络存储空间服务商（网络服务提供者 ISP）的界定。因此，规范有关网络服务提供者 ISP 责任的法律规定，也同样适用于网络交易平台提供者。在司法实践中，网络交易平台提供者作为第三方被诉，主要不是消费者因消费合同纠纷而提起的诉讼，而是由商标权、著作权等知识产权权利人因平台上的售假、盗版行为而对平台提起的侵权之诉。近年来，美国 eBay 公司作为全球最大的第三方网络交易平台提供者，因平台上经营者的售假、盗版等问题，在世界各地频频被知识产权权利人诉至法院：在奢侈品牌商标权人集中的法国，eBay 多被认定为“交易中介方”或者“积极的经纪人”；德国联邦最高法院也要求 eBay 采取有效措施打击平台上的违法经营(Rolex v. eBay 案,2007 年)。在欧盟层面,更有影响力的判决来自 2011 年欧洲普通法院 Loreal v. eBay 案,法院认为 eBay 通过 Google's Ad Words 购买了与欧莱雅商标对应的关键词链接排名,从而将消费者引向 eBay 网上的违法经营者。因此,eBay 已经在优化网上交易及促进销售的过程中扮演了主动角色,不能再依据欧盟电子商务指令中的“避风港”规则免责。法院进一步指出,网络交易平台提供者只有在技术上保持中立,仅限于对数据的自动处理时才有“避风港”规则的适用空间;此外,即使网络交易平台没有在促进交易的过程中扮演主动角色,但是作为“尽职的服务提供者”,知道利用平台的经营者有违法经营行为而未能采取必要措施的,也应当承担相应的责任。尽管这是一起商标权人对交易平台提起的侵权诉讼,并不涉及消费者就消费纠纷要求平台提供者承担责任的问题,但欧盟法院对交易平台的角色区分,是纯粹的技术中立者还是主动的交易促进者,对消费纠纷中网络交易平台提供者责任的确定同样具有借鉴意义。

总体来看,即使是在对网络交易平台态度严厉的欧洲国家,对平台的定位也没有突破“交易中介方”、“积极的经纪人”或者“尽职服务提供者”的界限,责任承担仍以过错原则为限。结合上述情况分析,侵权责任法第三十六条确立的原则是合理的,平台提供者作为交易之外的第三方,对消费者承担的责任应当以过错为限。

(二)网络交易平台提供者过错的判断标准,以其是否明知或者应知销售者或者服务者利用其平台侵害消费者合法权益且未采取必要措施为参照。这也是本法为网络交易平台提供者确立的对消费者注意义务的范围。不同的网络服务提供者,注意义务的内容也不同。作为交易平台提供者,接到消费者或者其他权利人投诉,或者即使未接到投诉但平台知道消费者权益受侵害而未及时采取必要措施的,与违法经营者承担连带责任。

需要注意的是,结合上述注意义务判断网络交易平台提供者是否知道消费者权益受侵害的情形,应考虑"明知或者应知"的情形。对"应知"的判断,可以综合考虑以下因素,如基于网络交易平台提供者提供服务的性质、方式及其引发侵权的可能性大小,应当具备的管理信息的能力;所售商品或者服务的类型、知名度及侵权信息的明显程度;网络交易平台提供者是否积极采取了预防侵权的合理措施;网络交易平台提供者是否设置便捷程序接收消费者投诉并及时作出合理的反应;网络交易平台提供者是否针对同一经营者的重复侵权行为采取了相应的合理措施等。此外,上述注意义务的范围以及必要措施的判断标准是不断发展的,如在平台上发布售假信息,几年前的判决结果和现在可能完全相反,因为数字指纹、过滤技术等新技术的发展为平台采取更积极的措施保护消费者的合法权益提供了技术上的可能,也对其负有的注意义务提出了更高的要求。

第四十五条　消费者因经营者利用虚假广告或者其他虚假宣传方式提供商品或者服务,其合法权益受到损害的,可以向经营者要求赔偿。广告经营者、发布者发布虚假广告的,消费者可以请求行政主管部门予以惩处。广告经营者、发布者不能提供经营者的真实名称、地址和有效联系方式的,应当承担赔偿责任。

广告经营者、发布者设计、制作、发布关系消费者生命健康商品或者服务的虚假广告,造成消费者损害的,应当与提供该商品或者服务的经营者承担连带责任。

社会团体或者其他组织、个人在关系消费者生命健康商品

或者服务的虚假广告或者其他虚假宣传中向消费者推荐商品或者服务，造成消费者损害的，应当与提供该商品或者服务的经营者承担连带责任。

【释义】 本条是关于虚假广告和其他虚假宣传方式民事责任的规定。

本次修改消费者权益保护法对本条作了修改。

本法所称广告，是指提供商品或者服务的经营者承担费用，通过一定媒介和形式直接或者间接地介绍自己所推销的商品或者所提供的服务的商业广告。其他宣传方式是指经营者运用广告以外的各种形式传播一定的观念，使社会公众知悉其提供的商品或者服务的行为，比如经营者面对面地给消费者介绍商品质量、性能、用途、生产者或产地等。广告和其他宣传方式在商业交易中扮演着重要的角色，在推动市场经济的繁荣与发展方面起到了重大作用。广告和其他宣传方式传递的信息应该客观、真实，它是消费者认知商品和服务的一个基本途径。但现实中，虚假广告和其他虚假宣传日益泛滥，严重损害了消费者的合法权益，破坏了企业公平竞争机制，侵害了市场经济的诚信基础，扰乱了社会主义市场经济秩序。基于虚假广告和其他虚假宣传可能带来的一系列恶果，广告法、反不正当竞争法、消费者权益保护法、药品管理法、食品安全法、刑法等法律从不同的角度对其进行规制。但从实践情况看，现有法律规定在一些地方仍然存在笼统抽象甚至缺失的问题，这在一定程度上导致虚假广告和其他虚假宣传泛滥的情形难以得到根本遏制，相关法律规定还需要不断修改完善。从消费者保护的角度来看，虚假广告和其他虚假宣传方式相关行为主体民事责任的追究和承担，对广大消费者来说有着更为现实、直接的意义与作用。基于此，这次修改消费者权益保护法对虚假广告和其他虚假宣传方式问题专门作了规定,着重厘清、明确、落实虚假广告和其他虚假宣传相关行为主体的民事责任,为合法权益受损的消费者提供有效的法律救济途径。

一、虚假广告和其他虚假宣传民事责任主体

根据本条规定,可能承担虚假广告和其他虚假宣传方式民事责任的主体主要有以下三类:

1. 经营者。也就是广告主,是指为推销商品或者提供服务,自行设计、制作、发布广告或者进行其他虚假宣传,以及委托他人设计、制作、发布广告的法人、其他经济组织或者个人。

2. 广告经营者和广告发布者。广告经营者是指受委托提供广告设计、制作、代理服务的法人、其他组织或者个人,包括广告设计者、广告制作者和广告代理人。广告发布者是指为广告主或者广告主委托的广告经营者发布广告的法人或者其他经济组织,包括广播电视播出机构、报纸期刊出版单位、互联网信息服务单位等大众传播媒介,以及利用自有或者自制音像制品、图书、橱窗、灯箱、场地(馆)等广告发布媒介发布广告的法人或者其他经济组织。

3. 广告和其他宣传方式代言人。广告和其他宣传方式代言人是指在商业广告和其他宣传方式中,利用自己的形象、表演、体验、陈述及知名度等自身资源,通过各种形式的传播媒介或者宣传方式,直接或者间接向公众推荐、证明商品或者服务信息的人,包括社会团体或者其他组织、个人。

二、经营者的民事责任

广告法第三条规定:“广告应当真实、合法,符合社会主义精神文明建设的要求。”第四条规定:“广告不得含有虚假的内容,不得欺骗和误导消费者。”本法第二十条规定:“经营者向消费者提供有关商品或者服务的质量、性能、用途、有效期限等信息，应当真实、全面，不得作虚假或者引人误解的宣传。”虚假广告和其他虚假宣传方式不仅侵犯了消费者享有的了解商品或服务的真实情况的权利，违背了作为经营者应当向消费者提供商品或服务的真实、全面信息的义务，而且还可能给消费者的财产、人身安全等合法权益带来实际损害。经营者作为广告主或者其他虚假宣传主体，是广告活动和其他虚假宣传方式意向的发出者，对于广告和其他宣传中所宣传商品或者服务掌握完全信息，也是最了解商品或者服务真实性能、最有能力判断一个广告和其他宣传内容是否虚假的责任主体。在通常情况下，广告或者其他宣传中所推销的商品或者提供的服务的基本信息是由经营者提供的，广告和其他宣传的内容最终也由经营者决定，经营者对广告和其他宣传活动具有绝对的操纵权和决策权。任何商业广告和其他宣传活动都少不了经营者这一特定主体，经营者已成为虚假广告和其他虚假宣传方式民事责任首要的也是应当承担责任最重的责任主体。因此，广告法第三十八条规定，违反本法规定，发布虚假广告，欺骗和误导消费者，使购买商品或者接受服务的消费者的合法权益受到损害的，由广告主依法承担民事责任。本条第一款也规定：“消费者因经营者利用虚假广告或者其他虚假宣传方式提供商品或者服务，其合法权益受到损害的，可以向经营者要求赔偿。”即消费者只要因为虚假广告或者其他虚假宣传方式受到损害，就可以要求经营者承担民事责任。

三、广告经营者、广告发布者的民事责任

一则广告为消费者所察知，首先是由广告主发起，经广告经营者设计、制作、代理，最终是广告发布者发布。广告经营者、广告发布者在提供设计、制作、发布服务时，应当履行法律、行政法规、规章所规定的广告审查义务。一是要查验相关广告证明文件，审查其真实性、合法性、有效性；二是要核实广告内容，确保其真实、合法，符合社会主义精神文明建设要求。实践当中，由于资金、技术、人力等客观情况所限，一般都只要求广告经营者、广告发布者进行形式审查，即形式审核广告主的各类证明材料如营业执照以及其他生产、经营资格证明，产品生产许可证、卫生许可证、认证证书、质量检验合格证明等各类证明，专利证、商标注册证等权利证明。对广告内容是否虚假或者欺诈，涉及的商品或者服务是否存在缺陷等问题，广告经营者、广告发布者很难进行实质性审查，也难以做出合理判断。根据广告法和相关法律法规规定，有六类广告需要经过有关行政主管部门（又称广告审查机关）审批后才能发布：保健食品、药品、医疗器械广告，由食品药品监督管理部门审批；医疗广告，由卫生行政管理部门审批；农药、兽药广告，由农业部门审批。对于这六类广告，广告审查机关负有进行实质性审查的责任，广告经营者、广告发布者按照广告审查机关的广告批准文件来提供相关服务。

关于广告经营者、广告发布者在虚假广告中的民事责任，广告法和修改前的消费者权益保护法都作了规定。广告法第三十八条规定，广告经营者、广告发布者明知或者应知广告虚假仍设计、制作、发布的，应当依法承担连带责任。广告经营者、广告发布者不能提供广告主的真实名称、地址的，应当承担全部民事责任。修改前的消费者权益保护法第三十九条规定，广告的经营者不能提供经营者的真实名称、地址的，应当承担赔偿责任。这次修改消费者权益保护法，对于广告经营者、广告发布者设计、制作、发布虚假广告，造成消费者损害的，在什么样的情况下才与广告主承担连带责任，采取哪种归责原则，争议较大，主要有以下几种意见：

一种意见认为，应当坚持广告法现行做法，采用过错责任原则,只有在广告经营者、广告发布者明知或者应知广告虚假仍设计、制作、发布时,才承担连带责任。作为广告的参与者,广告经营者、广告发布者对商品或者服务信息的真实性也负有责任,但相比于广告主而言,他们一般不掌握完全信息,对商品或者服务的了解也有限,判断广告真伪的能力较弱,甚至有时也是虚假广告的受骗者和受害者。如果广告经营者、广告发布者已经认真履行相关法律、行政法规规定的广告审查职责,仍然无法避免虚假广告的产生,就不应当承担责任。

另一种意见认为,应当采用无过错责任原则,广告经营者、广告发布者只要设计、制作、发布了虚假广告,就应当承担连带责任。广告经营者、广告发布者较之普通消费者,具有更强的交易经验及能力,有义务并且应当有能力去审核广告主的商品或者服务的真实情况,采用无过错责任,使得广告经营者、广告发布者必须严格把关,可以在很大程度上避免虚假广告的发布。而且,"明知或者应知"实际上是广告经营者、广告发布者的一种主观状态,消费者难以证明,加重了受害人的举证责任和维权成本,这也是实践中广告经营者、广告发布者能够逃避其责任的主要原因。

还有一种意见认为,应当采用过错推定责任原则,广告经营者、广告发布者设计、制作、发布虚假广告的,不能证明自己没有过错时,就应当承担连带责任。过错推定原则能够很好地平衡受害人和加害人的利益关系。消费者无须证明广告经营者、广告发布者存在过错,很大程度上解决了举证难度大、诉讼成本高的问题,有利于保护消费者的合法权益。同时又赋予了广告经营者、广告发布者举证反驳的权利。而且,过错推定责任实行举证责任倒置,能够促使广告经营者、广告发布者在从事相关广告业务时更为谨慎小心,更加认真地履行广告审查义务,有利于更好预防和遏制虚假广告。

在听取各方意见,并深入了解现实情况的基础上,经过反复研究、综合分析,我们认为,应当根据虚假广告涉及的商品或者服务的情况,区分一般的虚假广告和关系消费者生命健康商品或者服务的虚假广告,来确定广告经营者、广告发布者应当承担的民事责任。修改后的消费者权益保护法第四十五条规定,广告经营者、发布者不能提供经营者的真实名称、地址和有效联系方式的,应当承担赔偿责任。广告经营者、发布者设计、制作、发布关系消费者生命健康商品或者服务的虚假广告,造成消费者损害的,应当与提供该商品或者服务的经营者承担连带责任。根据广告法和修改后的消费者权益保护法的上述规定,广告经营者、广告发布者在虚假广告中应当承担的民事责任有:

(一)对于一般的虚假广告,采用过错责任原则,只有在广告经营者、广告发布者明知或者应知广告虚假仍设计、制作、发布时,才承担连带责任。广告经营者、广告发布者通过广告的设计、制作、发布,获得广告带来的收益。因此,他们有必要对其参与宣传的商品或者服务的质量等方面进行必要的了解和判断,采取一定措施防止虚假广告的产生,以传达给消费者准确的信息;否则,一旦消费者受到损害,其有不可推卸的责任。但对于广告经营者、广告发布者来说,他们所能掌握的广告信息只能是部分的,而且这些信息也主要是由广告主提供的。面对大量的商品或者服务信息,要求广告经营者、广告发布者在每个广告中都逐一甄别,保证内容真实,这是不现实的。因此,广告法等相关法律法规也只要求广告经营者、广告发布者履行形式上的广告审查义务,如果广告经营者、广告发布者已经严格履行法律要求,认真审核各种证明材料,并不知晓广告虚假,此时还要求其承担连带责任,是不公平的。如果要求广告经营者、广告发布者对广告内容进行实质性审查,其只能委托具有资格的鉴定人进行,这无疑将大大提高广告主、广告经营者、广告发布者的守法成本。即使对广告内容进行了实质性审查,广告经营者、广告发布者也无法对商品或者服务的生产、流通等过程进行实时监管,无法保证在整个广告发布时期内广告内容与实际经营内容的一致,仍无法完全避免虚假广告的出现;如果因此承担连带责任,会使广告经营者、广告发布者承担无法履行的义务,对广告经营者、广告发布者规范经营产生消极影响,不利于广告业的规范和发展,最终损害消费者的知情权。我国法律规定广告经营者、广告发布者对于广告的设计、制作、发布有一定的审查义务,消费者只要举证广告经营者、广告发布者违反了审查义务就可以证明其存在过错。总的说来,采用过错责任原则,已能较好地保护消费者的合法权益,平衡受害人、加害人以及社会之间的利益关系,符合社会公平正义的要求。

(二)广告经营者、发布者不能提供经营者的真实名称、地址和有效联系方式的,应当先行承担赔偿责任。消费者因为虚假广告其合法权益受到损害的,首先应当承担民事责任的主体是经营者,消费者也会向其要求赔偿。但有的情况下,消费者没有办法知道经营者的真实名称、地址和有效联系方式,因而没有办法要求其承担民事责任。在这个时候,消费者可以要求广告经营者、发布者提供经营者的真实名称、地址和有效联系方式。广告经营者、发布者有义务向其如实提供。如果广告经营者、发布者不能提供的,消费者即有权要求广告经营者、发布者承担赔偿责任。这样规定的原因主要为:一是利用虚假广告提供商品或服务的经营者为了逃避将要发生的民事责任,往往不向消费者提供自己真实的名称、地址和有效联系方式,使消费者在发生损害时无处索赔。而广告经营者、发布者由于依法负有查验有关证明,审查广告内容的责任,因此应当有义务也能够向受其所发布的虚假广告损害的消费者提供经营者真实名称、地址和有效联系方式,使消费者能够及时提出索赔。二是广告经营者、发布者虽然不是虚假广告所宣传的商品或服务的提供者,但是广告经营者、发布者发布虚假广告的违法行为,与消费者因虚假广告的误导购买或者接受了经营者的商品或服务,以致合法权益受到损害是密切相关的。基于上述原因,规定广告经营者、发布者不能提供经营者的真实名称、地址和有效联系方式的,应当承担赔偿责任是适当的,这对于保护消费者的合法权益,督促广告经营者、发布者严格履行其审查广告证明及广告内容真实性的义务,防止发布虚假广告,都具有现实的意义。

（三）对于关系消费者生命健康商品或者服务的虚假广告,采用无过错责任原则,广告经营者、广告发布者只要设计、制作、发布了虚假广告,就应当与经营者承担连带责任。食品药品等关系消费者生命健康的商品或者服务,直接涉及人民群众切身利益,一旦广告虚假,欺骗和误导了消费者,会造成很大危害。因此,对食品药品等关系消费者生命健康商品或者服务的广告宣传,在监管上应当更加严格,如果广告内容虚假,对相关行为主体,也应当规定更重的民事责任。采用无过错责任原则,加大了广告经营者、广告发布者从事虚假广告的成本,能够促使其在利害权衡下更加自律、严格把关,可以在很大程度上避免虚假广告的发布,对于遏制关系消费者生命健康商品或者服务的虚假广告非常有利。

本条第一款还赋予了消费者对发布虚假广告的广告经营者、发布者请求行政主管部门予以惩处的权利。根据广告法第三十七条的规定,广告主利用广告对商品或者服务作虚假宣传的,由广告监督管理机关责令广告主停止发布、并以等额广告费用在相应范围内公开更正消除影响，并处广告费用一倍以上五倍以下的罚款；对负有责任的广告经营者、广告发布者没收广告费用，并处广告费用一倍以上五倍以下的罚款；情节严重的，依法停止其广告业务。这是对广告经营者、发布者规定的行政责任。消费者权益保护法赋予消费者请求行政主管部门对发布虚假广告的广告经营者、发布者予以惩处的权利，目的在于：一方面使行政主管部门能够及时发现和制止虚假广告，防止虚假广告给消费者造成实际的或者更大的损害；另一方面有利于消费者行使对商品和服务，以及行政机关保护消费者权益工作进行监督的权利。因此，作为消费者，不论是否实际受到损害，都有权请求行政主管部门对发布虚假广告的广告经营者予以惩处。作为行政主管部门则应当根据消费者的请求，对广告经营者所发布的广告进行调查、认定，对属于虚假广告的，应坚决予以惩处，以保护消费者的合法权益。

四、广告和其他宣传方式代言人的民事责任

随着市场经济蓬勃发展，广告等宣传方式已经成为经营者扩大销售、消费者获取商品或者服务信息的重要途径，聘请广告和其他宣传方式代言人进行代言活动以提高经营者或者有关商品、服务知名度的现象也越来越普遍。但在经济利益的驱动下，虚假广告和其他虚假宣传也应运而生，误导消费者，严重损害了消费者的合法权益。其中，代言人的代言行为起到了推波助澜的作用。广告和其他宣传方式代言人作为广告的重要参与者，在广告等宣传活动中发挥着较大的影响，特别是作为知名公众人物，往往受到消费者的信任与崇拜，如果代言虚假广告和其他虚假宣传，对广告市场等的扰乱和对消费者的损害都是严重的。

广告代言人在商业广告活动中与广告主、广告经营者、广告发布者等广告主体之间的关系是通过合同平等、自愿地结成合作关系,其与广告主、广告经营者、广告发布者一样参与广告的制作,是独立的民事主体。广告代言人参与商业广告,可以获得其应有的收益,但同时,其代言行为的实施必须遵守相关法律的规定及民事基本原则的要求。广告代言人对广告内容的真实性负有一定的注意义务,即代言人应恪守诚实信用,对所代言的商品或者服务进行明确的了解,在代言过程中作出客观的评价,其代言不得含有虚假内容,不能欺骗误导消费者。如果广告代言人与广告主恶意串通,明知故犯,或者不履行其注意义务,造成消费者合法权益受到损害的,就应当与广告主承担连带责任。

现行法律对广告代言人的民事责任已有规定。广告法第三十八条第三款规定,社会团体或者其他组织,在虚假广告中向消费者推荐商品或者服务,使消费者的合法权益受到损害的,应当依法承担连带责任。这一规定对作为个人的广告代言人没有涉及。食品安全法第五十五条规定,社会团体或者其他组织、个人在虚假广告中向消费者推荐食品,使消费者的合法权益受到损害的,与食品生产经营者承担连带责任。这是我国目前唯一明确规定作为个人的虚假广告代言人民事责任的法律,但这一规定仅适用于食品代言领域。这次修改消费者权益保护法,全国人大常委会组成人员和一些部门、单位及社会公众都提出,应当对广告代言人的民事责任作出明确、统一的规定。但对于应当对广告代言人采用哪种归责原则,有不同意见:

一种意见认为,应当采用过错责任原则。广告代言人与广告经营者、广告发布者一样,其对商品或者服务的信息主要来源于广告主,只要其尽到了谨慎的注意义务,就应当免责。

另一种意见认为,应当采用过错推定原则。消费者要证明广告代言人具有过错是很难的。采取过错推定,实行举证责任倒置,能够减轻受害人的举证责任,促使代言人在进行代言时更加谨慎,主动负起相关的注意义务。而且也不至于像无过错责任原则一样过于严格,一味追究广告代言人的民事责任,也保护了广告代言人的合法利益。

还有一种意见认为,应当采用无过错责任原则。广告代言人特别是名人收取高额代言费,对公众的消费选择起到了很大的影响。如果出现虚假广告,代言人利用其自身的说服效应可能数倍放大了原本的损害。因此,出现代言虚假广告的情况,无论代言人有无过错都应当一律认定代言人承担民事责任,这样才能对虚假代言起到威慑作用,真正预防虚假代言广告的泛滥。

我们经研究认为,广告代言人的归责原则应当与广告经营者、广告发布者一样,即应当根据虚假广告涉及的商品或者服务的情况,区分一般的虚假广告和关系消费者生命健康商品或者服务的虚假广告。对于一般的虚假广告,可以采用过错责任原则,只有在广告代言人明知或者应知广告虚假仍代言时,才承担连带责任。对于关系消费者生命健康商品或者服务的虚假广告,采用无过错责任原则,广告代言人只要代言了虚假广告,就应当承担连带责任。理由类似于广告经营者、广告发布者应当承担的民事责任,在前面已经有所论述。在一般虚假广告案件中,广告主是虚假广告的始作俑者,广告代言人是在扩大虚假广告损害范围上起到了推波助澜的作用。广告代言人与广告经营者、广告发布者一样,获取的关于商品或者服务的信息难以做到全面,只要其尽心尽责地对所代言的商品或者服务进行了认真谨慎的了解并作出客观的评价,就不应对可能的损害后果承担民事责任。要规范广告代言人的行为,主要还是应当在广告法等相关法律中进一步完善广告代言人的审查义务、实际使用义务等。对关系到消费者生命健康商品或者服务的虚假广告进行代言,可以采用无过错责任原则进一步强化代言人的民事责任,更有利于维护消费者的生命健康等合法权益，促使其在代言广告时更加谨慎小心，积极主动、全面认真地负起审查义务，三思而行，从而在一定程度上遏制这类关系消费者生命健康商品或者服务的虚假代言广告的泛滥。因此，修改后的消费者权益保护法第四十五条第三款增加规定，社会团体或者其他组织、个人在关系消费者生命健康商品或者服务的虚假广告中向消费者推荐商品或者服务，造成消费者损害的，应当与提供该商品或者服务的经营者承担连带责任。

其他宣传方式代言人的责任与虚假广告代言人的责任一样。例如，经营者在电台、电视台通过所谓的咨询热线、服务热线等对一些关系消费者生命健康的商品或服务进行虚假宣传，往往通过事先安排好的所谓的“患者”、“消费者”打来电话，虚夸商品或者服务的效果，造成消费者上当受骗，受到损害，这些虚假的“患者”、“消费者”也应当同经营者承担连带责任。

第四十六条　消费者向有关行政部门投诉的，该部门应当自收到投诉之日起七个工作日内，予以处理并告知消费者。

【释义】　本条是关于行政部门对投诉处理的规定。

本条规定是本次修改消费者权益保护法新增加的内容。根据本法第三十九条规定，消费者和经营者发生消费者权益争议的，可以向有关行政部门投诉，由有关行政部门进行处理。从实践情况看，这是解决消费者权益争议的一个重要途径。国家工商总局提供的数据显示，2012 年，全国工商行政管理机关共受理消费者投诉 89.27 万件，比 2011 年增加 4.67 万件。其中，商品消费投诉、服务消费投诉分别占 64.18% 和 35.82%。按投诉性质划分：质量问题占 40.60%、售后服务问题占 20.33%、合同问题占 12.53%、广告问题占 1.24%。涉及合同、人格尊严和广告问题的投诉量呈明显上升趋势，比上年分别上升了51.30%、23.24%和13.26%。按商品或者服务种类划分，排在商品消费投诉前五位的是：家用电子电器类20.21万件、日用百货类12.77万件、食品类8.41万件、家用机械类5.5万件、建材类2.82万件，共占商品消费投诉总量的86.76%；排在服务消费投诉前五位的是：电信服务5.71万件、美容美发服务等生活服务4.19万件、互联网和相关服务3.54万件、修理维护服务2.87万件、餐饮服务1.97万件，共占服务消费投诉总量的57.16%。房屋、汽车、珠宝首饰等大额商品投诉量大幅增加，增幅分别为20.89%、16.04%和12.19%；非现场购物（包括互联网购物、电视购物以及邮购等）、互联网和相关服务、计算机及配套设备、通讯器材等新型消费投诉量增长明显，增幅分别为64.64%、37.59%、11.01%和9.14%。

修改前的消费者权益保护法只规定了消费者和经营者发生消费者权益争议的，消费者可以向有关行政部门投诉，对有关行政部门怎么处理投诉没有作出规定。这次修改消费者权益保护法，有的意见提出，应当明确有关行政部门处理消费者投诉的具体程序。考虑到消费者涉及的有关行政部门较多，投诉的具体情况也比较复杂，统一在消费者权益保护法中对处理投诉的具体程序作出明确规定较为困难，这次修改消费者权益保护法，可以对有关行政部门处理投诉的程序作出原则性规定，具体处理程序由相关法律、法规或者规章规定为宜。因此，修改后的消费者权益保护法增加了本条规定："消费者向有关行政部门投诉的，该部门应当自收到投诉之日起七个工作日内，予以处理并告知消费者。"

根据本条规定，消费者和经营者发生争议的，可以依照商品和服务的性质，根据争议的具体情况，向对有关争议问题有监管权的行政部门投诉,比如,对产品质量问题有争议的,可以向产品质量监督部门或者工商行政管理部门投诉;因商品价格或者服务收费而发生的争议,可向物价部门提出投诉;因虚假广告而发生的争议,可向工商行政部门提起投诉。有关行政部门收到消费者投诉后,应当在七个工作日内按照有关规定予以处理,这里所说的处理,包括多种方式,应当根据投诉的具体情况来理解。例如,若投诉的有关问题较为简单,事实清楚,有关行政部门应当按照有关规定及时调查核实,予以解决;若投诉的有关问题较为复杂,不能立即解决的,可以先受理立案;若投诉不符合有关规定的,不予受理;若投诉属于其他有关行政部门的管辖范围的,可以移交有权处理的部门处理,或者根据规定告知消费者另行投诉。但无论有关行政部门采取哪种处理方式,在处理后都应当告知消费者。

第四十七条 对侵害众多消费者合法权益的行为,中国消费者协会以及在省、自治区、直辖市设立的消费者协会,可以向人民法院提起诉讼。

【释义】 本条是关于消费公益诉讼的规定。

本条规定是本次修改消费者权益保护法新增加的内容。

一、消费公益诉讼的基本内涵

消费公益诉讼,是指众多且不特定消费者的权益受到损害时,无直接利害关系的主体为保护消费者权益提起的诉讼。与普通消费诉讼相比,消费公益诉讼的本质特征是原告在案件中无直接的个人利益,而是为了众多且不特定消费者的权益提起诉讼。根据起诉对象的不同,可将消费公益诉讼分为民事消费公益诉讼和行政消费公益诉讼。民事消费公益诉讼的起诉对象是损害消费者权益的经营者等民事主体;行政消费公益诉讼的起诉对象是未履行法定职责或者作出损害消费者权益行政行为的行政机关。从其他国家的实践情况看,消费者保护领域的公益诉讼主要是民事公益诉讼,行政公益诉讼主要适用于环境保护领域。

二、国内情况简介

2012年8月,全国人大常委会审议通过的民事诉讼法修改决定规定,对污染环境、侵害众多消费者合法权益等损害社会公共利益的行为,法律规定的机关和有关组织可以向人民法院提起诉讼。这一规定为民事消费公益诉讼提供了明确的法律依据。至于哪些组织适宜提起公益诉讼,法律委员会在修改意见的报告中指出,可以在制定相关法律时作出进一步明确规定,还可以在司法实践中逐步探索。

在司法实践中,自20世纪90年代以来,一些地方法院对公益诉讼进行了一些尝试。从受理情况看,公益诉讼案件的原告主体主要有检察机关、行政机关和社会团体。但这些公益诉讼案件涉及的公共利益主要是国有资产和环境利益。据了解,到目前为止,各地法院尚未审理过消费公益诉讼案件。实践中,法院只审理过一些公民个人提起的间接涉及消费公共利益的案件,如火车站厕所收费案、"牙防组"越权认证案等。这些案件的原告都与案件有直接利害关系,仍属于普通消费诉讼案件,不属于消费公益诉讼案件。

三、其他国家或地区情况简介

(一)大陆法系

以德国、日本和我国台湾地区为代表的大陆法系国家和地区明确规定了消费公益诉讼,其表现形式是团体诉讼,即特定的消费者团体针对经营者使用霸王条款、从事虚假宣传等损害众多消费者权益的行为,以自己名义提起的保护消费者权益的诉讼。为了规范诉讼秩序，防止滥诉，这些国家和地区基本上都对有资格提起诉讼的消费者团体作了较为严格的限制。

1. 德国。德国法律规定，符合条件的消费者组织能以自己名义提起保护消费者权益的团体诉讼。法律从章程宗旨、成立年限、会员人数、资金等方面对有权提起消费团体诉讼的消费者组织应当具备的条件作了规定。符合条件的消费者组织，一是可以依据《停止侵权行为诉讼法》提起诉讼，要求经营者停止侵权行为，但无权要求损害赔偿。该诉讼的目的是禁止经营者今后重复实施损害消费者权益的行为。法律还规定，消费者组织起诉前一般应先向经营者发出警告。若警告成功，消费者组织可以不提起诉讼，以节省诉讼成本；若警告不成功，消费者组织再提起诉讼。二是可以依据《反不正当竞争法》等法律提起诉讼，要求没收侵权经营者的非法所得。该诉讼的目的是追索非法所得，这对经营者具有较强震慑效果，使他们无法保有因违法行为所带来的利润。《反不正当竞争法》还规定了消费者组织对经营者提起没收非法所得之诉的条件：（1）证明经营者有非法所得；（2）证明众多消费者因此受到了损失；（3）证明损失和经营者获取非法所得的行为之间存在因果关系。消费者组织胜诉的，经营者应将非法所得上交联邦财政，并承担诉讼费用；消费者组织败诉的，相关诉讼费、律师费等由消费者组织承担。

2. 日本。日本消费者合同法明确规定了消费团体诉讼制度。有权提起消费团体诉讼的消费者组织必须经内阁总理大臣认可并符合以下条件：（1）属于非营利性的社团法人或者财团法人；（2）以保护非特定的众多消费者权益为主要活动目的，并在相当时间内持续开展了该活动；（3）工作机制及业务流程完备；（4）理事会的构成及决策方法合理；（5）拥有消费和法律方面的专家；（6）具备相应的财产基础和完备的会计制度；（7）独立于任何经营者;(8)未从事任何违法行为。日本现有4000多家消费者组织,但目前只有11家消费者组织获得了消费团体诉讼资格,包括日本全国消费生活咨询员协会、日本消费者机构COJ、京都消费者合同网络KCCN、广岛消费者网、兵库消费者网、崎玉消费者受害消除会、北海道消费者支援网、爱知消费者受害预防网络和关西消费者支援机构等。获取资格的消费者组织并非具有永久资格,该资格每三年更新一次,取得认可后的合格消费者组织应当在有效期届满之日前六十日到九十日内,向内阁总理大臣提出更新申请。该申请报告要证明其一直具有合格资质。为了防止这些消费者组织在履行职责中出现不合规行为,法律还规定了改进命令、撤销资格等监督措施。根据法律的规定,消费者组织提起的诉讼请求仅限于要求经营者停止侵害行为,不包括损害赔偿。

对于经营者使用霸王条款、从事虚假宣传等不法行为,无论是否已造成实际损害,合格消费者组织都可以向法院提起诉讼,要求经营者停止不法行为。但在提起诉讼前,合格消费者组织应根据消费者提供的信息,一般先进行法院外交涉,通过书面形式要求经营者停止侵害。经营者收到停止要求后,应当对存在的违法行为迅速进行处理。经营者在书面要求送达后一周内仍无任何改进的,合格消费者组织可提起诉讼要求其停止违法行为。实践中,大部分经营者都会根据合格消费者组织的要求进行改善,真正进入诉讼程序的并不多。为防止经营者今后出现类似违法行为,合格消费者组织应将提出的建议、经营者的回应和处理结果,以及诉讼判决或者和解的概要等情况予以公布。其他经营者会根据公布的信息,确保自己合法经营。为避免多个合格消费者组织重复诉讼等问题,日本法律规定,除了可以按照案件性质与其他合格消费者组织联合提起诉讼外,合格消费者组织有提起诉讼、放弃诉讼请求、和解或者放弃上诉等行为的,须向内阁总理大臣报告,还应将相关情况通报其他合格消费者组织。

3. 我国台湾地区。台湾地区在2003年对"民事诉讼法"作了修改,确立了团体诉讼制度。"民事诉讼法"第四十四条之三规定:"以公益为目的之社团法人或者财团法人,经其目的事业主管机关许可,于章程所定目的范围内,得对侵害多数人利益之行为人,提起不作为之诉。前项许可及监督办法,由'司法院'会同'行政院'定之。"该规定适用于消费者保护领域。此外,台湾地区"消费者保护法"还专门规定了消费团体诉讼。第五十三条规定:"消费者保护官或者消费者保护团体,就企业经营者重大违反消费者保护法有关保护消费者规定之行为,得向法院诉请停止或者禁止之。"为避免滥诉,第四十九条还规定,提起第五十三条诉讼的消费者保护团体,应符合下列条件:设立三年以上;经消费者保护委员会评定优良;置有消费者保护专门人员;社员人数五百人以上之社团法人或者登记财产总额新台币一千万元以上之财团法人;经消费者保护官同意。

上述国家和地区规定的消费团体诉讼是民事公益诉讼,不是行政公益诉讼。这些国家和地区的行政诉讼法等法律规定,在法律特别规定的情形下,没有利害关系的公民或者团体才能就行政机关的违法行为提起行政公益诉讼。因此,只有相关单行法作特别规定,原告才能提起行政消费公益诉讼。目前,这些国家和地区只在环境单行法中规定了行政环境公益诉讼,还没有行政消费公益诉讼的特别规定。

为了充分保护消费者权益,上述国家和地区除了发挥消费团体诉讼的作用外,还积极发挥其他制度的作用。在德国,对于大规模侵犯消费者权益的案件,可以通过行政救济的方式保护消费者权益。例如,经营者损害消费者权益的行为涉嫌垄断的,由联邦反垄断局负责处理反垄断问题;不涉嫌垄断但违反食品安全法等法律的,州执法机构可以进行行政处罚;对众多消费者的赔偿,政府可以通过设立赔偿基金的方式进行救济,基金的资金主要来源于经营者。消费者自己也可以通过单独提起民事诉讼的方式进行救济。同时,为了公正高效、低成本地解决大规模消费侵权纠纷,德国还为消费者提供了示范诉讼的方式,即经案件的所有消费者同意,推选一个消费者提出个别诉讼,其判决结果将平等地适用于其他所有消费者的案件。在日本和我国台湾地区,除行政救济外,还允许消费者通过选定代表人诉讼的方式维护权益,即众多消费者选定其中一位消费者作为代表人提起诉讼。我国台湾地区在 2003 年"民事诉讼法"修改中,还将被选定人的范围由消费者个人扩大到了公益社团。与消费团体诉讼的诉权来自于法律的赋予不同,作为被选定人的公益社团的诉讼权利来自于消费者授权。

(二)英美法系

以美国为代表的英美法系国家的公益诉讼主要适用于环境保护领域,没有类似于大陆法系的消费团体公益诉讼制度。但检察官对涉及公共利益的案件有权代表政府提起诉讼,特别是对垄断、侵害众多消费者权益的不正当竞争行为等案件进行诉讼。此外,在大规模侵犯消费者权益的案件中,美国的司法实践还采用集团诉讼方式保护众多消费者权益。

根据美国联邦民事诉讼规则的规定,消费集团诉讼允许将众多消费者的诉讼请求合并到一个诉讼中,共同对抗被告,以利于公正、高效地解决纠纷。其主要特点是:(1)集团诉讼中当事人的代表行为,无须其他成员的特别授权。(2)对集团诉讼成员采用声明退出制,即在指定期限内,没有明确表示退出的,受到损害的消费者即视为加入诉讼。没有声明退出的消费者事后不得以同一理由再次起诉被告。(3)规模庞大,往往全国或者一个州内涉及的所有同类消费者损害案件在法院一次性集中解决。所有集团诉讼成员均受集团诉讼裁决的约束。(4)主要解决个体消费者因损失数额较小而不愿、不能起诉,导致经营者的损害行为得不到有效制止和惩罚的问题。由于集团诉讼制度的设计与运作环境的特殊性,是否适用集团诉讼、当事人代表的选择、撤诉与和解等事项,都要经过法院严格的审查和批准。集团诉讼一般规模较大,再加上惩罚性赔偿制度,对被告威慑大,具有较强的公益效果,但集团诉讼中的当事人代表本身就是受到损害的消费者,与案件有直接利害关系,所以仍属于普通消费诉讼。

四、我们的研究意见

在修改过程中,对于如何确定消费公益诉讼的起诉主体范围有不同意见。有的建议将消费公益诉讼的起诉主体扩大到所有的消费者组织;有的建议规定县级以上消费者协会都有提起诉讼的权利;有的建议仅赋予中国消费者协会以及在省、自治区、直辖市设立的消费者协会提起公益诉讼的权利。

我们研究认为,当前在我国建立消费公益诉讼制度具有重要的理论意义和现实意义,是必要的。但对该制度的设计既要调动社会力量参与消费者权益保护工作,也应当根据我国国情,使该制度在我国初步建立阶段适度开展,有序进行。目前来看,将提起消费公益诉讼的有关组织限于一定范围是比较稳妥的。

一是有利于防止滥诉。消费公益诉讼的主要特征是将起诉主体从传统的直接利害关系人扩大到无直接利害关系人。若不对提起消费公益诉讼加以适当限制,很容易导致诉权滥用,浪费司法资源,也有可能带来一些消极社会影响。正是基于这些考虑，目前其他国家和地区的立法大都对有权提起消费公益诉讼的组织设定了较为严格的条件，有的还从程序上要求经过相关机构的认可或者同意。

二是符合我国消费者组织的实际状况。从国外实践看，消费公益诉讼是一项比较复杂的诉讼制度，对起诉主体的专业能力、工作实绩和财力状况等都有较高要求。目前，我国的消费者组织主要是各级政府成立的消费者协会，尚无民间成立的消费者组织。据了解，全国共有县级以上消费者协会3280个，除中国消费者协会外，有省级31个，副省级和地市级405个，县级2843个。从调研情况看，除中国消费者协会和省、自治区、直辖市的消费者协会在人员和专业能力等方面具备一定条件外，其他消费者协会，特别是县一级消费者协会，在工作开展方面，不少都面临人员不足、经费紧缺等困难，客观上一时难以担负起消费公益诉讼的职责。

三是有利于增强消费公益诉讼的可操作性。在我国各级消费者协会中，具有较强诉讼综合能力的还是少数。如何保证诉讼质量，是一个消费公益诉讼能否扎实开展、顺利进行的重要问题。此外，若所有的消费者协会都有权提出公益诉讼，可能会带来诸如多个消费者协会同时起诉如何进行协调等问题。因此，将消费公益诉讼的主体限于一定范围，才可以保障这类诉讼的有序、有质量地进行，保障其可操作性。

四是与我国现行的司法制度和行政管理制度相协调。我国现行制度为保护消费者权益提供了多元化的救济手段。首先是司法救济。根据民事诉讼法的规定，消费者受到侵害的，可以直接向人民法院提起诉讼，保护自己的合法权益，包括通过单独诉讼，或者与其他消费者一起通过代表人诉讼方式维护权益。其次是行政救济。实践中，损害消费者公共利益的行为多为大规模侵权，涉及面广，受害者众，还可能牵扯社会稳定。我国当前比较普遍的做法是由行政机关主导这类纠纷的处理，对侵权人处以行政罚款、吊销营业执照等行政处罚；提出赔偿方案，或者设立赔偿基金，让受害人及时获得赔偿。从实践情况看，行政主导这类纠纷的解决，具有简便、快捷、成本低等优势，也有利于维护社会稳定，实践效果也是好的。消费公益诉讼主要是在受到侵害的消费者人数众多且不确定的情况下，保护消费者合法权益、维护社会公共利益的制度，是为了弥补司法救济和行政救济制度的不足而设立的，是加强消费者权益保护的一种补充手段，不是一种常态救济方式，更不宜取代其他救济方式。因此，不宜将消费公益诉讼的起诉资格放得过宽。

基于以上考虑，本法规定，对侵害众多消费者合法权益的行为，中国消费者协会以及在省、自治区、直辖市设立的消费者协会，可以向人民法院提起诉讼。

对消费公益诉讼的其他问题，如诉讼的具体程序、判决的效力、诉讼费用的承担、判决的执行等，目前还存在一定争议。例如，多个消费者协会共同提起同一公益诉讼时，是否允许一部分原告撤诉；是否允许被告反诉？对于消费公益诉讼费用的承担问题，有的意见认为，司法都有成本，承担合理的诉讼费用可以减少公共费用的开支，任何民事诉讼的原告都应为自己比普通人多耗费司法资源支付费用，消费公益诉讼的原告也不例外。也有的意见认为，消费公益诉讼是为了保护公共利益，若原告必须承担诉讼费用，不但对原告不公平，还可能影响各主体提起诉讼的积极性，制约该制度的发展。建议借鉴其他国家或地区的做法，由法院无偿受理公益诉讼案件，被告败诉的，由被告承担所有诉讼费用；原告胜诉的，可给予适当奖励，奖励费用可从被告的赔偿款中支付。这些问题涉及公益诉讼的具体操作，考虑到对这些问题还有不同意见,且消费公益诉讼在我国尚处于起步阶段,这次修改着重明确了消费公益诉讼的诉讼主体,没有对这些问题作具体规定,可以在实践中逐步总结经验。

第七章　法律责任

本章规定了侵犯消费者合法权益的法律责任，通过明确违法行为的不利后果，提供了解决消费者权益争议的直接依据，从而保障消费者的合法权益，督促经营者依法经营，进一步体现国家对消费者合法权益的重视和保护。

消费者权益保护法在此次修改之前，“法律责任”一章共有十四条，主要规定了经营者侵犯消费者合法权益的民事责任和行政处罚，对于其中一些情形构成犯罪的，还规定了追究刑事责任。从消费者权益保护法实施近二十年来的情况看，有关法律责任的规定在实施中的效果总体是好的；不仅在众多的具体纠纷中为消费者维护合法权益提供了有力的法律武器，还通过在热点案件中发挥准绳作用，教育、影响、推动全社会形成关注消费者权益保护的良好氛围。

此次修改消费者权益保护法，本章虽然条文总数仍然为十四条，但在原法律规定基础上作了进一步完善，主要有以下四个方面：

第一，进一步发扬民事责任、行政责任、刑事责任一并规定、一目了然的完整性优势，同时按照先民事责任、再行政处罚、最后追究刑事责任的顺序调整规定内容。坚持民事责任细化前置的现行做法，同时将以前相对分散的刑事责任集中规定在后面，并增加规定承担民事赔偿先于承担行政罚款和刑事罚金，从而既突出重点，又轻重有序。

第二，进一步细化应当承担民事责任和行政处罚的各种违法情形。增加有关内容，对应之前在消费者权利和经营者义务等部分的新增规定。

第三，进一步充实对消费者的民事赔偿。通过完善已有规定，新增关于精神损害赔偿、惩罚性赔偿的规定，形成了包括对造成人身伤害的损害赔偿、对侵害人格权益的损害赔偿、精神损害赔偿、对造成财产损失的损害赔偿、对欺诈消费者的加重赔偿、惩罚性赔偿等多方面内容，既有一般基础性赔偿、又有特殊加重性赔偿的损害赔偿制度。

第四，进一步强化对经营者侵害消费者合法权益的行政处罚力度。

第四十八条　经营者提供商品或者服务有下列情形之一的，除本法另有规定外，应当依照其他有关法律、法规的规定，承担民事责任：

（一）商品或者服务存在缺陷的；

（二）不具备商品应当具备的使用性能而出售时未作说明的；

（三）不符合在商品或者其包装上注明采用的商品标准的；

（四）不符合商品说明、实物样品等方式表明的质量状况的；

（五）生产国家明令淘汰的商品或者销售失效、变质的商品的；

（六）销售的商品数量不足的；

（七）服务的内容和费用违反约定的；

（八）对消费者提出的修理、重作、更换、退货、补足商品数量、退还货款和服务费用或者赔偿损失的要求，故意拖延或者无

理拒绝的；

（九）法律、法规规定的其他损害消费者权益的情形。

经营者对消费者未尽到安全保障义务，造成消费者损害的，应当承担侵权责任。

【释义】 本条是关于经营者承担民事责任具体情形的规定。

本次修改消费者权益保护法对本条作了修改。

“法律责任”首先明确列出经营者承担民事责任的各种具体情形，其意义主要有以下三个方面：

第一，更好地发挥法律责任规范的警示、教育功能。虽然法律责任规范可以总括地说，经营者有违法行为，损害消费者权益的，应当承担民事责任；但是明确列举应当承担民事责任的违法行为，使经营者可以清楚地知道所要承担的具体责任类型，可以防患于未然，更好地实现法律规范的价值。

第二，更好地与本法其他部分的规定相呼应，直接体现有关规定的法律强制力。“徒法不足以自行。”本法其他部分对消费者权利、经营者义务等方面有具体的规定。违反规定就要承担相应的责任，此处将责任明确列举更有利于这些具体规定的实施。

第三，更好地与其他法律中的有关规定相衔接，形成合力。保护消费者权益体现在市场经济法制体系的多个层面。在消费者权益保护法出台之前，产品质量法已经对经营者的产品责任作了细化规定。其后价格法、食品安全法、旅游法等多部法律中都已经有了追究经营者民事责任、保护消费者合法权益的规定，相关的法规规定还有很多。通过对具体责任情形的列举，实现法律、法规的分散规定与消费者权益保护法集中规定的衔接，更能够体现保护消费者权益法律规范体系在制裁违法行为、保护合法权益方面的整体力量。

此次修改对本条内容的修改完善主要有三处：

一是原来规定的“依照《中华人民共和国产品质量法》和其他有关法律、法规的规定”修改为“依照其他有关法律、法规的规定”。1993年消费者权益保护法颁布以来，有关保护消费者权益的法律规定已更为丰富。法律体系的完善使在消费者权益保护法中明确点出产品质量法的作用已经变得不明显了。这一简化不仅使法律规定的文字更加精炼，也体现了保护消费者权益法律制度的整体进步。

二是丰富第一项的内容，从“商品存在缺陷”增加为“商品或者服务存在缺陷”。一方面，服务缺陷引发的民事责任已经出现，消费者权益保护法的法律责任部分对此应当有所反映。随着市场经济的发展和完善，装饰装修、金融理财、游戏娱乐等营利性服务日益发展，服务的内容、结果等方面存在危及消费者人身、财产安全的不合理风险的情况也增加了。对于由此给消费者合法权益造成的损害，合同法、侵权责任法等法律的相关规定中已经包含有经营者承担民事责任的内容。另一方面，经过此次修改，本法之前在第十九条、第三十三条已经规定了“服务存在缺陷”的内容，本条也有必要作相应调整，以保持本法内部的统一协调。

三是增加一款作为第二款，规定“经营者对消费者未尽到安全保障义务，造成消费者损害的，应当承担侵权责任”。违反安全保障义务的过错责任在侵权责任法中已有规定，本法修改后的第十八条第二款中也新增了经营者对消费者尽到安全保障义务的规定，法律责任部分应当进一步明确其侵权责任。

本条第一款列举了九种经营者应当承担民事责任的情形，第二款规定了经营者未尽到安全保障义务的侵权责任，总共十种违法情形。对于这十种违法情形，有的本法有专门规定，应当依照本法确定经营者的民事责任；还有一些本法未作专门规定，而其他法律、法规中有规定，就要依照其他法律、法规的规定。

一、商品或者服务存在缺陷

缺陷，是指产品存在危及人身、他人财产安全的不合理的危险。在有保障人体健康和人身、财产安全的国家标准、行业标准时，缺陷可以体现为不符合该标准。本法修改后的第七条第二款规定，消费者有权要求经营者提供的商品和服务，符合保障人身、财产安全的要求。根据第十八条的规定，经营者应当保证其提供的商品或者服务符合保障人身、财产安全的要求。只要商品或者服务存在缺陷，经营者就要承担民事责任。也就是说，无论经营者是否有过错，只要是其提供的商品或者服务存在缺陷，就要承担消除危险、赔偿损失等民事责任。

多年来，商品存在缺陷、损害消费者权益的情况时有出现。例如，消费者某甲购买了某啤酒有限公司生产的四瓶啤酒，回家后其中一瓶啤酒突然发生爆炸，导致原告某甲右眼眼球破裂。事故发生后，原告某甲先后多家医院住院治疗。后经法医鉴定，原告的伤情构成七级伤残。后来查明，涉案啤酒瓶使用年限已达五年之久，已远超出回收使用年限。此案后来经法院审理，经营者某啤酒有限公司承担无过错责任，赔偿消费者某甲医疗费、伤残赔偿金等各项损失共计二十余万元。经营者虽然承担了赔偿责任，但消费者因此受到的身体伤害却是赔偿所不能使之复原的；同样，此事给该啤酒公司带来的恶劣影响也是持续多年始终难以消除的。商品质量第一，消费者安全至上，需要所有商品经营者始终保持警醒，一旦商品存在缺陷，不但消费者会因此受害，经营者也必然付出经济代价及声誉损失。

近年来，随着营利性服务活动的日渐丰富，服务存在缺陷、损害消费者权益的情况时有发生。例如,消费者某甲在经营者某乙的整形医疗美容诊所进行美容护理时,听信经营者某乙的"绝对安全,从无副作用"的宣传推荐,进行了六项美容整形服务。但手术后不久,消费者某甲的面部就突然发生凹陷。后来查明,在该诊所推荐的六项美容整形服务中,有四项是已被业内证明将带来面骨塌陷、肌肉萎缩等不合理的危险,不再采用的;有两项虽然本身还可以采用,但必须在术后遵循严格的注意事项,才能避免出现面部变形的严重副作用,但经营者某乙完全未作提示和护理。经营者某乙故意隐瞒事实,提供缺陷服务,最后向消费者某甲承担了损害赔偿。

二、不具备商品应当具备的使用性能而事先未作说明

本项规定对应的是此次修改后的第二十三条第一款的规定:经营者应当保证在正常使用商品或者接受服务的情况下其提供的商品或者服务应当具有的质量、性能、用途和有效期限;但消费者在购买该商品或者接受该服务前已经知道其存在瑕疵,且存在该瑕疵不违反法律强制性规定的除外。

这里所讲的"不具备商品应当具备的使用性能",是指不具备产品的特定的用途和使用价值;"出售时未作说明"是说经营者没有在销售该商品时向消费者事先明确说明该商品不具备的特定用途和使用价值。经营者未作说明,仅在价格上让步,不能免除民事责任。例如,消费者某甲在某商场购得一台打折的"多功能食品加工机",回家试用后发现该产品只有储物部件可以勉强使用,其切削等加工功能已彻底失灵,遂向商场提出退货,商场的答复是:"打这么高的折扣本来就只想卖个碗的价钱,没法加工食品,商场概不负责。"此后经过有关部门和消费者组织的批评教育,商场才认识到,自己的行为不但违反了消费者权益保护法和产品质量法的规定,违背了经营者如实告知信

息的义务、侵犯了消费者的知情权，还有构成欺诈的嫌疑，可能要加倍赔偿。商场这才承认了错误，进行退货并赔偿损失。如果作为经营者的商场能够事先尽到说明义务，不仅可以从根本上避免消费者的损失和周折，也可以使自己不至于陷入后来的被动地位。

三、不符合在商品或者其包装上注明采用的商品标准

这里所讲的“不符合在商品或者其包装上注明采用的商品标准”，主要是指不符合在商品或者其包装上注明采用的国家标准、行业标准和企业标准等。按照标准化法的规定，强制性商品标准无论是否注明，都不能违反；而其他一些属于自愿采用的标准，是否采用由使用者自己确定。但是，在商品或者其包装上一旦注明了所采用的标准，就意味着向社会作出了承诺，表明该商品的相关质量指标与商品或其包装上注明采用的商品标准是一致的。如果销售者出售商品的质量状况与商品或其包装上注明采用的商品标准不符，销售者就违反了其应当承担的对商品质量的保证义务，应当依法承担相应的民事责任。

某人民法院曾经审理过这样一起案件：原告消费者某甲于被告经营者某乙的超市中购买了 6 床某品牌羊毛被。在被子的外包装图片上注明该商品面料为纯棉、涤棉，填充物为 30% 羊毛、50% 九孔纤维、20% 中空棉，被子的水洗标上注明该商品成分含量为“面料棉 100%，填充九孔纤维 50%，羊毛 30%，涤纶短纤 20%”，符合国家 FZ/T2005 －2003 检测标准。消费者某甲认为，该羊毛被的羊毛含量不可能按国家检测标准达到这么高的水平。后经依法鉴定，该羊毛被中填充物的羊毛含量不符合国家规定的要求。面料也达不到国家规定的要求。法院在查明事实的基础上认定，原告消费者某甲在被告经营者某乙的超市中购买的羊毛被属于不合格产品，最终的判决结果是，经营者某

乙不但要按消费者某甲的要求退货，还要承担消费者某甲的交通费以及被子的鉴定费。

四、不符合以商品说明、实物样品等方式表明的质量状况

经营者以商品广告、商品说明书等形式对商品的质量状况作出说明的，应当保证其提供商品的实际质量与该商品说明中表明的商品质量状况相符；销售者以展示其实物样品的方式销售其商品的（如以家具展销会的方式出售家具），其售出商品的质量状况应当与其展示的实物样品相符。经营者出售的商品的质量与商品说明、实物样品不符的，也属于违反经营者对出售商品质量保证的义务，应当承担本条规定的民事责任。

近年来，由于商品房预售制度自身的特点，消费者购买商品房时有时会遇到本项情形。例如，消费者某甲通过预售方式购买了某市中心区一套商品房；但在交房验房时，却发现实际房屋明显不符合开发商在签合同时用来说明房屋状况的平面图纸标注：房屋客厅位置多出了一根柱子，这不仅看着难受，也影响房屋使用。消费者某甲向开发商要求适当赔偿，但开发商却以房屋质量没有问题，多出的支柱还增加了安全系数为借口，拒绝赔偿。后来经过当地消费者协会的调解，开发商认识到自己的行为已经违背之前对房屋状况的承诺，最终还是给了消费者适当补偿。

五、生产国家明令淘汰的商品或者销售失效、变质的商品

国家明令淘汰的商品，是指国家行政机关按照一定的程序，采用行政的措施，对涉及耗能高、技术落后、污染环境、危及人体健康等方面的因素，确定不得继续生产、销售、使用的商品。“失效”，是指商品失去了本来应当具有的效力、作用。“变质”，是指商品内在质量发生了本质性的物理、化学变化，失去了商品应当具有的使用价值。

随着社会主义市场经济的发展，市场推动的商品更新换代越来越快，很少需要行政部门机关直接宣布淘汰，但是对于一些必须符合专门质量标准的商品，则有可能因国家废止落后、过时的标准而遭到淘汰。经营者如果继续提供已被国家淘汰的商品，就要承担民事责任。例如，消费者某甲使用经营者某乙新近出厂的某品牌压力锅煮饭时，压力锅发生爆炸，致使原告头部严重受伤，导致伤残。后经查明，该压力锅所采用的安全及性能要求国家标准在出厂前就已被国家技术监督局明令废止。按照新标准生产的压力锅，可以大大减少使用时发生爆炸的危险。经营者某乙由于技术力量一时跟不上，继续提供按已明令废止的国家标准生产的压力锅，不但给消费者带来惨痛伤害，更使自己本来困难的经营雪上加霜。

销售失效、变质商品，侵害消费者权益的情况，过去往往出现在食品、药品等特殊商品的经营领域。现在，食品安全法、药品管理法对于禁止经营者从事此类行为都有了更为严密的监督、处罚制度，同时也规定了民事责任。在其他商品的经营领域，因销售失效、变质商品而承担民事责任的情形也有发生。例如，消费者某甲在经营者某乙的便利店购买了一包某品牌香烟。后来发现烟丝都已经霉变。消费者某甲要求经营者某乙给予适当赔偿，但某乙认为香烟是在消费者手里过了保质期的，与自己无关，所以只同意换货，不愿退货、赔偿。某甲向当地消费者协会提出投诉。消费者协会在调查中发现，该品牌香烟在大包装箱上标有保质期，而包装箱内的整条香烟和烟盒上是没有保质期，所以便利店经营者某乙是可以发现香烟过期变质的，而消费者无法发现。经营者某乙应当为销售变质香烟负责。后来经营者某乙不但承担了退货、赔偿，还要接受将同批香烟下架销毁的行政强制措施。

六、销售的商品数量不足

经营者向消费者销售商品，是通过买卖合同进行的。商品的数量是买卖合同内容的重要部分。重合同守信用，如数履行，是市场经济对经营活动的正常要求，经营者不得提供低于约定数量的商品，否则将构成违约，要承担相应的违约责任。

在现实生活中，缺斤短两的就属于本项规定的常见情况。例如，消费者某甲在农贸市场个体经营者某乙的卖肉摊位上买了8斤牛肉。回家后才发现，分量只有6斤2两。找到经营者某乙时，某乙复秤的结果却是8斤1两，因此某乙不承认少了分量。该市场的工商管理员处理纠纷时，经过检查发现原来某乙对秤盘做了手脚。最终某乙不但要进行赔偿，还要接受处罚。

七、服务的内容和费用违反约定

经营者向消费者提供服务，大多数也是通过合同进行的，同样需要信守约定，不得随意克减服务内容、降低服务标准、多收费用。

八、对消费者提出的修理、重作、更换、退货、补足商品数量、退还货款和服务费用或者赔偿损失的要求，故意拖延或者无理拒绝

此次修改后的消费者权益保护法第十一条规定了消费者有依法获得赔偿的权利；第二十四条规定了经营者提供商品不符合质量要求时，消费者可以退货或者要求经营者更换、修理；第二十五条规定了消费者可以依法无理由退货；第五十二条规定，经营者造成消费者财产损害时，应当承担修理、重作、更换、退货、补足商品数量、退还货款和服务费用或者赔偿损失等民事责任。经营者遵守法律规定，就应当始终尊重消费者权利，积极履行自身义务，主动承担责任；故意拖延或者无理拒绝消费者的合法要求，是对法律规定的进一步违背，不但不能摆脱责任，还可

能加重损失。例如，消费者某甲购买了经营者某乙生产的油烟机，后来发现油烟机工作时经常突然停转，噪音也越来越大，所以几次联系经营者某乙检查、维修，但某乙总以维修工人排不开班等理由推三阻四。最后消费者某甲在打开油烟机准备炒菜时，油烟机面板内突然冒出火花，随即油烟机起火燃烧，不但油烟机本身损毁，还造成厨房吊柜、壁橱、吊顶、微波炉、照明灯等财物被烧毁。后经调查，起火原因是油烟机电路发生短路且没有及时维修造成的。结果经营者某乙不但得为某甲更换一台新油烟机，还要赔偿其他财产的损失。

九、法律、法规规定的其他损害消费者权益的情形

以上八种情形涉及本法对消费者权益和经营者义务的多数规定，但是这种列举并不能穷尽一切违法情形；除了以上八种情形外，法律、法规中还有其他损害消费者权益、经营者应当承担民事责任的规定。如价格法就规定了一些不正当价格行为损害消费者权益的情形：(1)相互串通，操纵市场价格，损害其他经营者或者消费者的合法权益；(2)捏造、散布涨价信息，哄抬价格，推动商品价格过高上涨的；(3)利用虚假的或者使人误解的价格手段，诱骗消费者与其进行交易。

十、未尽到安全保障义务的侵权责任

侵权责任法第三十七条第一款规定，宾馆、商场、银行、车站、娱乐场所等公共场所的管理人或者群众性活动的组织者，未尽到安全保障义务，造成他人损害的，应当承担侵权责任。此次修改后的消费者权益保护法第十八条第二款相应规定，宾馆、商场、餐馆、银行、机场、车站、港口、影剧院等经营场所的经营者，应当对消费者尽到安全保障义务。

与侵权责任法相比，消费者权益保护法中违反安全保障义务的责任人限于经营场所的经营者，受害人限于消费者，实际上

是侵权责任法的规定在消费者权益保护领域的具体体现。

根据本法和侵权责任法的相关规定,经营者违反对消费者的安全保障义务,应当承担侵权责任的情形具体有两种:

第一,经营者自身造成危险导致消费者受损害。例如,消费者某甲在经营者某乙的购物大厦一楼肉类和蛋类柜台欲购买商品时,遭柜台上的金属设备电击,造成左上肢电击伤。后经调查,是柜台所附带的冷冻系统年久失修,发生漏电。后双方因赔偿问题发生争议,消费者某甲诉至人民法院。法院认为,经营者某乙的购物大厦未能及时发现自己经营设施存在的危险,对消费者未尽到在合理限度内的安全保障义务,致使消费者遭受损害,对消费者某乙的损失应予全额赔偿。最终判令经营者某乙赔偿消费者某甲的医疗费、误工费、住院伙食补助费、住宿费、护理费等各项费用。

第二,第三人引发危险导致消费者受损害。例如,消费者某甲在某银行取款时,现金被犯罪分子抢走,当时在场的银行工作人员没有实施任何保护行动。在尚不能由犯罪分子承担责任前,该银行被判决先向消费者某甲承担与其过错相应的赔偿责任。第三人引发危险导致消费者受损害的情况,往往是第三人的侵权行为和经营者未尽到安全保障义务两个因素结合在一起而造成的。对于这种情况,根据侵权责任法第三十七条第二款规定,因第三人的行为造成他人损害的,由第三人承担侵权责任;经营者未经到安全保障义务的,承担相应的补充责任。这里经营者所承担的侵权责任有两个特点:一是责任份额要与经营者的过错程度相当。二是承担责任是为了补充直接责任人的缺位。在这里的案例中,如果犯罪分子已经承担全部赔偿,银行就不需要再作赔偿。

第四十九条　经营者提供商品或者服务，造成消费者或者其他受害人人身伤害的，应当赔偿医疗费、护理费、交通费等为治疗和康复支出的合理费用，以及因误工减少的收入。造成残疾的，还应当赔偿残疾生活辅助具费和残疾赔偿金。造成死亡的，还应当赔偿丧葬费和死亡赔偿金。

【释义】　本条是关于经营者承担人身损害赔偿责任的规定。

本次修改消费者权益保护法对本条作了修改。

人身损害赔偿，是指行为人侵犯他人的生命健康权益造成致伤、致残、致死等后果，承担金钱赔偿责任的一种民事法律救济制度。经营者提供商品或者服务，造成消费者或者其他受害人人身伤害的情况时有发生。相比其他损害消费者合法权益受到损害的形态，人身伤害意味着消费者所受到的损失程度最严重；对于造成这种严重后果的消费事件，社会关注度也最高。在消费者权益保护法中体现符合我国国情的人身损害赔偿制度，对全面保护消费者以及其他受害人的生命健康权益具有重要意义。

此次修改前的消费者权益保护法第四十一条规定了经营者造成受害人人身伤害的损害赔偿，第四十二条规定了经营者造成受害人死亡的损害赔偿。此次修改将上述两条规定合并为一条，并对赔偿范围作了调整，使之与侵权责任法的规定相一致；同时将原来两条中都有规定的“构成犯罪的，依法追究刑事责任”，和其他条文中涉及刑事责任的问题一起集中规定到修改后的第五十七条中。

本条与侵权责任法第十六条的规定在赔偿范围上基本一致。本条规定按三个层次规定了人身损害赔偿的范围：

一、造成消费者或者其他受害人人身损害的一般赔偿范围

这主要是指侵犯受害人生命健康权益造成人身损害一般都要赔偿的项目。无论是致伤、致残，还是致死，凡是有一般赔偿范围内所列项目的费用支出，造成损害的经营者均应赔偿。根据本条规定，造成受害人人身伤害的，应当赔偿医疗费、护理费、交通费等为治疗和康复支出的合理费用，以及因误工减少的收入。这是人身损害的一般赔偿范围。经营者提供商品或者服务，造成消费者或者其他受害人人身伤害但并未出现残疾或者死亡后果的，原则上仅需赔偿本条规定的一般赔偿范围内的赔偿项目。这里需强调的是，本条所列举的一般赔偿范围内的赔偿项目仅是几种比较典型的费用支出，实践中并不仅限于这些赔偿项目，只要是因为治疗和康复所支出的合理费用，都可以纳入一般赔偿的范围，如住院费等费用。但前提是合理的费用才能予以赔偿，否则既会给经营者带来不应有的经济负担，也会助长受害人的不当索取，有失公正。因此，在司法实践中，必须查清事实，结合医疗诊断、鉴定和调查结果，合理确定人身损害的一般赔偿范围。对人身损害的赔偿要坚持赔偿与损害相一致的原则，即要使受害人获得合理赔偿，而不能使其获得不当利益。基于这一原则，对医疗费、护理费、交通费等为治疗和康复支出的合理费用，以及因误工减少的收入的赔偿，因一般都有具体衡量的标准，应当全部赔偿，即损失多少就赔偿多少。

1.“医疗费”包括挂号费、检查费、药费、治疗费、康复费等费用。在审判实践中，一般根据医疗机构出具的药费、治疗费等收费凭证，结合病历和诊断证明等相关证据确定医疗费的具体数额。赔偿义务人对治疗的合理性和必要性有异议的，应当承担相应的举证责任。医疗费的具体数额一般按已经实际发生的确定。根据医疗证明或者鉴定结论确定将来必然发生的医疗

费，可以与已经发生的医疗费一并予以计算和赔偿，所以本条所指的医疗费既包括已经发生的医疗费，也包括将来确定要产生的医疗费。

2.“护理费”是指受害人因受到损害导致生活不能自理，需要有人进行护理而产生的费用支出。赔偿护理费的前提是，受害人受到损害，生活不能自理或者不能完全自理，需要有人进行护理。这种情况，应当有医疗单位或法医的证明。证明需要陪护的，予以赔偿，没有必要的，则不予赔偿。审判实践中，护理费一般根据护理人员的收入状况和护理人数、护理期限确定。护理人员有收入的，原则上参照其因误工而减少的收入计算；没有收入或雇用专门护工的，原则参照当地护工从事同等级别护理的劳务报酬标准计算。护理期限原则上应计算至受害人恢复自理能力时止。受害人因残疾不能恢复自理能力的，可以根据其年龄、健康状况等因素确定合理的护理期限。

3.“交通费”是指受害人及其必要的陪护人员因就医或者转院所实际发生的用于交通的费用。赔偿交通费应当根据实际支出确定，以正式交通费的票、证收据为准，票证收据记载的时间、地点、人数要与实际救治的时间、地点、人数相一致。对不合理的支出，不应当赔偿，但确定的标准不宜过于苛刻。例如，对没有就近治疗，但是选择的医院是合理、必要的，其交通费也应当赔偿。

4.“因误工减少的收入”是指受害人由于受到伤害，无法从事正常工作或者劳动而失去或者减少的工作、劳动收入。受害人受到伤害但并未残疾或者死亡的，因误工减少的收入就是受害人从受到损害到恢复正常能参加工作、劳动时止这段时间内的损失。受害人残疾的，存在赔偿残疾前因误工减少的收入，到残疾后赔偿残疾赔偿金的衔接问题。对此，应当以定残之日为准,在此之前要赔偿因误工减少的收入;在此之后要赔偿残疾赔偿金,而不再赔偿因误工减少的收入。受害人因伤害死亡的,也要对实际发生的因误工减少的收入进行赔偿,因误工减少的收入的计算,从侵害发生时开始计算,至受害人死亡时止。因误工减少的收入的基本计算方法是:单位时间的实际收入乘以误工时间。

二、造成消费者或者其他受害人残疾的赔偿范围

此次修改之前,消费者权益保护法第四十一条明确规定,受害人残疾的,除应当赔偿医疗费、治疗期间的护理费、因误工减少的收入等费用外,还应当支付残疾者生活自助具费、生活补助费、残疾赔偿金以及由其扶养的人所必需的生活费等费用。这一规定中的赔偿范围与产品责任法第四十四条的规定一致,都没有明确生活补助费、残疾赔偿金以及由其扶养的人所必需的生活费三者之间的关系。对这一问题,在侵权责任法颁布之前,理论界有不同认识,司法实践中也有不同做法。例如,最高人民法院《关于审理人身损害赔偿案件适用法律若干问题的解释》第十七条就规定,受害人因伤致残的,除赔偿医疗费、误工费、护理费、交通费、住宿费、住院伙食补助费、必要的营养费外,还应当赔偿其因增加生活上需要所支出的必要费用以及因丧失劳动能力导致的收入损失,包括残疾赔偿金、残疾辅助器具费、被扶养人生活费,以及因康复护理、继续治疗实际发生的必要的康复费、护理费、后续治疗费。为消除歧见,统一做法,在制定侵权责任法时,对于这一问题经过深入研究,作出规定:侵害他人造成残疾的,除应当赔偿医疗费、护理费、交通费等为治疗和康复支出的合理费用,以及因误工减少的收入外,还应当赔偿残疾生活辅助具费和残疾赔偿金;被扶养人生活费和残疾者的生活补助费已被包含在上述费用中,若赔偿了上述费用的,就不必再单独

赔偿被扶养人生活费和残疾者的生活补助费。

1. “残疾生活辅助具费”是指受害人因残疾而造成身体功能全部或者部分丧失后需要配制补偿功能的残疾辅助器具的费用。残疾生活辅助器具主要包括假肢及其零部件、假眼、助听器、盲人阅读器、助视器、矫形器等。实践中,赔偿这个项目的问题是残疾生活辅助具的费用过高,例如,赔偿假肢费用,有的采用外国高级假肢,并且按照工程师的一个证言就确定高额的安装费用,造成赔偿数额过高,赔偿不合理。在司法实践中,计算残疾生活辅助具费现在一般按普通适用器具的合理费用标准计算。伤情有特殊情况的,可以参照辅助具配制机构的意见确定相应的合理费用标准。辅助具的更换周期参照配制机构的意见确定。

2. “残疾赔偿金”是受害人残疾后所特有的一个赔偿项目。对于残疾赔偿金,虽然消费者权益保护法中过去已有规定,但理论界和实务界对其性质和赔偿标准曾经有较大争论。最高人民法院《关于确定民事侵权精神损害赔偿责任若干问题的解释》明确将残疾赔偿金规定为精神损害抚慰金,因此,其不应有明确的赔偿标准,应由法官根据具体案情,考虑若干因素决定赔偿数额,一些学者也持同样的观点。而最高人民法院《关于审理人身损害赔偿案件适用法律若干问题的解释》又将残疾赔偿金界定为对受害人未来的预期收入损失,并明确规定了赔偿标准,也有一些学者支持这种做法。还有的认为,从性质看,残疾赔偿金既是对受害人未来预期收入损失的赔偿,也是对其因残疾丧失的一些精神生活的赔偿。侵权责任法并未直接界定残疾赔偿金的性质。目前一般的认识是,以受害人丧失劳动能力的程度作为确定残疾赔偿金的主要因素,同时适当考虑受害人的年龄、受害人的实际收入、精神生活损失情况、未来劳动能力提高的可能性、被扶养人情况等因素。

三、造成消费者或者其他受害人死亡的赔偿范围

人身损害死亡赔偿制度是指自然人因生命权受侵害而死亡，侵权人承担金钱赔偿责任的一种民事损害赔偿制度。对死亡赔偿的范围，此次修改前的消费者权益保护法第四十二条规定，造成消费者或者其他受害人死亡的，除赔偿医疗费、护理费等费用外，应当支付丧葬费、人身损害死亡赔偿金以及由死者生前扶养的人所必需的生活费等费用。这一赔偿范围与产品质量法第四十四条的规定一样，都采取在丧葬费和被扶养人生活费以外，同时给付死亡赔偿金的模式。在侵权责任法颁布之前，最高人民法院有的司法解释对死亡赔偿项目的列举，比消费者权益保护法、产品质量法明确列举的赔偿项目要更多一些。侵权责任法的起草过程中，有的提出，法律规定的死亡赔偿范围，和司法实践中的做法不完全一致，侵权责任法应予以明确。经过深入研究，在立法和司法实践经验的基础上作出新规定：侵害他人造成死亡的，除应当赔偿医疗费、护理费、交通费等合理费用，以及因误工减少的收入外，还应当赔偿丧葬费和死亡赔偿金。根据现有规定，被扶养人生活费通常已包含在死亡赔偿金中，可以不再单独列举。

受害人死亡的，其医疗费、丧葬费的赔偿较为明确，便于计算。问题主要集中在如何确定死亡赔偿金的数额。造成受害人死亡会同时影响生者的物质生活和精神生活；赔偿范围既包括物质损失，又包括非物质损失。因此，本条规定对死亡赔偿金的赔偿数额未设置统一、具体的标准。目前的司法实践中，主要是根据案件的具体情况，以与被害人相关的社会收入标准为基础，综合考虑各种因素后，具体确定死亡赔偿金的数额。

第五十条　经营者侵害消费者的人格尊严、侵犯消费者人身自由或者侵害消费者个人信息依法得到保护的权利的，应当停止侵害、恢复名誉、消除影响、赔礼道歉，并赔偿损失。

【释义】 本条是关于经营者侵害消费者人格尊严、侵犯消费者人身自由或者侵害消费者个人信息依法得到保护的权利应当承担民事责任的规定。

本次修改消费者权益保护法对本条作了修改。

随着社会的发展和文明的进步，人格尊严、人身自由和其他人本身就应有的人格权益日益受到重视，内涵不断丰富。我国的消费者权益保护法立足于经济社会的发展、进步，充分体现了以人为本的法制要求，强调尊重并保护广大消费者人格尊严、人身自由及其他人格权益，并且明确加害者的法律责任，体现消费者权益保护法的本质特征。

此次修改在本条中增加了“侵害消费者个人信息依法得到保护的权利”的内容。消费者人格权益的范围随着时代的进步而丰富，对消费者人格权益的保护也随着经营活动不断发展而遇到新需求。近年来，有的经营者非法收集、使用消费者的个人信息，擅自泄露或者非法向他人提供消费者个人信息，严重影响消费者正常生活，侵害消费者的合法权益。各方面普遍要求经营者对此应当承担民事责任、行政责任甚至刑事责任。此次修改顺时应人，不但在消费者的权利规定中增加了消费者个人信息依法得到保护的权利，在经营者的义务规定中增加了相应义务，还在法律责任一章关于民事责任和行政处罚的规定中明确增加了相应内容，在关于刑事责任的概括规定中也涵盖了侵犯消费者个人信息依法得到保护的权利，应受刑事处罚的情况。

本条规定包含两个层面，一是明确经营者所侵犯的权益范围；二是明确经营者因此承担民事责任的方式。

本条所保护的消费者权益包括人格尊严、人身自由和个人信息依法得到保护的权利。在本条规定中，经营者承担侵权责任的方式有停止侵害、恢复名誉、消除影响、赔礼道歉和赔偿损失。适用这些民事责任方式的共同前提条件可以从经营者和消费者两方面来看：从经营者方面说，其行为足以危害、危及消费者的人格尊严、人身自由和个人信息依法得到保护的权利；从消费者方面说，其相应人格权益也确实受到了不利影响，包括处于不利影响的可能中。

一、关于停止侵害

经营者实施的侵害行为仍在继续的，受害的消费者可依法要求经营者人采取有效措施停止侵害行为，主要是要求行为人不再继续实施某种侵害。这种责任方式能够及时制止侵害，防止侵害后果的扩大。采用这种责任方式以侵权正在进行或者仍在延续为条件，对于未发生或者已终止的侵权不适用。对于这种责任形式，人民法院可以根据受害人的请求，根据案件的具体情况，可以在审理案件之前，或者在审理过程中责令经营者停止侵害，也可以在判决中责令经营者停止侵害；但是从及时化解矛盾、避免纠纷深化的角度，经营者应当及时发现错误，主动采取停止侵害的措施。“君子之过，如日月之食”，有错就改，不仅可以减少对消费者的伤害，从长远看也符合经营者的自身利益。例如，消费者某甲多年来一直去经营者某乙的浴池并接受修脚、刮痧等服务，由于已是老朋友，比较信赖，所以在某次浴后闲谈时提到自己身体隐秘部位有一处形态特别的疤痕。经营者某乙推荐其使用自家祖传偏方，确实起到了淡化痕迹的功效。经营者某乙将此事持续宣扬，为自己的浴池吸引顾客，但消费者某甲身体隐秘部位有特殊疤痕的情况却不断成为其他浴客的笑谈，消费者某甲感到自己尊严受损，愤而要求经营者某乙停止宣扬此事。

二、恢复名誉、消除影响

恢复名誉、消除影响是经营者在一定范围内采取适当方式消除其对受害人名誉的不利影响以使受害消费者的名誉得到恢复的一种责任方式。具体适用消除影响、恢复名誉,要根据侵害行为所造成的影响和受害人名誉受损的后果来决定。处理的原则是,行为人应当根据造成不良影响的大小,采取程度不同的措施给受害人消除不良影响,如在一定社区范围内公开发表言论损害他人名誉权的,就应当在社区范围内发表公开声明,对错误内容进行更正。例如,消费者某甲在经营者某乙负责的社区超市购物,结账时某乙怀疑消费者某甲偷拿了超市的商品,于是当众进行盘问、呵斥,甚至在某甲一气离开现场时,还追到小区里拦截、检查。最终不但并未找到"偷窃的东西",还让"某甲到社区超市偷东西"的消息在社区里传得满城风雨。消费者某甲不堪其辱,将经营者某乙诉至法院。法院最终判决,超市在无充分证据的情况下,对消费者当众进行阻拦、盘问、检查,已构成对消费者某甲名誉权的侵犯。经营者某乙应当在社区内张贴公告,消除影响、赔礼道歉。公告张贴时间为七日,如超市拒绝履行上述义务,法院将在社区范围内张贴该判决书。

消除影响、恢复名誉主要适用于侵害名誉权的情形,一般不适用于侵犯消费者个人信息受保护权利的情形,因为消除影响、恢复名誉一般是公开进行的,若适用于对消费者个人信息的保护,有可能进一步泄露受害消费者的个人信息,造成进一步的不利影响。

三、赔礼道歉

赔礼道歉是经营者通过口头、书面或者其他方式向受害消费者进行道歉,以取得谅解的一种责任方式。赔礼道歉可以公开,也可以私下进行,可以口头方式进行,也可以书面等方式进行,具体采用什么形式由法官依据案件的具体情况作出。口头道歉是由行为人直接向受害人表示,基本不公开进行;书面道歉以文字形式进行,可以登载在报刊上,或者张贴于有关场所。行为人不赔礼道歉的,人民法院可以判决按照确定的方式进行,产生的所有费用由行为人承担。

四、赔偿损失

赔偿损失是经营者向受害消费者支付一定数额的金钱以弥补其损失的责任方式,是最基本、运用最为广泛的责任方式。与采用其他方式相比,经营者以这种方式承担民事责任的前提还包括:其行为后果中必须出现值得并且能够量化为金钱价值的损失。赔偿的目的,最基本的是补偿损害,使受到损害的权利以金钱价值的形式得到救济。从行为角度看,侵犯消费者人格尊严、人身自由和个人信息依法得到保护的权利,有的与造成消费者人身伤害的行为相关联,有的则会造成消费者的财产损失。此次修改后的本法第四十九条、第五十一条对经营者承担人身损害赔偿、精神损害赔偿已作专门规定,本条更多的是涉及经营者侵犯消费者人格权益,造成财产损失的情况。侵权责任法第二十条对这种损失的计算有明确规定。根据这一规定,经营者侵犯消费者人格权益,在采用其他责任形式之外还有消费者的财产损失的,首先应当按照消费者因此受到的损失赔偿;消费者的损失难以确定,经营者因此获得利益的,按照获得的利益赔偿;经营者因此获得的利益难以确定,消费者和经营者就赔偿数额协商不一致,向人民法院提起诉讼的,由人民法院根据实际情况确定赔偿数额。

在保护消费者人格尊严、人身自由和个人信息依法得到保护权利的总体目标下,需要采用什么方式,就采用什么方式,可以单独采用一种方式,也可以采用多种方式。具体适用时应当掌握的原则是,在任何情况下,只要有保护消费者人格权益的需要,如果一种方式不足以救济受害人,就应当同时适用其他方式;同样采用一种或者两种方式足以保护受害人利益的,就不必再采取其他方式。同时,还需注意的是,从受害消费者的角度看,侵权责任方式是受害消费者自己享有的请求权。例如,此次修改后的本法第十一条就规定,消费者因购买、使用商品或者接受服务受到人身、财产损害的,享有依法获得赔偿的权利。消费者可以选择行使某种请求权,也可以选择不行使。受害人选择行使自己的请求权的,如果该请求权适当,就应当得到支持;受害人不选择某种责任方式的,也不应当干预,例如,如果消费者只要求经营者停止侵害、恢复名誉、消除影响、赔礼道歉,但不愿要求经营者赔偿损失的,处理纠纷的机关和组织就不应当违背消费者的意愿强行要求经营者赔偿损失。

第五十一条　经营者有侮辱诽谤、搜查身体、侵犯人身自由等侵害消费者或者其他受害人人身权益的行为,造成严重精神损害的,受害人可以要求精神损害赔偿。

【释义】　本条是关于经营者承担精神损害赔偿责任的规定。本条规定是本次修改消费者权益保护法新增加的内容。

精神损害赔偿是受害人因人身伤害或者人格利益受到侵害,进而蒙受严重精神损害时获得的金钱赔偿。随着经济发展和社会进步,人身权益具有更加丰富的内涵和更为复杂的因素,既包括物质层面又包括精神层面,精神层面的利益往往可以转化为物质层面的利益,物质层面的改善又可能发展精神层面的利益。人复杂的本身属性及其互动关系,使得将人身伤害和人格利益量化为金钱价值时,传统的损害赔偿计算项目实际很难全面覆盖。特别是精神上的巨大痛苦,常常是严重精神损害的反映,有的会体现为生命、健康上的现实损伤。但在传统的人身损害计算中,难以找到与之相应的项目。在侵害人身权益情节严重,造成巨大精神痛苦的情况下,受害人的损失水平显然高于按照传统项目计算得出的损害赔偿水平,有必要通过增加新的赔偿实现公正。

我国的消费者权益保护法一贯注重对消费者合法权益的全面、充分保护。在 20 世纪 90 年代制订消费者权益保护法的过程中,就有意见提出按照传统项目计算得出的损害赔偿水平低于消费者实际损失,严重精神损害不能涵盖的问题,并且提出了增加“抚慰金”赔偿的建议。由于当时民事法律体系尚不完备,对损害赔偿制度相关问题还没有共识,消费者权益保护法对此暂时未作规定。2009 年的侵权责任法在深入研究损害赔偿制度并取得共识的基础上,在第二十二条中明确规定,侵害他人人身权益,造成他人严重精神损害的,被侵权人可以请求精神损害赔偿。此次修改消费者权益保护法结合消费者权益保护工作中遇到的突出违法行为,增加了精神损害赔偿制度。

本条规定包括了经营者承担精神损害赔偿的前提条件和受偿主体。

(一)经营者承担精神损害赔偿的条件

1. 经营者有侮辱诽谤、搜查身体、侵犯人身自由等违法行为

修改后的本法第二十七条明确规定,经营者不得对消费者进行侮辱、诽谤,不得搜查消费者的身体及其携带的物品,不得侵犯消费者的人身自由。现实中有的个别经营者置法律的规定于不顾,有的在消费者比较、挑选商品时冷嘲热讽、侮辱人格;有

的无端怀疑消费者偷盗商品，无理盘查，甚至对消费者采取搜身、强行扣留等违法手段；甚至还有的为打击报复前来依法维权的消费者，不惜编造、散布消费者的谣言，严重伤害消费者。此外，还有殴打消费者造成严重伤害等极端行为。这些都是消费者权益保护领域问题突出、影响恶劣的经营者违法行为。本条规定，经营者有这些违法行为的，除了按照之前的规定承担停止侵害、恢复名誉、消除影响、赔礼道歉、赔偿损失等民事责任，造成受害人严重精神损害的，还要在通常水平的损害赔偿之上增加承担精神损害赔偿责任。

2. 受损害的是消费者或者其他受害人的人身权益

这里的人身权益包括生命权、健康权、姓名权、名誉权、肖像权、个人信息依法得到保护的权利等。

3. 造成消费者或者其他受害人严重精神损害

本条和侵权责任法的规定是一致的，遭受严重精神损害的，消费者或者其他受害人可以要求精神损害赔偿。偶尔遭受的痛苦和不高兴等不良精神状态不能认为是严重精神损害，不能以之要求精神损害赔偿。

（二）精神损害赔偿的受偿主体

本法与侵权责任法的规定是一致的。有权要求精神损害赔偿的主体包括人身权益直接受到侵害的消费者，也包括其他受害人。准确理解本条规定，需要注意两种特殊情况：

第一，在经营者对消费者实施诽谤等违法行为时，损害的可能不只是消费者本人，还包括谣言内容所波及的其他受害人。例如，消费者某甲发现经营者某乙在其开办的小卖部里出售假冒伪劣商品，立刻进行了投诉、举报。经营者某乙不但承担了民事责任，还依法受到了有关部门的严厉处罚。经营者某乙对此怀恨在心，总想报复，同时也想在邻里面前挽回面子，于是编造谣言称，消费者某甲的举报，是和自己之前的雇工某丙串通设局，坑害自己。消费者某甲和有夫之妇的某丙有不正当关系，“盖过一床被子”；所以就能“穿上一条裤子”，内外勾结，知假买假，得利均分。经营者某乙的谣言伤害的不只有消费者某甲还有前雇工某丙。后来某丙因蒙受不白之冤，导致精神失常，经营者某乙因此承担了包括精神损害赔偿在内的赔偿责任。

第二，在我国的司法实践中，因侵权导致死亡的死者亲属也有权要求精神损害赔偿。在某些案例中，死者亲属甚至在现场亲眼目睹亲人遭遇不幸，人民法院支持了死者亲属要求精神损害赔偿的主张。

第五十二条　经营者提供商品或者服务，造成消费者财产损害的，应当依照法律规定或者当事人约定承担修理、重作、更换、退货、补足商品数量、退还货款和服务费用或者赔偿损失等民事责任。

【释义】　本条是关于经营者造成消费者财产损害的民事责任的规定。

本次修改消费者权益保护法对本条作了修改。

此次修改后的本法第七条第一款规定，消费者在购买、使用商品和接受服务时享有人身、财产安全不受损害的权利。第十八条第一款规定，经营者应当保证其提供的商品或者服务符合保障人身、财产安全的要求。保障消费者人身、财产安全不仅需要宣示为消费者的权利，确定为经营者的义务，更需要落实为相应的民事责任。此次修改后的本法第四十九条到第五十一条，基本涵盖了与人身安全有关的民事责任。有必要进一步明确经营者对消费者财产损害承担民事责任及其责任方式。

此次修改对经营者承担责任的条件从表述上作了调整，将之前的经营者“应当按照消费者的要求”承担责任，修改为经营者应当“依照法律规定或者当事人约定”承担责任。虽然多数情况下，经营者承担责任需要消费者首先提出要求；但是实际上，消费者提出相关要求要么基于法律规定要么基于当事人约定。

本条规定既包括了经营者承担违约责任的情况，又包括了经营者承担侵权责任的情况。经营者承担责任的一些具体问题需要依照合同法、侵权责任法等法律的规定。

修理、重作、更换、退货、补足商品数量、退还货款和服务费用，这些责任方式大多是建立在经营者和消费者之间一定的合同关系，属于合同法规定的违约责任。合同法第一百一十一条规定，质量不符合约定的，应当按照当事人的约定承担违约责任。对违约责任没有约定或者约定不明确，依照本法第六十一条的规定仍不能确定的，受损害方根据标的的性质以及损失的大小，可以合理选择要求对方承担修理、更换、重作、退货、减少价款或者报酬等违约责任。例如，消费者某甲接受经营者某乙提供的收费保管服务，将自己的贵重物品交经营者某乙保管。合同中明确规定，保管场所有安全监控、巡视检查、门岗执勤等承诺，如果财物出现毁损丢失，不但照价赔偿，还须全额退还保管费用。后来消费者某甲交付保管的财物却不翼而飞。事后查明，经营者承诺的各项安全措施都没有落实，管理十分松懈。经营者某乙违约造成保管财物丢失，只好依照合同赔偿损失，并退还之前所有的保管费用。

此外，经营者造成消费者的不动产或者动产毁损的，消费者还可以根据物权法第三十六条的规定，请求修理、重作、更换或者恢复原状。

赔偿损失的责任方式既涉及违约责任，又可能涉及侵权责任。对于违约责任下的损害赔偿,合同法第一百一十二条规定,当事人一方不履行合同义务或者履行合同义务不符合约定的,在履行义务或者采取补救措施后,对方还有其他损失的,应当赔偿损失。对于违约责任下损害赔偿的确定,合同法第一百一十三条第一款规定,当事人一方不履行合同义务或者履行合同义务不符合约定,给对方造成损失的,损失赔偿额应当相当于因违约所造成的损失,包括合同履行后可以获得的利益,但不得超过违反合同一方订立合同时预见到或者应当预见到的因违反合同可能造成的损失。对于侵权责任下的财产损害赔偿,侵权责任法第十九条规定,侵害他人财产的,财产损失按照损失发生时的市场价格或者其他方式计算。此外,物权法第三十七条还规定,侵害物权,造成权利人损害的,权利人可以请求损害赔偿。

一般说来,违约责任下的财产损害赔偿主要是合同标的涉及范围内财产的损害,而侵权责任下的财产损害赔偿,则是侵权行为可预见范围内财产的损害。二者是有区别的。在有些情况下,同一财产的损害,可能并存违约责任和侵权责任。在损害赔偿时就有必要明确使用哪种责任类型。对此,合同法第一百二十二条规定,因当事人一方的违约行为,侵害对方人身、财产权益的,受损害方有权选择依照本法要求其承担违约责任或者依照其他法律要求其承担侵权责任。这条规定明确了违约责任与侵权责任竞合应当如何处理。违约责任与侵权责任竞合,是说债务人的违法行为,既符合违约要件,又符合侵权要件,导致违约责任与侵权责任一并产生,违约责任引发债权人索赔的请求权,侵权责任也引发债权人索赔的请求权,两个请求权有重叠之处,形成请求权的竞合。如果允许债权人不受限制地行使两个请求权,就会导致债务人因请求权的重叠而承担双重赔偿。所以目前法律规定的处理方式是允许受害人单一选择请求权的主张,认为受害人要么请求侵害人承担违约的民事责任,要么承担侵权的民事责任,二者只能择一,不得行使两个请求权。例如,消费者某甲,购买经营者某乙出售的窗帘竿,合同约定某乙负责安装,“安装不当造成财产损失的,最高按窗帘竿价格的二十倍赔偿”。结果某乙在安装时野蛮操作,砸坏了某甲的珍贵花瓶。该花瓶的价值远远高出约定的“窗帘竿价格的二十倍”。经营者某乙起初只愿意按合同赔偿,某甲则选择采用侵权责任,要求按花瓶实际价值赔偿。在经营者某乙拒绝后,某甲向当地消费者协会投诉。经营者某乙最后还是接受了消费者某乙的选择,承担了高于约定的损害赔偿金。

消费者适用本条时还要注意一个问题:经营者应当承担的是其违约或者侵权造成的财产损失,并不是消费者应当承担的正常市场风险。例如,消费者某甲,刚购买开发商某乙销售的商品房,楼盘就因为楼市遇冷而打折。看到与自己类似的房屋现在便宜了很多,觉得开发商某乙的降价行为使自己受到了损失,于是起诉要求开发商某乙赔偿差价。法院经审理认为,房屋市场价格下滑,开发商调低价格是正常的经营行为,并不构成对先前购房人的侵害。其他购房人以较低价格购买房屋,也不意味着先前购房人受到了损失。消费者某甲无权将正常的市场风险转嫁给经营者承担。

第五十三条　经营者以预收款方式提供商品或者服务的,应当按照约定提供。未按照约定提供的,应当按照消费者的要求履行约定或者退回预付款;并应当承担预付款的利息、消费者必须支付的合理费用。

【释义】　本条是关于预收款消费中经营者的义务以及违约责任的规定。

一、我国预收款消费的现状

（一）预收款消费的概念

预收款消费，又称预付款消费。近年来，预付款消费在我国百货零售、美容美发、休闲健身等行业盛行，消费者以整存零扣的方式消费。预付款消费其实就是由消费者首先对商家授信，预先支付一定金额，然后延期消费其服务和产品。商家往往以购买不同等级的预付费消费卡可以享受不同档次的优惠、折扣来吸引消费者，很多消费者都接受并认可这种消费形式。这种消费模式不仅有利于商家提前回笼资金、锁定客户，同时也能通过售卡打折等方式让消费者获得实惠，在一些国家成为一种普遍流行的商业模式。

（二）我国预收款消费的现状

我国预付款消费模式起步较晚，但发展较快，目前在很多行业广泛应用，而且主要表现为各式各样的预付卡，如超市、百货商场的购物卡，还有用于婚纱摄影、美容、美发、健身、洗衣、游泳、洗浴、高尔夫等各类消费的预付卡以及在公共服务领域的电话卡、交通卡、电卡、燃气卡等，种类繁多，不一而足。据报道，经过多年发展，预付卡发卡规模急速扩张，商务部于2011年年初对部分地区300多家商业企业的调研数据显示，中国商业预付卡销售规模为14，203.33亿元，预付卡消费规模达到10，399.58亿元。目前，我国的商业预付卡已经是世界第二大市场，2012年我国仅单用途商业预付卡的发卡规模就达9527亿元，据推算整个预付卡发卡规模已突破2万亿元，约占社会消费品零售总额的十分之一。

一般而言，预付卡可以分为两类：一类是专营发卡机构发行，可以跨地区、跨行业、跨企业使用的多用途预付卡，如北京地区常见的资和信商通卡、一卡通等；另一类是商业企业发行，只在本企业或同一品牌连锁商业企业购买商品、服务时使用的单用途预付卡，如一些超市发行的超市购物卡，美容店发行的只在本店使用的美容卡等。

（三）我国预收款消费存在的主要问题

预收款消费模式让消费者得利的同时，也有部分不良商家在提供商品或者服务时暗藏陷阱，而先付款再消费的方式往往让消费者陷于被动境地，无法预知商家在经营中可能发生的变故、无法准确计量商家提供的服务是否标准，一旦遇到欺诈、侵权行为，消费者难以及时维护合法权益。例如，有些美容美发企业在经营过程中缺乏诚信，以不正当的手段欺骗、误导消费者；有的企业在策划预收款消费项目时就是一个骗局，在收取了大量预付款后便想方设法关闭企业，携款潜逃；有些企业在制定格式合同时，利用一些不公平条款扩大经营者的权利，限制消费者的权利，加重消费者的义务，并且不向消费者明示。

近年来，全国各地工商行政管理部门以及消费者组织受理的有关预付款消费的纠纷案件呈增长态势，2007 年中国消费者协会就预付费消费模式发布消费警示称，近年来，一些服务行业纷纷推出“预付费式”消费方式，以“会员卡”的名义推出了各种美容卡、健身卡、洗衣卡、洗车卡等预付费式消费卡，消费者通过向商家预先付费，购买档次不同的“会员卡”，便可在以后的消费中享受不同程度的折扣优惠。然而，许多消费者在购买了这类“会员卡”后，发现商家原来宣传的优惠难以兑现，自身合法权益得不到保护。2009 年，预付款消费陷阱就被国家工商行政管理总局列为年度消费者申诉十大热点之一，国家工商行政管理总局在《二〇一一年上半年全国消协组织受理投诉情况分析》中明确指出，各地消费者组织陆续接到预付款消费投诉，主要表现在美容美发、洗浴游泳、减肥健身、家政服务、分时度假、婚纱摄影、洗车等消费领域，一些经营者在明示的预付费服务有效期限内，擅自提高服务价格或服务条件，更有一些经营者因突然停业、主体变更等，致使消费者手中的预付费消费卡无法继续消费等。

预付款消费侵犯消费者合法权益主要表现为以下几个方面：一是商家不按照约定的标准提供商品或者服务，消费者在首次消费时，商家为吸引消费者办卡，努力提高服务质量，而消费者一旦办卡后，便丧失了维持服务质量的动力；二是商家单方提高收费标准，消费者一旦办卡，其资金便沉淀在商家，商家掌握绝对的话语权；三是更换经营者，新经营者拒绝接受，消费者难以找到原经营者；四是办卡容易退卡难，商家以各种理由拒绝消费者的退卡要求；五是商家单方规定预付卡的有效期，到期作废，余额不退；六是商家经营不善关门，或者以发行预付卡变相融资卷款携逃，致使消费者无法消费，难以维权；等等。究其原因，消费者选择预付款消费，本质上是消费者对商家的长期授信。一般而言，商家收到消费者预付款后会扩大生产经营、追加投资，但由于商家与消费者之间的信息不对称，商家一旦经营不善、投资失败或者抽逃预付款，消费者对商家的权利只能是作为一般债权寻求事后救济，在破产程序中很难得到赔偿，消费者承担了商家的经营风险和道德风险。

二、我国有关预付款消费的规定

预付款消费不仅是一种新型消费方式，也是商家融资的重要渠道之一，不仅涉及消费者权益的保护，还涉及我国金融监管制度。

为规范非金融机构支付服务行为，防范支付风险，保护消费者的合法权益，中国人民银行于2010年颁布了《非金融机构支付服务管理办法》及其实施细则，该办法第二条明确了其适用范围，主要规范以营利为目的发行的、在发行机构之外购买商品或服务的预付价值，包括采取磁条、芯片等技术以卡片、密码等形式发行的预付卡。实施细则第二条明确排除仅限于发放社会保障金的预付卡、仅限于乘坐公共交通工具的预付卡、仅限于缴纳电话费等通信费用的预付卡、发行机构与特约商户为同一法人的预付卡的适用。换言之，该办法仅规范第三方支付机构发行的多用途预付卡。根据该规定，从事预付卡发行的第三方支付机构应当取得“支付业务许可证”，并接受中国人民银行的监督管理，未经中国人民银行批准，任何非金融机构和个人不得从事或变相从事支付业务。该办法提高了第三方支付机构的准入门槛，在全国范围内从事支付业务的，其注册资本最低限额为1亿元，在省（自治区、直辖市）范围内从事支付业务的，其注册资本最低限额为三千万元。该办法还从发票、备付金、备付金账户和资本金等方面加强了对第三方支付机构的监督管理。该办法及实施细则出台后，很大一部分第三方支付机构因达不到注册资本以及监管要求而被淘汰出局，对于净化支付市场、保护消费者合法权益，起到了积极作用。

为加强单用途商业预付卡管理，维护当事人合法权益，防范资金风险，商务部于2012年颁布实施了《单用途商业预付卡管理办法（试行）》，该办法规范的单用途商业预付卡是指从事零售业、住宿和餐饮业、居民服务业的企业法人发行的，仅限于在本企业或本企业所属集团或同一品牌特许经营体系内兑付货物或服务的预付凭证，包括以磁条卡、芯片卡、纸券等为载体的实体卡和以密码、串码、图形、生物特征信息等为载体的虚拟卡。该办法还对发卡资格、备案、发行与服务、资金管理、监督管理等作了明确规定。

三、本条规定的立法背景和含义

根据本条规定，经营者以预收款方式提供商品或者服务的，应当按照约定提供。未按照约定提供的，应当按照消费者的要求履行约定或者退回预付款；并应当承担预付款的利息、消费者必须支付的合理费用。

（一）修改过程中的主要意见和考虑

这次修改未对本条作出修改，但在调研和征求意见过程中，有的提出，实践中经常出现经营者卷款而逃、拒不退还余款等问题，应当要求经营者在收取预收款时提供担保，或者将预收款交由银行、消费者组织等第三方监管，存入专用账户，商家对预付款没有完全的支配权，不能一次性提走全款，防止预收款被经营者挪用，保证预收款的安全。也有的提出，禁止经营者动用预收款，虽然可确保消费者的资金安全，但这将限制经营者的现金流，降低资金使用效率，最终可能影响提升服务质量。

我们对这些意见进行了认真研究，认为预收款消费模式是近些年发展出来的新型消费模式，一方面经营者减少了占用资金，稳定了消费群体；另一方面消费者享受了较大折扣，形成了经营者与消费者互惠、共赢的局面。但在这种消费模式中，如何在消费者的资金安全与经营者使用预收款之间实现平衡，是始终需要考虑的问题。加大对预收款的监管力度，势必影响经营者使用预收款消费模式的积极性，也影响消费者得到优惠；放任经营者对预收款的处置，消费者的资金安全将无法得到保证。中国人民银行、商务部等部门也已经注意到这一问题，从行政监管角度分别出台了部门规章，建立了事前监管体系，待这些规章实施一段时间后再总结经验，进一步完善监管内容。本条则规定了经营者的违约责任，从事后救济的角度弥补消费者的损失。只要用好用足这些规定，也能有效地保护消费者的合法权益。

（二）本条的基本含义

1. 经营者以预收款方式提供商品或者服务的，应当按照约定提供。经营者向消费者收取预收款并承诺日后提供商品或者服务，经营者与消费者之间便达成预收款消费合同，经营者所发行的预付卡、会员卡等既是消费凭证，又是成立预收款消费合同的证明。根据合同，消费者负有向经营者支付预收款的义务，经营者则负有按照约定提供商品或者服务的义务。预付卡一般分为单用途和多用途两类，发行单用途预付卡的，经营者及其加盟机构有义务提供商品或者服务；发行多用途预付卡的，经营者虽没有直接提供商品或者服务，但有义务保证其规定的使用范围内的商家接受该预付卡。

2. 经营者未按照约定提供商品或者服务的法律后果。根据预收款消费合同，经营者应当按照约定提供商品或者服务。实践中，经营者在预收款消费关系中的违约行为主要有两种情形：一是不完全履行，经营者提供的商品或者服务不符合合同约定，如在美容美发服务中，美容美发店承诺根据消费者预存金额的不同，由不同等级的发型师提供服务，但在随后的履行过程中随意降低服务标准；在餐饮团购服务中，餐厅要求消费者提前预约，但餐厅限制团购就餐人数导致合同履行拖延等。二是不履行合同，如经营者停业、歇业不履行合同，使消费者权利落空。

经营者有上述违约行为的，应当承担违约责任。相比合同法，本条规定的违约责任赋予消费者更大的选择权。经营者违约后，消费者认为继续履行合同对其有利，选择继续履行合同的，经营者应当继续履行，但经营者因歇业等原因导致无法继续履行的除外；消费者认为继续履行合同对其权益有所损害或者不愿意继续履行合同，选择终止合同的，不论经营者是否仍然具备履约能力，也不论经营者是否愿意继续履行合同，经营者应当立即将剩余的预付款退回消费者,并应当承担预付款的利息、消费者必须支付的合理费用,这里的“合理费用”主要指必要的交通、通信等费用。理解本条需要注意的是,法律赋予消费者这两种选择权,并不影响消费者要求经营者承担因其违约行为导致的经济损失的权利,经营者的违约行为造成消费者其他损失的,消费者仍然有权根据本法第七章以及其他法律的规定要求其承担民事责任。

第五十四条　依法经有关行政部门认定为不合格的商品,消费者要求退货的,经营者应当负责退货。

【释义】　本条是关于不合格商品退货的规定。

一、不合格商品的认定标准

产品质量法第十二条规定:“产品质量应当检验合格,不得以不合格产品冒充合格产品。”产品在出厂前,都应当经过生产者的内部质量检验部门或者检验人员的检验,未经检验或者检验不合格的产品,不得出厂销售。产品质量“合格”,是指产品的质量指标符合有关的标准和要求。作为合格产品,应当同时具备以下条件:(1)必须符合保障人体健康、人身、财产安全的强制性国家标准、行业标准和地方标准,不存在危及人身、财产安全的不合理的危险;(2)符合生产者自行制定的有关产品质量的企业标准或技术要求,但该企业标准或技术要求不得与国家强制性标准、行业标准和地方标准相抵触,并应保证产品具备应当具有的使用性能;对在产品买卖合同中约定了产品质量标准的,或者在产品或者其包装上注明了所采用产品标准的,或者生产者以产品说明、实物样品等方式表明了产品的质量状况的,应当符合相关的标准或质量状况。

不合格产品是指不符合上述要求的产品。不合格产品分为劣质产品和处理品。对劣质产品，主要应从以下两个方面判定：一是看其是否符合保障人体健康、人身、财产安全的国家强制性标准、行业标准和地方标准，不符合上述标准的产品是劣质产品。如电冰箱不符合国家用电安全标准，该电冰箱为劣质电冰箱；二是看其是否具备产品应当具备的使用性能，不具备使用性能的是劣质产品。如电冰箱不制冷，该电冰箱为劣质产品。劣质产品不得出厂销售，更不得冒充合格产品出厂。处理品是指不存在危及人体健康、人身、财产安全的危险，仍有使用价值，但产品在使用性能上有瑕疵或者产品的质量与其包装上注明采用的产品标准所规定的质量指标、产品说明中明示的质量指标，以及以实物样品等方式表明的质量状况不符的产品。企业在日常生产过程中难免会生产出一些残次品，这些产品在不违反国家有关规定的前提下可以以较低的价格出厂销售，但根据本条的要求，这类产品出厂时必须向消费者明示该产品的实际质量状况，不得将这类产品冒充质量合格的产品出厂、销售。

二、不合格商品的认定主体

根据本条规定，认定商品不合格的主体为有关行政部门。各行政部门应当在其行政管理职责范围内对有关商品进行检测，认为不符合相关标准的，应当及时向社会公布。

实践中，有些社会组织也会定期或不定期向社会公布其对部分商品的检测结果，社会组织没有行政管理职责，不是本条中的行政部门，不能作为消费者请求经营者退货的法定依据，但经营者自愿接受消费者退货的，不在此限。

三、消费者的救济措施

根据本条规定，依法经有关行政部门认定为不合格的商品，消费者要求退货的，经营者应当负责退货。

消费者根据本条行使退货请求权的前提是商品被有关行政

部门认定为不合格，换言之，只要该商品被有关行政部门认定为不合格，消费者就有权要求经营者退货。消费者行使退货要求权不以经营者存在主观过错为前提，无论经营者是否知晓其生产、销售的商品为不合格商品，都负有退货义务。这里的“经营者”既包括商品的销售者，也包括商品的生产者。消费者既可以要求销售者退货，也可以直接要求生产者退货，销售者或者生产者不得拒绝。经营者退货的同时，应当向消费者退回商品价款。

理解本条需要注意的是，消费者在使用不合格商品过程中人身、财产受到损失的，除可以依照本条要求经营者退货外，还可以根据本法其他规定要求经营者承担相应的民事责任。

第五十五条　经营者提供商品或者服务有欺诈行为的，应当按照消费者的要求增加赔偿其受到的损失，增加赔偿的金额为消费者购买商品的价款或者接受服务的费用的三倍；增加赔偿的金额不足五百元的，为五百元。法律另有规定的，依照其规定。

经营者明知商品或者服务存在缺陷，仍然向消费者提供，造成消费者或者其他受害人死亡或者健康严重损害的，受害人有权要求经营者依照本法第四十九条、第五十一条等法律规定赔偿损失，并有权要求所受损失二倍以下的惩罚性赔偿。

【释义】　本条是关于惩罚性赔偿的规定。

本次修改消费者权益保护法对本条作了修改。

近年来，我国产品责任事件特别是食品安全事故频发，三聚氰胺奶粉、瘦肉精、地沟油、染色馒头等众多事件连续发生，制假、贩假行为屡禁不止，这给消费者权益造成严重损害的同时也严重打击了消费者的消费信心。为进一步强化对消费者合法权益的保护，打击制假贩假和生产销售劣质产品的经营者，有必要在消费者权益保护法中明确规定对消费者权益侵害的惩罚性赔偿制度，以鼓励受侵害的消费者起诉不法经营者，获得比实际损害高的赔偿；惩罚不法经营者，经营者一旦实施欺诈行为并造成严重后果的，需要支付高额的惩罚性赔偿金；威慑潜在的不法经营者，预防类似的不法行为再度发生，净化市场环境。

一、惩罚性赔偿的概念

惩罚性赔偿是损害赔偿的一种，与补偿性赔偿相对。惩罚性赔偿最初由英国侵权法创设，称为示范性赔偿（exemplary damages），除了含有对加害人的制裁之意，更多的是强调此种赔偿的社会示范作用，即赔偿的威慑性。美国法中称为 punitive damages，主要强调其惩罚性，通过给不法行为人强加更重的经济负担，以制裁不法行为。《美国侵权法第二次重述》中规定，惩罚性赔偿不同于补偿性损害赔偿和象征性损害赔偿，是为惩罚被告人邪恶行为以及防止其本人和其他人再发生类似行为而判决其承担的赔偿金。美国统一州法全国委员会制定的《惩罚性赔偿示范法》则将其表述为：以惩罚和遏制被告的不法行为为目的而判给原告的一笔金钱。

我国学者一般认为，惩罚性赔偿是指当被告以恶意、故意、欺诈或放任的方式实施加害行为而致原告受损时，原告可以获得实际损害赔偿之外的增加赔偿。因其目的在于通过对被告施以惩罚，以阻止其重复实施恶意行为，并警戒他人不要采取类似行为，因此，惩罚性赔偿通常不适用于违约行为，而多适用于侵权行为。

二、现有法律中有关惩罚性赔偿的规定

2009 年施行的食品安全法第九十六条第二款规定：“生产不符合食品安全标准的食品或者销售明知是不符合食品安全标准的食品，消费者除要求赔偿损失外，还可以向生产者或者销售者要求支付价款十倍的赔偿金。”这一规定具有一定的惩罚性。

2010年施行的侵权责任法第四十七条规定：“明知产品存在缺陷仍然生产、销售，造成他人死亡或者健康严重损害的，被侵权人有权请求相应的惩罚性赔偿。”这是我国第一次在法律中使用了“惩罚性赔偿”的表述。侵权责任法作为规范侵权赔偿的基本法律，确立了惩罚性赔偿制度，但没有明确惩罚性赔偿的计算方法。

三、有关惩罚性赔偿制度的主要情况

（一）大陆法系国家和地区

以德国为代表的传统大陆法系对于公法、私法的调整范围有严格划分。为保证法律体系的逻辑性和严密性，传统理论认为，民法在民事赔偿领域实行同质补偿原则，不适用惩罚性赔偿制度。

1. 德国

德国民法典以及其他民事法律中没有惩罚性赔偿的规定。在德国，私法上的惩罚是不可接受的。德国最高法院曾在判决中表示，“不能因为过错特别严重而判决更多的赔偿额”，“民事责任不具有惩罚功能，因此过错的严重性不能成为判决一个比实际损害更多赔偿的正当理由。”

基于这一认识，德国法院也拒绝承认和执行外国法院的惩罚性赔偿判决。1992年，德国联邦最高法院拒绝承认和执行美国加利福尼亚州一家法院作出的35万美元补偿性赔偿和40万美元惩罚性赔偿的判决。德国联邦最高法院审查认为，执行惩罚性赔偿与作为宪法原则的补偿损害理念相悖，也违反了由国家进行惩罚性制裁的原则。最终裁定只承认和执行补偿性赔偿，拒绝承认和执行惩罚性赔偿。

虽然德国一直拒绝在民事诉讼中承认惩罚性赔偿，但德国学者 Volker Behr 发现这一观点正在逐渐改变。他指出，德国法院多次判决明显不能被认为具有补偿性的赔偿。例如，在一个侵犯人格权的案件中，德国联邦最高法院认为，下级法院判决的赔偿金额太小无法起到遏制效果。再如，在一些知识产权案件中，一些计算损害额的方法超过了对原告的补偿。Volker Behr 教授预计，只要惩罚性赔偿金额并不过高，德国法院今后也会执行惩罚性赔偿。

2. 法国

长期以来，法国一直坚持禁止在民事诉讼中判决惩罚性赔偿的传统规则，惩罚性赔偿被认为属于刑事程序的范畴。根据法国民法典，因违反合同或者遭受侵权受到损害的，当事人只能恢复到未曾遭受过损害的状态，这被称为"全面补偿原则"。法国承认包括精神损害赔偿在内的非金钱损害，但这并不具有惩罚性，只是用来补偿受害人而非惩罚加害人。

但近年来，法国国内有关"全面补偿原则"的争论越来越多，这已经不再被视为绝对原则。一些法官为了弥补受害人的损失，尽管没有称之为惩罚性赔偿，但判决的数额往往超出了实际损失。2004 年，根据希拉克总统的提议，法国成立了改革民法典委员会，该委员会于 2005 年向司法部提交了改革债法编的草案初稿。最具意义的是，建议草案第 1371 条中明确规定了惩罚性赔偿："如果某人的过错明显是预谋的，特别是其目的是获得利益，可以在补偿性赔偿之外，作出惩罚性赔偿。法官在判决惩罚性赔偿时，必须给出充足的理由，必须将惩罚性赔偿与其他性质的赔偿区分开来。"尽管这一提议尚未成为法律，但这显示了法国将来有可能承认惩罚性赔偿的趋势。

法国最高法院于 2010 年 12 月 1 日对是否执行美国加州最高法院作出的包含惩罚性赔偿的判决作出裁定，也显示出法国法院对惩罚性赔偿的认识。加州最高法院判决被告赔偿原告139万美元补偿性赔偿和146万美元惩罚性赔偿,法国最高法院认为,原则上讲,作出惩罚性赔偿的外国裁判并不违背法国公共政策,应当被承认。但该判决作出的146万美元惩罚性赔偿明显高于139万美元补偿性赔偿,与实际损害不合比例,违背了法国公共政策,因而拒绝执行。

有法国学者认为,尽管法国目前没有惩罚性赔偿,但这一制度即将到来。

3. 日本

日本现行法律中没有惩罚性赔偿制度。日本最高法院在1997年以违反公共秩序为由拒绝承认和执行美国加州一家法院作出的包含惩罚性赔偿的判决,并在裁判中指出:在日本,对加害人进行制裁,遏制将来从事同样的行为,应当交由刑事上或行政上制裁,因此,在侵权的当事人之间,受害人从加害人那里获得包括实际发生的损害赔偿外,再获得作为制裁以及一般预防为目的的抚慰金,与基于侵权行为的损害赔偿制度的基本原则或基本理念相悖。

但是在学说上,肯定惩罚性赔偿的见解正在增多,认为在局部领域有引入惩罚性损害赔偿的必要。主张引进美国惩罚性赔偿制度的学者田中英夫和竹内昭夫认为,在美国法中,侵权行为法具有遏制违法行为的功能,其中惩罚性损害赔偿和二倍、三倍赔偿或法定最低赔偿额对违法行为的遏制发挥着巨大的作用,相比而言,日本的损害赔偿额的认定缺乏灵活性,而且赔偿额也很低,所以损害赔偿这一法律责任未能发挥出对违反法律行为的遏制功能。

4. 我国台湾地区

我国台湾地区是大陆法系中较早采纳惩罚性赔偿制度的地

区。早在1988年修改"证券交易法"就明确规定了这一制度。2010年修改后的"证券交易法"第一百五十七条之一第三项规定:"违反第一项或前项规定者,对于当日善意从事相反买卖之人买入或卖出该证券之价格,与消息公开后十个营业日收盘平均价格之差额,负损害赔偿责任;其情节重大者,法院得依善意从事相反买卖之人之请求,将赔偿额提高至三倍;其情节轻微者,法院得减轻赔偿金额。"

为促使企业经营者重视其所提供的商品、服务的质量,维护消费者利益,惩罚恶意企业经营者,并防止其他企业经营者仿效,我国台湾地区在1994年制定"消费者保护法"时第一次使用"惩罚性赔偿金"。该法第五十一条规定:"依本法所提之诉讼,因企业经营者之故意所致之损害,消费者得请求损害额三倍以下之惩罚性赔偿金;但因过失所致之损害,得请求损害额一倍以下之惩罚性赔偿金。"为便利受害消费者能尽速求偿,同时减轻被害人的举证责任,1999年制定的"健康食品管理法"第二十九条规定:"出卖人有违反本法第七条、第十条至第十四条之情事时,买受人得退货,请求出卖人退还其价金;出卖人如系明知时,应加倍退还其价金;买受人如受有其他损害时,法院得因被害人之请求,依侵害情节命出卖人支付买受人零售价三倍以下或损害额三倍以下,由受害人择一请求之惩罚性赔偿金。但买受人为明知时,不在此限。制造、输入、贩卖之业者为明知或与出卖人有共同过失时,应负连带责任。"

当初引进惩罚性赔偿制度在岛内引起了很大争议。反对者认为,在大陆法系,惩处行为人的恶性已由刑事责任涵盖,在民事程序中课以惩罚性赔偿金,会造成刑事与民事性质的混淆;损害赔偿的目的只在于填补被害人所受损害,惩罚性赔偿金违反了损害赔偿原则;对过失侵害行为课以惩罚性赔偿金,有失妥当。

(二)英美法系国家

不同于大陆法系国家和地区,英美法系国家普遍承认惩罚性赔偿,但惩罚性赔偿的适用范围、金额因国家不同而有所不同。

1. 英国

大多数学者认为,惩罚性赔偿最初源于1763年英国法官Lord Camden在Huckle v. Money一案的判决。但早期英国普通法并没有明确惩罚性赔偿的适用范围,基本由法官自由裁量,广泛适用于各类侵权案件。

英国现行惩罚性赔偿的适用规则由英国上议院在1964年Rookes v. Barnard一案中确立,在该案处理中,英国上议院全面检讨了有关刑事诉讼后认为不应该允许在英国的民事诉讼继续作出惩罚性损失赔偿的决定,而主要原因就是,这会给民事诉讼与刑事诉讼的区分造成混乱。但上议院也认为有例外情况,并说明有三种情况可以判惩罚性损失赔偿:一是政府官员的压迫性、随意性或违反宪法的行为;二是侵权行为是侵权方计算过好处大过坏处,也就是侵权会带来更大的经济利益;三是立法明示允许作出惩罚性损失赔偿。

长期以来,英国普通法对惩罚性赔偿的批评不断,但英国法律委员会在1993年的咨询文件中最终认为:“应当保留惩罚性赔偿,但法律对其适用必须严格限制并使之合理化,惩罚性赔偿金只能适用于故意严重漠视原告权利的侵权案件,尤其是在双方地位不平等,原告的人格权受到侵害的情况下,但不能适用于违约。”但违约不能判处惩罚性赔偿金的情况也有所变化,如果违约同时可被认定为侵权,且侵权应判予惩罚性赔偿金,则违约也应判予惩罚性赔偿金。

2. 美国

(1)美国惩罚性赔偿制度概述。美国是惩罚性赔偿制度最为完善、影响最为深远的国家。在美国,惩罚性赔偿最早在1784年的Genay v. Norris一案中被确认。早期的惩罚性赔偿主要集中于故意或不道德的侮辱行为。进入20世纪,惩罚性赔偿制度在美国得到广泛应用,在很多方面已经远远超越了传统惩罚性赔偿的界限,被适用于侵权法、合同法、财产法、反垄断法、劳工法以及家庭法。由于大公司和大企业的蓬勃兴起,其制造的各种不合格商品对消费者造成了严重损害,由于大公司财大气粗,补偿性赔偿难以对其制造和销售不合格甚至危险商品的行为起到遏制作用,这就需要通过惩罚性赔偿保护消费者的利益,于是惩罚性赔偿逐渐适用于产品责任,同时赔偿的数额也在不断提高。1976年最高惩罚性赔偿金仅为25万美元;1981年一个案件中陪审团确认的赔偿金竟高达12亿美元,上诉审确认为350万美元;1993年的TXO Production Corp. v. Alliance Resources Corp. 案中,美国最高法院确认了1000万美元的惩罚性赔偿金;1994年Liebeck v. McDonald's Resturants案中,原告Stella Liebeck因将麦当劳咖啡洒到腿上造成严重烫伤并需要植皮治疗,陪审团确认了16万美元的补偿性赔偿和270万美元的惩罚性赔偿,后法官将惩罚性赔偿减少到48万美元。因为美国有一些法院作出了数十万美元甚至上千万美元的惩罚性赔偿金,这使人产生一种印象,那就是美国惩罚性赔偿金总是这么高。但根据部分法学教授和美国司法部的统计数据表明,在所有进入审判的民事案件中,只有2%的案件作出了惩罚性赔偿,惩罚性赔偿金额的中间值介于3.8万美元与5万美元之间。

在美国,惩罚性赔偿责任的构成要件一般包括:一是主观要件。只有行为人主观过错较为严重的情况下,才能适用惩罚性赔偿,根据一些美国法院作出的判例和州的立法要求,一般要求行为人主观具有故意、恶意、严重疏忽、明显不考虑他人的安全或者重大过失等。二是行为具有不法性和道德上的应受谴责性。由于惩罚性赔偿注重惩罚,一般不适用于轻微的违反注意义务的行为,主要针对具有不法性和道德上应受谴责的行为,这些行为已经超过了社会容忍的限度。三是造成损害后果。在适用惩罚性赔偿时,受害人必须首先证明已经发生了实际损害,而且这种损害是被告行为造成的。

在美国,除内布拉斯加州、新罕布什尔州、华盛顿特区外,其余各州都明确承认惩罚性赔偿制度。惩罚性赔偿在美国得到较为广泛的适用,不仅受其法律价值取向、法律传统的影响,而且与美国固有的制度紧密相关:一是陪审制度。陪审制度是在美国宪法第七修正案中明确规定的,陪审团成员可能会基于对侵权行为的厌恶而从情感上作出高额赔偿的认定。二是民事诉讼制度。在美国,民事诉讼实际上是一项重要的法律实施机制,原告充当“私人总检察官”,通过私人民事诉讼执行行政法规。三是律师制度。在美国侵权案件中,律师一般采取风险代理,如果当事人胜诉,律师将获得判决赔偿金的一部分,这客观上刺激原告提起诉讼并追求高额赔偿。

(2)美国国内关于惩罚性赔偿制度的争论。美国国内关于惩罚性赔偿存废的争论一直在持续,对惩罚性赔偿的合宪性以及过高赔偿数额的合理性都曾发生过激烈争论。反对惩罚性赔偿制度的理由主要有:一是惩罚性赔偿的合宪性受到质疑。首先,美国宪法第十四修正案规定,剥夺被告财产应当符合正当的法律程序。惩罚性赔偿金额由陪审团决定,缺乏明确的法律规定和标准,被告难以预见,违反了正当程序要求。其次,适用民事诉讼程序作出惩罚性赔偿,使被告缺乏充分救济。二是原告取得巨额赔偿金不具合理性。原告获得的惩罚性赔偿数额往往超出其实际损失,反而因受害而得利。三是惩罚性赔偿的数额难以确定,容易导致滥用。在很多案件中,陪审团不是根据被告的过错及其行为造成的损失决定惩罚性赔偿的数额,而是以被告的财富为标准。四是过高的惩罚性赔偿阻碍经济发展。其一是加重了企业经济负担,甚至可能导致破产,企业也会通过提高成本等方式转嫁给消费者;其二是会使生产商不敢开发新产品和新技术,影响产业发展。

(3)美国最高法院关于惩罚性赔偿制度的观点。自 20 世纪 80 年代以来,美国最高法院受理了多起有关惩罚性赔偿的上诉案件,在惩罚性赔偿制度发展历史上起着重要作用,表达了其判断惩罚性赔偿是否合乎宪法、金额是否过高的观点,但尚未能总结出一套明确的判断标准。美国最高法院受理的第一个有关惩罚性赔偿的案件是 1989 年 Browning – Ferris v. Kelco 案,最高法院以被告没有提出为由,拒绝考虑第十四修正案正当程序条款是否适用。

在 1991 年 Pacific Mutual Life Insurance Co. v. Haslip 案中,最高法院明确表示,阿拉巴马州最高法院根据普通法规则判决惩罚性赔偿没有违反第十四修正案正当程序条款,该案中,100 万美元的惩罚性赔偿是补偿性赔偿的 4 倍。

在 1993 年 TXO Production Corp. v. Alliance Resources Corp. 案中,最高法院支持了 1.9 万美元的补偿性赔偿和 1000 万美元的惩罚性赔偿,并明确拒绝在可以接受和不可接受的惩罚性赔偿金额之间作出明确的划分。

在 1994 年 BMW of North America Inc. v. Gore 案中,最高法院认为在经济损害只有 4000 美元的情形下,判决宝马公司承担 200 万美元惩罚性赔偿过高并且违宪。法院在该案中确立了三步测试法以判断一项惩罚性赔偿金额是否违宪：一是被告加害行为的恶劣程度；二是惩罚性赔偿金额与实际损害的比例；三是相应行为应受到的刑罚或者民事罚金的比较。

在2003年State Farm Mutual Insurance Co. v. Campbell案中，最高法院认为补偿性赔偿只有100万美元，而惩罚性赔偿高达1.45亿美元的判决违反了第十四修正案正当程序条款。最高法院在判决中指出，惩罚性赔偿与补偿性赔偿的比例通常在10倍以下，而本案中高达145∶1；并且陪审团不能根据被告的财产提出过高的赔偿金额。该案是最高法院在1994年提出三步测试法之后又一具有实质内容的重要判决。

2007年Philip Morris USA v. Williams案是最高法院新近受理的有关惩罚性赔偿的案件。原告Williams的丈夫死于与吸烟有关的肺癌，她作为遗产管理人起诉香烟生产商美国菲利普·莫里斯公司，认为他们的广告和研究使香烟看起来比实际危险小，初审法院陪审团裁决82.1万美元补偿性赔偿和7950万美元惩罚性赔偿，初审法院发现补偿性赔偿超过州的最高限额，并认为惩罚性赔偿过高，将各自数额减至52.1万美元和3200万美元。俄勒冈州上诉法院推翻了这一判决并根据宝马案中确立的三步测试法进行审查，最后考虑到误导行为的广泛程度和受到误导的人数众多，认为判决实际损害的97倍的惩罚性赔偿是合理的。俄勒冈州最高法院拒绝再审。美国最高法院受理了再审申请，撤销判决并发回上诉法院重审，认为陪审团不应当因为被告的行为给非当事人造成的伤害而确认惩罚性赔偿，要求重新考虑惩罚性赔偿金额。上诉法院又作出了7950万美元的判决，俄勒冈州最高法院支持了这一判决，认为法院在决定惩罚性赔偿时，可以考虑对俄勒冈州的其他人从事类似行为这一证据，即便这些人不是诉讼当事人。菲利普·莫里斯公司又申诉至最高法院,2009 年 3 月最高法院支持了俄勒冈州最高法院的判决,驳回申诉。

(4)美国各州惩罚性赔偿制度改革情况。惩罚性赔偿制度一直是美国侵权法改革的焦点问题。在 20 世纪 70 至 90 年代,美国惩罚性赔偿适用的总趋势是赔偿数额不断提高,但在大多数案件中,被告是否应承担惩罚性赔偿责任以及应当赔偿多少并没有明确的标准。自 20 世纪 80 年代起,美国掀起了一场对惩罚性赔偿的批评运动。许多学者认为,惩罚性赔偿在产品责任中的广泛运用妨碍了经济自由,对美国经济和科技的发展造成了不良影响,应当废除惩罚性赔偿制度。赞成惩罚性赔偿制度的学者也认为需要对惩罚性赔偿的数额问题作出一些限制。近二三十年,美国大多数州都对惩罚性赔偿制度进行了改革,通过立法或者判例对哪些情形适用惩罚性赔偿、如何确定惩罚性赔偿金额等内容进行了规范:

一是对被告的主观条件作了严格限定。大多数州都明确要求被告从事不法行为的主观状态为故意、恶意、欺骗、轻率或者有意识地漠视他人权利等;德克萨斯、佛罗里达等州也允许原告就被告的重大过失行为主张惩罚性赔偿。

二是规定了惩罚性赔偿的上限。为了避免陪审团作出的惩罚性赔偿金额过高,多数州明确规定了惩罚性赔偿金额的上限,如威斯康星州为 20 万美元或者补偿性赔偿的 2 倍中的更高者;田纳西州为 50 万美元或者补偿性赔偿的 2 倍中的更高者;爱达华州为 25 万美元或者补偿性赔偿的 3 倍中的更高者等。有些州以被告净资产的百分比作为上限,如蒙大拿州为 1000 万美元或者被告净资产的 3% 中的低者;密西西比州规定,被告净资产超过 10 亿美元的,惩罚性赔偿金不超过 2000 万美元,被告净资产在 7.5 亿美元至 10 亿美元之间的,不超过 1500 万美元,被告净资产在5亿美元至7.5亿美元之间的，不超过500万美元，被告净资产在1亿美元至5亿美元之间的，不超过375万美元，被告净资产在5千万美元至1亿美元之间的，不超过250万美元，被告净资产不足5千万美元的，不超过其净资产的2%。有些州根据被告主观恶性的程度确定不同的上限，如俄克拉荷马州规定，被告主观具有故意或恶意的，惩罚性赔偿金限制在50万美元、实际损害的2倍或者被告或保险人获得的利益；被告主观轻率地漠视他人权利的，限制在10万美元或者实际损害中的更高者。有些州如蒙大拿、明尼苏达授予法官检视陪审团作出的惩罚性赔偿金额的权力。

三是规定了免于承担惩罚性赔偿的情形。有些州如亚利桑那、俄亥俄、俄勒冈、新泽西、犹他等规定，生产、销售经FDA（美国食品药品管理局）批准的药品，免于承担惩罚性赔偿；亚利桑那州还规定，经营者提供的产品或服务符合州或联邦法律或规章要求的，免于承担惩罚性赔偿责任。

四是为惩罚性赔偿建立独立程序。有些州如阿拉斯加、密西西比、阿肯色、蒙大拿、宾夕法尼亚、伊利诺伊等明确要求陪审团通过独立的程序决定是否作出惩罚性赔偿的判决；德克萨斯、蒙大拿州还要求陪审团必须一致同意才能作出惩罚性赔偿的判决；有些州规定了陪审团决定惩罚性赔偿金额时需要考虑的因素，要求法官必须给予陪审团足够的指导。

五是禁止重复判决惩罚性赔偿。俄亥俄州规定，除特定情况下，如果被告已经因同一非法行为承担了惩罚性赔偿，禁止再作惩罚性赔偿判决；佛罗里达州规定，禁止针对同一行为多次判决惩罚性赔偿，除非法院认为先前的惩罚性赔偿判决不够充分。

六是强制将部分惩罚性赔偿金支付给政府基金。如纽约州规定将惩罚性赔偿的20%支付给州普通基金；印第安纳州规定将 75% 支付给州基金；犹他州规定惩罚性赔偿金超过 2 万美元的，其 50% 支付给州基金等。

（三）小结

从以上主要国家和地区惩罚性赔偿制度的实践情况以及存在的争议看，两大法系对惩罚性赔偿制度的态度正在从两个极端向中间靠拢。德国、法国等大陆法系代表国家过去绝对不承认的态度正在软化，主张在法律中规定的呼声越来越高，法官拒绝承认和执行外国惩罚性赔偿判决的立场也有所松动；而美国最高法院也注意到惩罚性赔偿制度存在的一系列问题，通过判例确立了若干规则，美国各州也纷纷通过立法和判例修正其适用范围、赔偿金额等。

四、经营者提供商品或者服务有欺诈行为的惩罚性赔偿

根据本条第一款规定，经营者提供商品或者服务有欺诈行为的，应当按照消费者的要求增加赔偿其受到的损失，增加赔偿的金额为消费者购买商品的价款或者接受服务的费用的三倍；增加赔偿的金额不足五百元的，为五百元。法律另有规定的，依照其规定。

（一）经营者有欺诈行为

适用本款的构成要件之一是经营者实施了欺诈行为。所谓欺诈，就是故意隐瞒真实情况或者故意告知对方虚假的情况，欺骗对方，诱使对方作出错误的意思表示而与之订立合同。欺诈行为既可是积极的行为，也可是消极的行为。欺诈行为在实践中可分故意隐瞒真实情况使他人陷入错误的欺诈和故意告知对方虚假情况的欺诈。故意隐瞒真实情况是指行为人负有义务向他方如实告知某种真实情况而故意不告知的；故意告知虚假情况就是虚假陈述，如将劣质品说成优等品。

国家工商行政管理总局 1996 年为配套消费者权益保护法颁布的《欺诈消费者行为处罚办法》中也明确定义了欺诈消费

者行为，是指经营者在提供商品(以下所称商品包括服务)或者服务中，采取虚假或者其他不正当手段欺骗、误导消费者，使消费者的合法权益受到损害的行为。并对实践中经常出现的欺诈消费者的行为进行了一一列举。其中第三条规定，经营者在向消费者提供商品中，有下列情形之一的，属于欺诈消费者行为：(1)销售掺杂、掺假，以假充真，以次充好的商品的；(2)采取虚假或者其他不正当手段使销售的商品分量不足的；(3)销售“处理品”、“残次品”、“等外品”等商品而谎称是正品的；(4)以虚假的“清仓价”、“甩卖价”、“最低价”、“优惠价”或者其他欺骗性价格表示销售商品的；(5)以虚假的商品说明、商品标准、实物样品等方式销售商品的；(6)不以自己的真实名称和标记销售商品的；(7)采取雇用他人等方式进行欺骗性的销售诱导的；(8)作虚假的现场演示和说明的；(9)利用广播、电视、电影、报刊等大众传播媒介对商品作虚假宣传的；(10)骗取消费者预付款的；(11)利用邮购销售骗取价款而不提供或者不按照约定条件提供商品的；(12)以虚假“有奖销售”、“还本销售”等方式销售商品的；(13)以其他虚假或者不正当手段欺诈消费者的行为。第四条规定，经营者在向消费者提供商品中，有下列情形之一，且不能证明自己确非欺骗、误导消费者而实施此种行为的，应当承担欺诈消费者行为的法律责任：(1)销售失效、变质商品的；(2)销售侵犯他人注册商标权的商品的；(3)销售伪造产地、伪造或者冒用他人的企业名称或者姓名的商品的；(4)销售伪造或者冒用他人商品特有的名称、包装、装潢的商品的；(5)销售伪造或者冒用认证标志、名优标志等质量标志的商品的。

随着经济的发展，经营者提供的商品或者服务也日益多元化，实践中出现的欺诈手段也日益复杂化、隐蔽化。只要经营者采取故意隐瞒真实情况或者故意告知对方虚假的情况的方式误导消费者,并使消费者陷入被欺诈的境地,都属于本款所规定的欺诈行为。

（二）增加赔偿金额的计算

在考虑如何计算增加赔偿金额之前,需要说明的是,消费者因经营者的欺诈行为受到损害的,消费者有权根据本法有关规定要求经营者承担民事赔偿责任。经营者在承担这些民事赔偿责任之后,消费者还可以根据本条规定要求经营者增加赔偿其受到的损失。换言之,本条规定的赔偿金额是在消费者所受损失之外增加的赔偿,不影响其根据本法第四十八条至第五十四条向经营者主张请求权。

根据第一款的规定,增加赔偿的金额原则上是购买商品的价款或者接受服务的费用的三倍。修改前的消费者权益保护法第四十九条规定增加赔偿的金额为购买商品的价款或者接受服务的费用的“一倍”。2012 年 4 月首次提请全国人大常委会审议的《关于〈中华人民共和国消费者权益保护法修正案(草案)〉的说明》中指出,实践中有的经营者采取弄虚作假等欺诈行为,损害消费者权益,甚至造成严重损害消费者生命健康的后果,各方面呼吁对此要加大惩罚力度。据此,一审草案规定:“经营者提供商品或者服务有欺诈行为的,应当按照消费者的要求增加赔偿其受到的损失,增加赔偿的金额为消费者购买商品的价款或者接受服务费用的两倍。”但在常委会审议过程中,有些常委委员和代表提出,草案规定的增加赔偿的金额惩罚力度不够,建议进一步提高到三倍或者五倍。在草案一审后的调研和征求意见过程中,大家都认为增加两倍赔偿惩罚力度偏低,普遍建议在此基础上再进一步提高。全国人大法律委员会在 2012 年 8 月提请全国人大常委会二次审议的汇报中指出,一些常委会组成人员、代表、地方、部门和社会公众提出,实践中一些经营者制假售假，甚至生产销售危害消费者生命健康的缺陷商品，严重侵害消费者权益，主观恶性较大，草案的规定还不足以惩戒违法经营者，应当提高惩罚性赔偿数额。法律委员会经研究，建议将原规定的两倍惩罚性赔偿修改为“三倍”，即本条规定的“退一赔三”。

在修改这一款过程中，考虑到有的商品价款或者服务费用较低，要求经营者额外支付两倍或者三倍金额惩罚性不足，消费者也可能因金额太小而放弃索赔，因此，本款还设定了最低赔偿金额，即商品价款或者服务费用的三倍低于五百元的，最低赔偿金额为五百元。设定最低赔偿责任制度的意义在于可以有效调动消费者维护自身合法权益的积极性，有些经营者的违法行为造成众多消费者损失，但每一个消费者的损失又很小，比如超市出售的商品缺斤短两，超市因此获得的不当利益总数不小，但具体到每个消费者，可能只是几元、几角甚至几分。这样一来，单一消费者缺乏维权的动力，按照修改前的消费者权益保护法，最多也只能拿到一倍惩罚性赔偿，还抵不上其维权所付出的成本，建立最低赔偿责任制度可以在一定程度上弥补其维权所付出的时间和精力，调动其维权的积极性。这样一来，违法经营者可能面对众多消费者维权，其获得的非法利益可能不足以抵销赔偿金额，打消违法经营者的侥幸心理，倒逼其规范经营。关于这个最低赔偿金额如何确定，在常委会审议以及征求各方面意见过程中，不少意见认为五百元太低，建议提高至一千元或者更高，也有个别意见建议降低至一百元。对这一问题，我们反复斟酌研究，考虑到经营者的行为并未给消费者造成严重的人身伤害，欺诈情节未造成严重后果，惩罚性赔偿金额不宜过高，商品价款或者服务费用的三倍、最低五百元的赔偿金额已能够达到惩戒、教育经营者的意义。

在第一款最后还增加了“法律另有规定的，依照其规定”。主要是为了与其他法律相衔接，如食品安全法第九十六条第二款规定：“生产不符合食品安全标准的食品或者销售明知是不符合食品安全标准的食品，消费者除要求赔偿损失外，还可以向生产者或者销售者要求支付价款十倍的赔偿金。”

五、经营者明知缺陷仍然提供造成人身伤害的惩罚性赔偿

根据本条第二款规定，经营者明知商品或者服务存在缺陷，仍然向消费者提供，造成消费者或者其他受害人死亡或者健康严重损害的，受害人有权要求经营者依照本法第四十九条、第五十一条等法律规定赔偿损失，并有权要求所受损失二倍以下的惩罚性赔偿。

本款是这次修改新增加的内容，原消费者权益保护法第四十九条没有这一规定，2009 年制定侵权责任法时对惩罚性赔偿制度作了原则规定，规定的内容为“相应的惩罚性赔偿”，没有规定具体如何计算，这次修改实质上是将侵权责任法的这一规定在消费者保护领域具体化。

（一）经营者明知商品或者服务存在缺陷仍然向消费者提供

经营者明知商品或者服务有缺陷仍然向消费者提供，是适用本款的主观构成要件，根据产品质量法，所谓“缺陷”，是指经营者生产、销售的商品或者提供的服务不符合保障人体健康，人身、财产安全的国家标准、行业标准，没有国家标准、行业标准的，存在危及人身、他人财产安全的不合理的危险。国家对可能危及人体健康和人身、财产安全的工业产品，如电器、压力容器、易燃易爆产品、儿童玩具、家具等，都制定了强制性的国家标准、行业标准。但由于商品种类繁多，服务业发展迅猛，国家标准、行业标准在一定程度上滞后于市场经济发展的需要，没有国家

标准、行业标准的，经营者生产、销售的商品以及提供的服务必须没有危及人身、财产安全的不合理的危险，不得违反法律的强制性规定。

商品或者服务存在缺陷的，对消费者的人身、财产安全构成了严重威胁，经营者在明知商品或者服务存在缺陷的情况下仍然向消费者提供，主观恶性较大，对消费者可能造成的损害持放任态度。这是第二款与第一款的区别之一，经营者的主观恶性程度不同，这也是这次修改消费者权益保护法新增加第二款规定的重要依据，要加大对主观恶性明显的经营者的惩处力度。

（二）造成消费者或者其他受害人死亡或者健康严重损害

适用本款的第二个构成要件为经营者提供的商品或者服务给消费者或者其他受害人造成实际损害。本款所要求的损害后果为“死亡或者健康严重损害”，这也是区别于第一款的重要表现，第一款主要适用于商品或服务本身存在问题以及尚未造成死亡、健康严重损害的情形。

（三）赔偿金额的计算

第二款规定的赔偿分为两部分：一部分是受害人依照本法第四十九条、第五十一条等规定请求的赔偿，是对受害人既有损失的赔偿，造成财产损失的，应当全额赔偿。造成人身伤害的，应当赔偿医疗费、护理费、交通费、误工费等；造成残疾的，还应当赔偿残疾生活辅助具费和残疾赔偿金；造成死亡的，还应当赔偿丧葬费和死亡赔偿金；造成严重精神损害的，还应当承担精神损害赔偿责任。另一部分是惩罚性赔偿，受害人可以主张不超过第一部分损失两倍以下的惩罚性赔偿，如第一部分赔偿金总计为五十万元，受害人除可以获得这五十万元赔偿金外，还可以要求经营者承担一百万元以下的惩罚性赔偿，具体金额由法院根据案件情形确定。

在这次修改过程中，争论焦点之一就是第二款规定的惩罚性赔偿金如何确定，初次提请全国人大常委会审议的草案第五十四条第二款规定："经营者有明知商品或者服务存在缺陷，仍然向消费者提供的欺诈行为，造成消费者或者其他受害人死亡或者健康严重损害的，依法追究刑事责任；受害人有权要求所受损失两倍以下的民事赔偿。"这里的"两倍以下的民事赔偿"既包括经营者应当向受害人赔偿的既有损失，也包括惩罚性赔偿。换言之，惩罚性赔偿不超过受害人既有损失的一倍。审议过程中有的提出，两倍以下的民事赔偿太低，应当提高。有的提出，应该规定最低限额保障惩罚的力度，而不是规定最高限额限制对违法者的惩处，惩罚性赔偿应当不设上限，至少为两倍。全国人大法律委员会认真研究了上述意见，草案二次审议稿第五十四条第二款规定："经营者有明知商品或者服务存在缺陷，仍然向消费者提供的欺诈行为，造成消费者或者其他受害人死亡或者健康严重损害的，依法追究刑事责任；受害人有权要求所受损失三倍以下的民事赔偿。"审议过程中有的委员建议明确损失的范围，并将"民事赔偿"修改为"惩罚性赔偿"，也有建议提高惩罚性赔偿额。法律委员会经研究认为，这里的损失不仅包括人身伤害损失、财产损失，还包括精神损害赔偿，可以考虑在此基础上再明确两倍以下的惩罚性赔偿，建议修改为"受害人有权要求经营者依照本法第四十九条、第五十一条等法律规定赔偿损失，并有权要求所受损失二倍以下的惩罚性赔偿"。

惩罚性赔偿制度的核心之一是赔偿金额，确定合理的赔偿金额直接关系到这一制度的实施效果。若赔偿金额过低，大公司往往极易将其计入成本，转嫁给消费者，无法起到遏制侵权行为的作用。若赔偿金额过高，可能使经营者忌惮于责任过重，不敢研发新产品，不利于增强我国产品的竞争力，客观上也不利于我国经济的发展。根据第二款的规定，以造成受害人死亡为例，经营者应当承担的惩罚性赔偿金额≤[人身伤害损失（医疗费、护理费、交通费等+误工损失+丧葬费+死亡赔偿金）+财产损失+精神损害赔偿]×2。根据目前司法实践，医疗费、护理费、交通费以及财产损失等都是根据实际发生的费用计算的，精神损害赔偿一般也由法院根据案件情形自由裁量，只有死亡赔偿金较为固定，一般以当地城镇居民人均可支配收入的二十倍计算。我们认为，惩罚性赔偿金额要符合我国经济发展实际，从我国目前的经济社会发展水平看，这个赔偿额已经比较高了，惩罚性赔偿的作用就是制裁加遏制，制裁违法经营者，遏制这种违法行为再次发生，过低则起不到作用，过高也会存在问题，经营者可能难以承担，法院判决无法执行，最终消费者也难以获得实际赔偿。

第五十六条　经营者有下列情形之一，除承担相应的民事责任外，其他有关法律、法规对处罚机关和处罚方式有规定的，依照法律、法规的规定执行；法律、法规未作规定的，由工商行政管理部门或者其他有关行政部门责令改正，可以根据情节单处或者并处警告、没收违法所得、处以违法所得一倍以上十倍以下的罚款，没有违法所得的，处以五十万元以下的罚款；情节严重的，责令停业整顿、吊销营业执照：

（一）提供的商品或者服务不符合保障人身、财产安全要求的；

（二）在商品中掺杂、掺假，以假充真，以次充好，或者以不合格商品冒充合格商品的；

（三）生产国家明令淘汰的商品或者销售失效、变质的商品的；

（四）伪造商品的产地，伪造或者冒用他人的厂名、厂址，篡改生产日期，伪造或者冒用认证标志等质量标志的；

（五）销售的商品应当检验、检疫而未检验、检疫或者伪造检验、检疫结果的；

（六）对商品或者服务作虚假或者引人误解的宣传的；

（七）拒绝或者拖延有关行政部门责令对缺陷商品或者服务采取停止销售、警示、召回、无害化处理、销毁、停止生产或者服务等措施的；

（八）对消费者提出的修理、重作、更换、退货、补足商品数量、退还货款和服务费用或者赔偿损失的要求，故意拖延或者无理拒绝的；

（九）侵害消费者人格尊严、侵犯消费者人身自由或者侵害消费者个人信息依法得到保护的权利的；

（十）法律、法规规定的对损害消费者权益应当予以处罚的其他情形。

经营者有前款规定情形的，除依照法律、法规规定予以处罚外，处罚机关应当记入信用档案，向社会公布。

【释义】 本条是关于经营者违反法定义务应当承担行政责任的规定。本次修改消费者权益保护法对本条作了修改。

本法第三章规定了经营者应当承担的义务，经营者违反本法以及其他法律法规有关规定，造成消费者或者其他受害人人身、财产损失的，除根据本法第四十八至第五十五条应当承担相应的民事赔偿责任，因其行为损害了社会公共利益，扰乱了正常的市场经济秩序，还应当根据本法承担行政责任。这次修改在第一款中增加规定了“除承担相应的民事责任外”，意在对这一点予以强化，向违法经营者明示，既要承担民事责任，还要承担行政责任，两种责任并行不悖、不能相互替代。

一、行政处罚的依据和主体

根据第一款规定，经营者有本条所列情形之一的，其他有关法律、法规对处罚机关和处罚方式有规定的，依照法律、法规的规定执行；法律、法规未作规定的，由工商行政管理部门或者其他有关行政部门处罚。

1. 关于处罚依据。本法是保护消费者权益的一般法，其他法律法规对处罚违法经营者有特别规定的，依照其规定，在理论上这称为“特别法优于一般法”。修改前的消费者权益保护法第五十条只列举了产品质量法，考虑到除了产品质量法，还有食品安全法、药品管理法、农产品质量安全法、标准化法、广告法、食品安全法实施条例、药品管理法实施条例等法律法规规定了对违法经营者的行政处罚，这次修改就不再单独列举产品质量法，统一归于其他有关法律、法规之中。

2. 关于处罚主体。其他法律、法规对处罚机关有规定，依照其规定。如食品安全法规定的主管部门包括县级以上质量监督部门、工商行政管理部门和食品药品监督管理部门，依据各自在食品安全监管中所承担的职责进行执法；农产品质量安全法规定的主管部门主要指县级以上农业部门。除此之外，修改前的消费者权益保护法第五十条规定依据本法进行行政处罚的主体为工商行政管理部门，在修改过程中，有的部门提出，其他行政部门在其他法律、法规没有明确规定的情况下，也可以依据本法对违法经营者予以处罚。因此，这次修改在工商行政管理部门后增加了“其他有关行政部门”，以弥补其他法律法规的不足，更好地保护消费者合法权益。

二、行政处罚的种类

本条第一款规定，经营者有本条规定情形之一的，工商行政管理部门或者其他有关行政部门责令改正，可以根据情节单处或者并处警告、没收违法所得、处以违法所得一倍以上十倍以下的罚款,没有违法所得的,处以五十万元以下的罚款;情节严重的,责令停业整顿、吊销营业执照。根据这一规定,可以采取的行政处罚有:责令改正、警告、没收违法所得、罚款、责令停业整顿、吊销营业执照。

1. 责令改正,是指有关行政部门责令违法经营者停止和纠正违法行为,维持法定的秩序或者状态,具有事后救济性。

2. 警告,是指有关行政部门对实施了违法行为的经营者作出的书面谴责和训诫。警告是行政处罚中精神罚的一种具体形式,属于最轻微的行政处罚,只适用于情节轻微或者未构成实际危害结果的违法行为。警告兼具制裁性质和教育性质,警告的目的在于向违法经营者发出警戒,向其指出行为的违法性和社会危害性,表明行政部门对其违法行为的否定性态度,促使其引起足够的重视,避免再次违法。

3. 没收违法所得,是指有关行政部门依法将违法经营者取得的违法所得财物,运用国家法律法规赋予的强制措施,对其违法所得财物的所有权予以强制性剥夺的处罚方式,在学理上被称作财产罚。

4. 罚款,是对违法经营者的一种经济上的处罚,有关行政部门强制违法经营者承担一定的金钱给付义务,是行政处罚中较为常见的处罚方式之一。修改前的消费者权益保护法第五十条规定的罚款金额为违法所得一倍以上五倍以下,没有违法所得的,一万元以下。在征求意见和全国人大常委会审议过程中,不少意见提出,当前经营者坑害消费者的事件层出不穷,其中一个重要原因就是违法成本过低,应当加大对违法经营者的制裁力度;1993 年制定消费者权益保护法时一万元的罚款已经不低,但随着经济社会的发展,一万元的封顶金额已明显不适应,建议适当提高罚款金额,要让经营者不想违法、不敢违法。这次修改在原有基础上提高了对违法经营者的罚款力度,将"一倍以上五倍以下"修改为"一倍以上十倍以下",将没有违法所得的罚款上限提高至"五十万元"。

5. 责令停业整顿,是有关行政部门强制要求违法经营者停止生产经营的行政处罚。

6. 吊销营业执照,是有关行政部门对违法经营者依法实行剥夺其从事某项生产经营活动资格的一种行政处罚,是一种比较严厉的行为能力罚。

根据第一款规定,对经营者违法情节较轻的,有关行政部门可以采取责令改正的措施,经营者在限定期限内改正的可以不再采取其他处罚措施;如果违法经营者拒绝改正,或者违法情节较重的,有关行政部门可以采取第一款规定的其他处罚措施,警告、没收违法所得、罚款这三种处罚措施可以单处也可以并处;对情节严重的,可以直接责令违法经营者停业整顿或者吊销其营业执照。责令停业整顿、吊销营业执照是两种较为严厉的行政处罚措施,对行政相对人的影响较大,有关行政部门在适用这两种处罚措施时应当慎重,严格适用的情形。

三、经营者的违法情形

(一)提供的商品或者服务不符合保障人身、财产安全要求的。符合保障人身、财产安全要求,是指符合强制性国家标准、行业标准和地方标准,不存在危及人身、财产安全的不合理的危险。这次修改将原第一项中的"生产、销售的商品"修改为"提供的商品或者服务",征求意见过程中,有的意见提出,原第一项仅对商品作出要求,不包括服务,实践中,经营者提供的服务如整容、健身等造成消费者人身、财产损失的案件也很多,建议将服务纳入进来。正是考虑到这一意见,作出如上修改。

（二）在商品中掺杂、掺假，以假充真，以次充好，或者以不合格商品冒充合格商品的。“掺杂、掺假”，是指行为人以牟取非法利益为目的，故意在产品中掺入降低产品质量、影响产品正常使用性能的异物的一种质量违法行为。“以假充真”，是指行为人用一种产品冒充与其特征和特性不同的另一种产品，以欺骗的手段牟取非法利益，损害消费者合法权益的一种违法行为。“以次充好”，是指行为人以低档次、低等级的产品冒充高档次、高等级的产品，或者用废旧产品、质量低劣的产品冒充新的产品、质量较高的产品。不合格商品，是指产品质量不符合国家有关法律、法规规定的要求，或者不符合明示采用的产品标准、产品说明、实物样品或者以其他方式表明的质量状况的商品。不合格商品包括劣质品和处理品两类。以不合格产品冒充合格产品，是指将不合格产品进行伪装，充当合格产品的违法行为。

（三）生产国家明令淘汰的商品或者销售失效、变质的商品的。国家明令淘汰的商品是指国务院或国务院有关部门依其行政职权，通过颁发行政文件的形式，向社会公开宣布淘汰的某项商品或商品的某个型号。国家淘汰的商品，多是性能落后、耗能高、效用小、环境污染较大、毒副反应大，对人体健康或人身、财产安全和动植物安全危害较大的商品。

（四）伪造商品的产地，伪造或者冒用他人的厂名、厂址，篡改生产日期，伪造或者冒用认证标志等质量标志的。产地是指商品生产的所在地。一些商品因产地不同，其性能和质量指标可能会有较大的差异。产地标志在一定程度上也表示商品的质量与信誉，对消费者的判断产生影响。厂名、厂址是区别不同经营者的重要标志，伪造厂名、厂址，使得消费者在商品质量出现问题时，无法找到生产者。篡改生产日期，是指经营者为牟取不当利益故意更改生产日期标识，以便将临近保质期甚至已经超出保质期的商品当作正常商品销售给消费者，使消费者误以为该商品还有一段时间才过期或者仍在保质期范围内，可能给消费者的人身、财产安全造成损害或者隐患。质量标志是指有关主管部门或者组织，按照规定的程序颁发给生产者，用以表明该企业生产的产品的质量达到相应水平的证明标志，如方圆认证标志、长城认证标志、PRC 认证标志和由国际羊毛局颁发的纯羊毛认证标志等。质量认证标志等产品质量标志表明的是产品质量所达到的水平和质量状态，只有经具备认证资格的机构经过一定的程序对达到一定条件的企业授权后，企业才能使用，任何以非法手段使用、冒充这些质量标志的行为，都是对产品质量事实真相的隐瞒，是对消费者的欺骗。在全国人大常委会审议过程中，有的常委委员提出，名优标志是根据原《国家优质产品评选条例》的规定审核、评定并颁发给企业的质量标志，1994 年国务院已经废止了这一条例，2000 年全国人大常委会在审议产品质量法修正案时，据此删去了原产品质量法中有关名优标志的规定，建议这次修改消费者权益保护法也予以删去。法律委员会经研究，为与产品质量法的有关规定保持一致，采纳了这一意见，删去了原第四项中的“名优标志”。在消费者权益保护法修改三审中，有的常委委员、代表提出，实践中篡改生产日期的例子并不鲜见，对消费者的身体健康构成很大威胁，建议规定经营者篡改商品生产日期的行政责任。法律委员会经研究，采纳了这一意见，在这一项中增加规定“篡改生产日期”的情形。

（五）销售的商品应当检验、检疫而未检验、检疫或者伪造检验、检疫结果的。检验检疫是指法定检验检疫机构依照国家法律、行政法规和规定对必须检验检疫的出入境货物、交通运输工具、人员及其事项等依照规定的程序实施强制性的措施。本法所称“检验、检疫”主要指对所销售商品进行的检验检疫。我国很多法律法规和规范性文件都对检验检疫制度作了明确规定,如种子法第二十三条规定:“商品种子生产应当执行种子生产技术规程和种子检验、检疫规程。”食品安全法第六十二条第二款规定:“进口的食品应当经出入境检验检疫机构检验合格后,海关凭出入境检验检疫机构签发的通关证明放行。”《国务院办公厅关于印发2013 年食品安全重点工作安排的通知》要求严厉打击销售未经检疫检验或检疫检验不合格肉品的违法行为,等等。销售依法应当检验检疫而未检验检疫或者伪造检验检疫结果的商品,可能危及消费者的身体健康及人身、财产安全。

(六)对商品或者服务作虚假或者引人误解的宣传的。目前,经营者通过广告以及其他方式对产品质量作虚假宣传的现象很严重,有的不切实际地夸大产品的功效,有的故意隐瞒重要信息,误导消费者,损害消费者的合法权益,造成了很恶劣的影响。

(七)拒绝或者拖延有关行政部门责令对缺陷商品或者服务采取停止销售、警示、召回、无害化处理、销毁、停止生产或者服务等措施的。这一项与本法第三十三条规定相呼应,本法第三十三条第二款规定:“有关行政部门发现并认定经营者提供的商品或者服务存在缺陷,有危及人身、财产安全危险的,应当立即责令经营者采取停止销售、警示、召回、无害化处理、销毁、停止生产或者服务等措施。”有关行政部门根据这一规定责令经营者采取相应措施,经营者拒绝或者拖延执行的,应当承担行政责任。

(八)对消费者提出的修理、重作、更换、退货、补足商品数量、退还货款和服务费用或者赔偿损失的要求,故意拖延或者无理拒绝的。这一项与本法第五十二条规定相呼应,本法第五十二条规定:“经营者提供商品或者服务,造成消费者财产损害的,应当按照法律规定或者当事人约定承担修理、重作、更换、退货、补足商品数量、退还货款和服务费用或者赔偿损失等方式承担民事责任。”消费者根据法律规定或者约定承担上述要求的,经营者不得故意拖延或者无理拒绝。根据国家工商行政管理总局颁布的《关于处理侵害消费者权益行为的若干规定》,经营者在消费者有证据证明向其提出承担民事责任的合法要求之日起超过十五日,并且两次以上没有正当理由拒不承担民事责任的,视为故意拖延或者无理拒绝。

(九)侵害消费者人格尊严、侵犯消费者人身自由或者侵害消费者个人信息依法得到保护的权利的。这一项与本法第五十条相呼应,本法第五十条规定:“经营者侵害消费者的人格尊严、侵犯消费者人身自由或者侵害消费者个人信息依法得到保护的权利的,应当停止侵害、恢复名誉、消除影响、赔礼道歉,并赔偿损失。”随着经济社会的发展,消费者越来越重视在消费过程中其人格受到尊重,其个人信息依法得到保护,经营者有上述违法行为的,不仅要承担民事责任,有关行政部门也可以根据本法以及其他法律法规的规定,对其予以行政处罚。

(十)法律、法规规定的对损害消费者权益应当予以处罚的其他情形。这一项是兜底性规定,对今后可能出现的违法行为难以预见,只能尽可能地将制定法律时已经出现的各种违法行为加以列举,随着法律的实施,有些经营者会出现其他违反法律规定的行为,这就需要在制定其他法律法规时将其纳入处罚范围,其他法律法规未规定具体处罚内容的,可以适用本法。

四、将违法经营者记入信用档案

党的十八大报告指出,要“深入开展道德领域突出问题专项教育和治理,加强政务诚信、商务诚信、社会诚信和司法公信建设”。在市场经济中,信用是进行正常商业活动和金融活动的前提和基础。我国要发展社会主义市场经济,就必须建立和完善各项信用制度。虽然我国经济得到高速发展,人们的生活水平有了很大的提高,社会也不断地在进步,但是与发达国家比较,社会信用体系在我国的建立还处在初级阶段,作为现代化经济不可缺少的一部分,信用体系对企业的经济发展至关重要。当前,我国社会信用缺失问题严重,影响极坏,有些经营者制假售假,生产经营不符合国家安全标准的产品。近年来,食品药品安全事故多发,扰乱了正常的市场经济秩序,严重损害了人民群众的身体健康和社会稳定,打击了消费者的消费信心。在草案审议过程中,有的常委会组成人员提出,一些经营者违法经营,制售假冒伪劣商品,进行虚假宣传,严重损害消费者权益,一个重要原因就是缺失诚信,背离社会公德,消费者权益保护法应当强调加强社会诚信建设。全国人大法律委员会经研究认为,在本法修改中进一步体现这一精神,有利于引导经营者自觉履行法定义务并承担社会责任,培育诚信的消费环境,增强人民群众的消费信心,建议在本条增加一款规定。

建立信用档案制度,对于打击经营者的失信行为,防范和化解不安全因素,强化经营者的责任意识,引导企业诚信守法,促进行业稳定和发展,维护正常的社会经济秩序,保护群众权益,推进政府更好地履行经济调节、市场监管、社会管理和公共服务的职能,具有重要的现实意义。全国人大及其常委会高度重视信用档案的建设和使用,分别在旅游法和商标法增加规定了相应内容,旅游法第一百零八条规定:“对违反本法规定的旅游经营者及其从业人员,旅游主管部门和有关部门应当记入信用档案,向社会公布。”商标法第六十八条第二款规定:“商标代理机构有前款规定行为的,由工商行政管理部门记入信用档案;情节严重的，商标局、商标评审委员会并可以决定停止受理其办理商标代理业务，予以公告。”国务院以及各部门也非常重视信用档案的建设，国务院2011年要求各监管部门在年底前按系统对所有食品生产经营者建立食品安全信用档案，又于2012年重申建立食品安全信用档案。各级房地产管理部门、工商行政管理部门将存在违法违规行为的房地产中介机构和经纪人员记入信用档案；国土资源行政主管部门将评估机构的违法违规行为记入信用档案并向社会公布等。

根据第二款规定，经营者有前款规定情形的，除依照法律、法规规定予以处罚外，处罚机关应当记入信用档案，向社会公布。负有消费者保护职责的各有关行政部门如工商行政管理部门、质量监督部门、食品药品监督管理部门、农业部门、工信部门、商务部门等，应当按照各自职责建立信用档案，根据本法以及其他法律法规的要求，在对违法经营者予以行政处罚的同时，将其违法行为记入信用档案，并及时向社会公布，以利于公众查询，将违法经营者及其违法行为曝光。建立信用档案意旨在于强化经营者的责任意识，加强对经营者的监管，惩恶扬善，褒扬守法经营的经营者，依法惩治违法经营者，保护消费者合法权益，为消费者创造良好的消费环境，为拉动和提升我国经济竞争力发挥作用。

第五十七条　经营者违反本法规定提供商品或者服务，侵害消费者合法权益，构成犯罪的，依法追究刑事责任。

【释义】 本条是关于依法追究经营者刑事责任的规定。

本条规定是本次修改消费者权益保护法新增加的内容。在增加这一条之前，依法追究违法经营者刑事责任的条款分别规定在第四十条和第五十五条中，但在审议过程中，有的常委委员提出,对经营者在经营活动中严重侵害消费者合法权益的行为,都应当依法追究刑事责任,建议对此作出明确规定。法律委员会经研究,建议增加本条规定。同时,删去原有两条中的相关规定。

本条规定是为了衔接本法与刑法之间的关系而设置的,主要有两层含义:一是使经营者清楚地认识到,违反本法规定提供商品或者服务,侵害消费者合法权益的,除了需要承担民事责任、行政责任外,构成犯罪的,还应当依法承担刑事责任。二是经营者是否构成犯罪,不是根据本条或者本法,而是应当依据刑法有关规定,本条只是起到指引作用。

根据刑法规定,经营者违反本法规定提供商品或者服务,侵害消费者合法权益,可能涉及的刑法罪名主要有:

(一)生产、销售伪劣产品罪。根据刑法第一百四十条规定,生产者、销售者在产品中掺杂、掺假,以假充真,以次充好或者以不合格产品冒充合格产品,销售金额五万元以上不满二十万元的,处二年以下有期徒刑或者拘役,并处或者单处销售金额百分之五十以上二倍以下罚金;销售金额二十万元以上不满五十万元的,处二年以上七年以下有期徒刑,并处销售金额百分之五十以上二倍以下罚金;销售金额五十万元以上不满二百万元的,处七年以上有期徒刑,并处销售金额百分之五十以上二倍以下罚金;销售金额二百万元以上的,处十五年有期徒刑或者无期徒刑,并处销售金额百分之五十以上二倍以下罚金或者没收财产。生产、销售伪劣产品罪必须具备以下几个条件:(1)生产者、销售者有生产、销售伪劣产品从中牟利的故意;(2)生产者、销售者在客观上实施了"在产品中掺杂、掺假,以假充真,以次充好或者以不合格产品冒充合格产品"等行为;(3)生产者、销售者在产品中掺杂、掺假,以假充真,以次充好或者以不合格产品冒充合格产品，销售金额达到五万元以上，才构成犯罪，销售金额不足五万元的，不构成犯罪；(4)生产、销售伪劣产品的犯罪主体是生产者、销售者。

(二)生产、销售假药罪。根据刑法第一百四十一条规定，生产、销售假药的，处三年以下有期徒刑或者拘役，并处罚金；对人体健康造成严重危害或者有其他严重情节的，处三年以上十年以下有期徒刑，并处罚金；致人死亡或者有其他特别严重情节的，处十年以上有期徒刑、无期徒刑或者死刑，并处罚金或者没收财产。生产、销售假药犯罪危害严重，引起社会公众的广泛关注，为适应打击犯罪、加强民生保护的需要，2011 年通过的《刑法修正案(八)》加大了打击力度，只要实施了生产、销售假药的行为，即构成犯罪，不要求一定要有实际的危害结果发生，并把对人体健康已造成严重危害后果作为加重处罚情节。

(三)生产、销售劣药罪。根据刑法第一百四十二条规定，生产、销售劣药，对人体健康造成严重危害的，处三年以上十年以下有期徒刑，并处销售金额百分之五十以上二倍以下罚金；后果特别严重的，处十年以上有期徒刑或者无期徒刑，并处销售金额百分之五十以上二倍以下罚金或者没收财产。生产、销售劣药必须要有对人体健康造成严重危害的后果，才构成犯罪，这也是生产、销售劣药罪与生产、销售假药罪在犯罪构成上最大的不同。根据司法实践，“对人体健康造成严重危害”，是指生产、销售的劣药被使用后，造成轻伤、重伤或者其他严重后果的。

(四)生产、销售不符合安全标准的食品罪。根据刑法第一百四十三条规定，生产、销售不符合食品安全标准的食品，足以造成严重食物中毒事故或者其他严重食源性疾病的，处三年以下有期徒刑或者拘役，并处罚金；对人体健康造成严重危害或者有其他严重情节的，处三年以上七年以下有期徒刑，并处罚金;后果特别严重的,处七年以上有期徒刑或者无期徒刑,并处罚金或者没收财产。“不符合食品安全标准的食品”主要是指:(1)用非食品原料生产的食品或者添加食品添加剂以外的化学物质和其他可能危害人体健康物质的食品,或者用回收食品作为原料生产的食品;(2)致病性微生物、农药残留、兽药残留、重金属、污染物质以及其他危害人体健康的物质含量超过食品安全标准限量的食品;(3)营养成分不符合食品安全标准的专供婴幼儿和其他特定人群的主辅食品;(4)腐败变质、油脂酸败、霉变生虫、污秽不洁、混有异物、掺假掺杂或者感官性状异常的食品;(5)病死、毒死或者死因不明的禽、畜、兽、水产动物肉类及其制品;(6)未经动物卫生监督机构检疫或者检疫不合格的肉类,或者未经检验或者检验不合格的肉类制品;(7)被包装材料、容器、运输工具等污染的食品;(8)超过保质期的食品;(9)无标签的预包装食品;(10)国家为防病等特殊需要明令禁止生产经营的食品;(11)其他不符合食品安全标准或者要求的食品。

(五)生产、销售有毒、有害食品罪。根据刑法第一百四十四条规定,在生产、销售的食品中掺入有毒、有害的非食品原料的,或者销售明知掺有有毒、有害的非食品原料的食品的,处五年以下有期徒刑,并处罚金;对人体健康造成严重危害或者有其他严重情节的,处五年以上十年以下有期徒刑,并处罚金;致人死亡或者有其他特别严重情节的,依照本法第一百四十一条的规定处罚。行为人在客观上实施了在生产、销售的食品中掺入有毒、有害的非食品原料或者明知是掺有有毒、有害的非食品原料的食品而销售的行为,至于销售后有无具体危害后果的发生并不影响本罪的成立。所谓“有毒、有害的非食品原料”,是指对人体具有生理毒性,食用后会引起不良反应,损害机体健康的不能食用的原料。如制酒时加入工业酒精,在饮料中加入国家严禁使用的非食用色素等。

（六）生产、销售不符合安全标准的产品罪。根据刑法第一百四十六条规定,生产不符合保障人身、财产安全的国家标准、行业标准的电器、压力容器、易燃易爆产品或者其他不符合保障人身、财产安全的国家标准、行业标准的产品,或者销售明知是以上不符合保障人身、财产安全的国家标准、行业标准的产品,造成严重后果的,处五年以下有期徒刑,并处销售金额百分之五十以上二倍以下罚金;后果特别严重的,处五年以上有期徒刑,并处销售金额百分之五十以上二倍以下罚金。由于电器、压力容器、易燃易爆产品使用危险性大,破坏性强,一旦发生爆炸、漏电、燃烧等,会给人的生命、健康和财产造成很大损失,因此,国家对电器、压力容器、易燃易爆产品规定了严格的国家标准和行业标准,不符合标准,不准出厂。生产者、销售者明知不符合国家标准、行业标准仍然生产、销售,并造成严重后果的,构成犯罪。

（七）生产、销售不符合卫生标准的化妆品罪。根据刑法第一百四十八条规定,生产不符合卫生标准的化妆品,或者销售明知是不符合卫生标准的化妆品,造成严重后果的,处三年以下有期徒刑或者拘役,并处或者单处销售金额百分之五十以上二倍以下罚金。鉴于化妆品在人们生活中的作用越来越重要,国家制定了《化妆品卫生标准》,详细地规定了化妆品的各项卫生标准,不符合卫生标准的化妆品不准出厂。当前,消费者因使用了伪劣化妆品导致毁容的案件时有发生,给消费者身体健康造成严重损害,严重困扰了消费者的正常生活,生产者、销售者违反刑法这一规定造成严重后果的,构成本罪。

（八）虚假广告罪。根据刑法第二百二十二条规定,广告主、广告经营者、广告发布者违反国家规定，利用广告对商品或者服务作虚假宣传，情节严重的，处二年以下有期徒刑或者拘役，并处或者单处罚金。广告是经营者推销产品的重要渠道，随着市场经济的发展，广告业也获得了迅猛发展，但广告业在快速发展的同时也存在很多问题，很多经营者利用广告对商品或者服务作虚假宣传，或者在广告中夸大产品、服务的功效，欺骗和误导消费者。这些问题不仅妨碍广告业的健康发展，干扰了市场经济秩序，也严重损害了消费者的合法权益。广告主、广告经营者、广告发布者违反广告法、产品质量法等法律法规，利用广告对所生产的产品或者提供的服务作夸张、虚伪和不实的宣扬或传播，欺骗或者误导消费者，情节严重的，构成本罪。

(九)强迫交易罪。根据刑法第二百二十六条规定，以暴力、威胁手段，实施下列行为之一，情节严重的，处三年以下有期徒刑或者拘役，并处或者单处罚金；情节特别严重的，处三年以上七年以下有期徒刑，并处罚金：(1)强买强卖商品的；(2)强迫他人提供或者接受服务的。本法在“消费者的权利”一章中明确规定了消费者享有自主选择商品或者服务的权利，第九条规定，消费者享有自主选择商品或者服务的权利。消费者有权自主选择提供商品或者服务的经营者，自主选择商品品种或者服务方式，自主决定购买或者不购买任何一种商品、接受或者不接受任何一项服务。经营者在商品交易中不遵守公平自愿的原则，不顾消费者是否同意，违反法律法规和商品交易规则，以暴力、威胁手段强迫消费者购买商品或者接受服务，情节严重的，即构成本罪。

经营者侵犯消费者合法权益可能触犯的刑法罪名还有其他一些，如逃避商检罪、生产、销售不符合标准的卫生器材罪、非法经营罪、假冒注册商标罪、销售假冒注册商标的商品罪等。经营者违反法律规定，构成上述犯罪的，应当依法追究刑事责任。

第五十八条　经营者违反本法规定，应当承担民事赔偿责任和缴纳罚款、罚金，其财产不足以同时支付的，先承担民事赔偿责任。

【释义】　本条是关于民事赔偿责任优先原则的规定。

本条是本次修改消费者权益保护法新增加的内容。

法律责任按照不同的标准可以作不同的分类，根据法律责任的类型，法律责任可以分为民事责任、行政责任和刑事责任。民事责任是指公民或法人因违反民事法律而依法承担的不利后果，包括侵权责任、违约责任等。行政责任是指因违反行政法律或行政法规依法应承担的行政法律后果。刑事责任是指因违反刑事法律而应当承担的法律责任。

一、民事责任和行政责任、刑事责任的竞合

法律责任竞合，是指行为人的同一行为符合两个或两个以上不同性质的法律责任之构成要件，依法应当承担多种不同性质的法律责任的制度。民事责任、行政责任和刑事责任虽然是三种性质的不同法律责任，却可能因为同一法律行为而同时产生。一个行为既违反了民法又违反了行政法或者刑法，由此同时产生民事责任、行政责任或者刑事责任，即发生责任竞合。本法第七章既在第四十八条至第五十五条规定了民事责任，又在第五十六条规定了行政责任，还在第五十七条规定了刑事责任。由此，经营者的违法行为可能既承担民事责任，又承担行政责任，情节严重时还可能违反刑法构成犯罪，从而可能导致民事与行政、刑事的责任竞合的情形。

二、在财产赔偿和处罚上民事赔偿责任优先

如前所述，一般情况下，民事责任、行政责任和刑事责任独立存在,并行不悖,但是在特定的情况下,如一责任主体的财产不足以同时满足承担民事赔偿责任和承担罚款、罚金及没收财产等行政或刑事责任时,三种责任就发生了冲突,难以同时适用,必然会产生哪一种责任优先适用的问题。民事责任优先原则就是解决这类责任竞合时的法律原则,即一责任主体的财产不足以同时满足民事赔偿责任与行政责任或者刑事责任中的没收、罚金时,优先承担民事赔偿责任,这也是本条规定的要旨所在。如一企业生产伪劣产品,造成消费者人身、财产损害,并构成生产伪劣产品罪,其需同时承担对消费者的民事责任以及生产伪劣产品罪的刑事责任,如果刑事责任是判处其承担罚金,其财产不足以同时支付对受害人的赔偿以及罚金时,对受害人的民事赔偿责任优先于罚金承担。

民事责任优先原则的确立有以下几个原因:

(1)民事责任优先是实现法的价值的需要。民法、行政法、刑法虽然是三个不同的法律部门,各自有调整范围,但保护公民、法人的合法权益却是共同的目标和任务,在同一责任主体的财产不足以同时承担民事赔偿责任和缴纳罚款、罚金等行政、刑事责任时,如果先执行罚款、罚金,权利人的合法权益就难以得到有效的保护。国家和个人承受财产损失的能力差别很大,在不足以同时承担两种以上责任时,不缴纳罚款、罚金等行政、刑事责任,不会使国家发生经济上的困难,但如果不履行民事赔偿责任却可能使个人(如消费者)陷入极大的困难乃至绝境。民事责任优先原则,体现了三个法律部门在保护公民、法人合法权益方面的一致性。在这些责任无法兼顾时,民事责任优先可以取得良好的社会效益,也更能体现法律的人道和正义,人道和正义是法的社会功能的体现,也是法所追求的主要价值所在。本法是保护消费者权益的法律,优先保障受损害的消费者得到经营者的民事赔偿,正是体现了本法保护消费者合法权益的宗旨和立法目的。

(2)民事责任优先是维护市场经济秩序和交易安全的需要。民事主体在民事活动中依法取得的权利,应具有法律的保障性。如果一方当事人对另一方当事人依法享有损害赔偿请求权,但却因其承担财产性的行政、刑事责任后丧失赔偿能力而无法实现,必然造成当事人在以后的民事活动中投入一定注意查对该当事人是否存在违法或犯罪行为,否则可能影响自己权利的实现,这样必然影响当事人之间进行交易的信心和速度,也不符合市场经济秩序和交易安全应具有法律保障性的要求。民事责任优先,可以有效地克服这种弊端。

(3)罚款、罚金等行政责任、刑事责任体现了国家对行为人的惩罚。民事责任主要是平等主体之间发生的一方依法向另一方承担的责任,目的在于弥补权利人因他人的民事违法行为而给其造成的经济损失,补偿性是民事责任的显著特征。这种补偿性的责任一旦遭到破坏,权利人的权利则难以实现。

(4)民事责任和行政责任、刑事责任的目的和功能不同。民事责任主要目的是给受害人补偿损失、恢复权利;行政责任和刑事责任具有惩罚行为人、维护社会秩序的目的。在责任人的财产不足以承担两种以上的责任时,不承担民事责任,民事责任的目的就无法实现。行政责任、刑事责任的责任形式涉及人身和财产,除了财产性的罚款、罚金外,还可以对责任主体进行人身制裁。与民事责任单一的财产性赔偿特征相比,行政、刑事责任具有人身性和财产性的双重特征。在三者发生竞合时,即使民事责任优先适用,结果可能造成财产性的罚款、罚金等行政制裁或刑事制裁难以实施,并不影响责任人承担人身方面的行政责任、刑事责任。在一定程度上,行政责任、刑事责任还可以在对责任人人身制裁和财产制裁上进行选择，以达到制裁责任人的最终目的。

因此，在民事责任与行政责任、刑事责任发生冲突时，承担民事赔偿责任优先。当然，民事责任优先原则的适用也是有条件的。第一，责任主体所承担的民事责任须合法有效，其发生的依据或基于法律的规定或基于约定；第二，责任主体的财产不足以同时满足民事责任、行政责任和刑事责任，如果都能满足，则三种责任并行不悖，责任人同时承担三种责任，只有在财产不足以同时满足时，才出现民事责任优先的问题。

我国的侵权责任法、刑法、食品安全法、公司法、证券法、产品质量法、证券投资基金法等法律对民事责任优先原则都有所规定，规定了财产不足以同时支付民事责任和行政责任、刑事责任时民事赔偿的优先适用。侵权责任法第四条规定："侵权人因同一行为应当承担行政责任或者刑事责任的，不影响依法承担侵权责任。因同一行为应当承担侵权责任和行政责任、刑事责任，侵权人的财产不足以支付的，先承担侵权责任。"刑法第三十六条第二款规定："承担民事赔偿责任的犯罪分子，同时被判处罚金，其财产不足以全部支付的，或者被判处没收财产的，应当先承担对被害人的民事赔偿责任。"食品安全法第九十七条规定："违反本法规定，应当承担民事赔偿责任和缴纳罚款、罚金，其财产不足以同时支付时，先承担民事赔偿责任。"公司法第二百一十五条规定："公司违反本法规定，应当承担民事赔偿责任和缴纳罚款、罚金的，其财产不足以支付时，先承担民事赔偿责任。"证券法第二百三十二条规定："违反本法规定，应当承担民事赔偿责任和缴纳罚款、罚金，其财产不足以同时支付时，先承担民事赔偿责任。"产品质量法第六十四条规定："违反本法规定，应当承担民事赔偿责任和缴纳罚款、罚金，其财产不足以同时支付时,先承担民事赔偿责任。”证券投资基金法第一百五十一条规定:“违反本法规定,应当承担民事赔偿责任和缴纳罚款、罚金,其财产不足以同时支付时,先承担民事赔偿责任。”

第五十九条　经营者对行政处罚决定不服的,可以依法申请行政复议或者提起行政诉讼。

【释义】 本条是关于经营者对行政处罚决定不服申请行政复议或者提起行政诉讼的规定。

本次修改消费者权益保护法对本条作了修改。

消费者权益保护法的立法宗旨和立法目的是保护消费者的合法权益,维护社会经济秩序,促进社会主义市场经济健康发展。此次修改消费者权益保护法的重点之一是,加大了对违法经营者的处罚力度。但是,消费者权益保护法在充分保障消费者合法权益的同时,也应当注重保障经营者的合法权利。因为对经营者合法权益的保护也是维护社会经济秩序,促进社会主义市场经济健康发展的重要方面。经营者在从事商业活动中,不但要努力提升经营水平,为消费者提供高品质的商品和服务,同时还必须遵守国家的一系列法律、法规、规章等的规定,服从有关行政部门的依法监管。在这一过程中,为了保护经营者的合法权益,应当畅通其权利表达渠道,以程序公正保障其实现合理诉求。本条规定即是针对经营者对行政处罚决定不服时的救济途径。

(一)行政处罚,是指行政主体依法定职权对违反行政法规但不构成犯罪的公民、法人或其他组织等相对人予以行政制裁的具体行政行为。第八届全国人民代表大会第四次会议于1996年3月17日通过《中华人民共和国行政处罚法》,建立了行政处罚的基本法律制度。行政处罚法第八条规定了行政处罚的种类,包括警告、罚款、没收违法所得、没收非法财物、责令停产停业、暂扣或者吊销许可证、暂扣或者吊销执照、行政拘留以及法律、行政法规规定的其他行政处罚。行政处罚对相对人产生了具有权利义务内容的法律效果,因此,行政处罚是一种具体行政行为。行政主体通过行政处罚,使行政相对人的权利或者权利能力被剥夺或者受到限制,或者行政相对人被强制要求履行义务。例如,罚款使得行政相对人的财产权受到损失,吊销许可证使得行政相对人的行为能力被剥夺,行政拘留使得行政相对人的人身自由受到限制。法律制度通过设置这些制裁行为,达到惩罚已经发生的违法行为,进而达到预防和防止同类违法行为的发生。行政处罚影响甚至处分了行政相对人的实体权利,由于其具有的制裁性特征,必须从法律上保证行政相对人对行政处罚决定不服的救济权利。因此,行政处罚法第六条规定:“公民、法人或者其他组织对行政机关所给予的行政处罚,享有陈述权、申辩权;对行政处罚不服的,有权依法申请行政复议或者提起行政诉讼。公民、法人或者其他组织因行政机关违法给予行政处罚受到损害的,有权依法提出赔偿要求。”

在消费者权益保护实践中,经营者作为行政执法的相对人,要依法履行法律、法规、规章等的一系列义务,配合有关行政部门的工作人员依法执行职务。根据消费者权益保护法第五十六条的规定,如果经营者有下列情形之一,除承担相应的民事责任外,其他有关法律、法规对处罚机关和处罚方式有规定的,依照法律、法规的规定执行。这些情形包括:(1)提供的商品或者服务不符合保障人身、财产安全要求的;(2)在商品中掺杂、掺假,以假充真,以次充好,或者以不合格商品冒充合格商品的;(3)生产国家明令淘汰的商品或者销售失效、变质的商品的;(4)伪造商品的产地，伪造或者冒用他人的厂名、厂址、篡改生产日期，伪造或者冒用认证标志等质量标志的；(5)销售的商品应当检验、检疫而未检验、检疫或者伪造检验、检疫结果的；(6)对商品或者服务作虚假或者引人误解的宣传的；(7)拒绝或者拖延有关行政部门责令对缺陷商品或者服务采取停止销售、警示、召回、无害化处理、销毁、停止生产或者服务等措施的；(8)对消费者提出的修理、重作、更换、退货、补足商品数量、退还货款和服务费用或者赔偿损失的要求，故意拖延或者无理拒绝的；(9)侵害消费者人格尊严、侵犯消费者人身自由或者侵害消费者个人信息依法得到保护的权利的；(10)法律、法规规定的对损害消费者应当予以处罚的其他情形。比如说，经营者有掺杂、掺假，以假充真，以次充好等的情形，可以依照产品质量法的规定进行处罚；对商品或者服务作虚假或者引人误解的宣传的，可以依照广告法的规定进行处罚；销售的商品应当检验、检疫而未检验、检疫或者伪造检验、检疫结果的，可以依照食品安全法的规定进行处罚等。如果其他法律、法规未作规定的，可以依照消费者权益保护法第五十六条的规定，由工商行政管理部门或者其他有关行政部门责令改正，可以根据情节单处或者并处警告、没收违法所得、处以违法所得一倍以上十倍以下的罚款，没有违法所得的，处以五十万元以下的罚款；情节严重的，责令停业整顿、吊销营业执照。无论是消费者权益保护法，还是其他法律、法规，只要对经营者作出了行政处罚的决定，那么就应当从法律上赋予经营者对行政处罚决定不服时申请救济的权利。这既符合行政处罚法的既有规定，也是在消费者权益保护领域中对经营者利益的一种平衡，有利于增强经营者守法经营的信心。依照本条规定，经营者对行政处罚决定不服的，可以依法申请行政复议或者提起行政诉讼。

（二）行政复议，是指行政相对人认为行政主体的具体行政行为侵犯其合法权益，依法请求上一级行政机关或其他法定复议机关重新审查该具体行政行为的合法性、适当性，行政复议机关依照法定程序对被申请的行政行为进行审查，并作出决定的一种法律制度。根据行政复议法第六条的规定，有下列情形的，经营者可以提起行政复议：（1）对行政机关作出的警告、罚款、没收违法所得、没收非法财物、责令停产停业、暂扣或者吊销许可证、暂扣或者吊销执照、行政拘留等行政处罚决定不服的；（2）对行政机关作出的限制人身自由或者查封、扣押、冻结财产等行政强制措施决定不服的；（3）对行政机关作出的有关许可证、执照、资质证、资格证等证书变更、中止、撤销的决定不服的等。本条规定是在消费者权益保护领域赋予经营者作为被处罚的行政相对人的一种程序权利，符合行政复议法关于行政复议范围的规定，对于规范有关行政部门依法行使行政处罚权，维护经营者的合法权益，具有重要意义。除此之外，行政复议法及行政复议法实施条例对行政复议的申请、受理、决定以及法律责任，都作出了详细的规定，经营者如对行政处罚决定不服申请行政复议，应当依照上述法律、法规的具体规定进行。

（三）行政诉讼，从一般意义而言，是指法院解决行政争议的法律制度。其内涵包括两个方面：第一，该制度建立的直接指向是解决行政争议，行政争议发生于行政职权的行政主体与一般的公民、法人或者其他组织之间；第二，争议的解决主体是处于中立地位的法院。行政诉讼法第二条规定："公民、法人或者其他组织认为行政机关和行政机关工作人员的具体行政行为侵犯其合法权益，有权依照本法向人民法院提起诉讼。"也就是说，公民、法人或者其他组织只能针对具体行政行为提起行政诉讼。具体而言，行政诉讼法在第十一条规定了行政诉讼的受案范围，即人民法院受理公民、法人和其他组织对下列具体行政行为不服提起的诉讼：(1)对拘留、罚款、吊销许可证和执照、责令停产停业、没收财物等行政处罚不服的；(2)对限制人身自由或者对财产的查封、扣押、冻结等行政强制措施不服的；(3)认为行政机关侵犯法律规定的经营自主权的；(4)认为符合法定条件申请行政机关颁发许可证和执照，行政机关拒绝颁发或者不予答复的；(5)申请行政机关履行保护人身权、财产权的法定职责，行政机关拒绝履行或者不予答复的；(6)认为行政机关没有依法发给抚恤金的；(7)认为行政机关违法要求履行义务的；(8)认为行政机关侵犯其他人身权、财产权的。经营者因对行政处罚决定不服提起行政诉讼时，必须符合起诉条件，同时应到法律规定的管辖法院起诉。根据行政诉讼法第四十一条的规定，提起诉讼应当符合以下条件：(1)原告是认为具体行政行为侵犯其合法权益的公民、法人或者其他组织；(2)有明确的被告；(3)有具体的诉讼请求和事实依据；(4)属于人民法院受案范围和受诉人民法院管辖。至于管辖法院，根据行政诉讼法第十七条至第十九条的规定，行政案件由最初作出具体行政行为的行政机关所在地人民法院管辖。经复议的案件，复议机关改变原具体行政行为的，也可以由复议机关所在地人民法院管辖。对限制人身自由的行政强制措施不服提起的诉讼，由被告所在地或者原告所在地人民法院管辖。因不动产提起的行政诉讼，由不动产所在地人民法院管辖。除上述规定外，行政诉讼法还从诉讼参加人、证据、起诉和受理、审理和判决、执行、侵权赔偿责任等方面对行政诉讼进行了规定。应当说，本条规定是关于经营者对行政处罚决定不服时提起行政诉讼的原则性规定，一旦经营者不服行政处罚决定提起了行政诉讼，那么关于诉讼的具体事宜，应当按照行政诉讼法的有关规定进行。

第六十条　以暴力、威胁等方法阻碍有关行政部门工作人员依法执行职务的，依法追究刑事责任；拒绝、阻碍有关行政部门工作人员依法执行职务，未使用暴力、威胁方法的，由公安机关依照《中华人民共和国治安管理处罚法》的规定处罚。

【释义】　本条是关于阻碍行政部门工作人员依法执行职务法律责任的规定。

在消费者权益保护实践中，有关行政部门工作人员依法执行职务的行为有可能因触及部分市场主体的利益而遭遇阻碍执法的行为。这种阻碍行为，有可能是以暴力、威胁的方式表现，也有可能未使用暴力、威胁方法拒绝、阻碍执行。无论是何种方式的阻碍，都已经破坏了国家正常的行政管理秩序。任何一个国家要想取得稳定有序的发展，都必须具备一系列的管理职能，进行一系列的管理活动，这些活动又往往是通过具体部门的工作人员依法执行职务、履行职责来实现的。因此，对有关行政部门工作人员依法执行职务的阻碍，是对国家公权力的挑战，是对国家行政管理秩序的破坏，必须从法律上加以规制。消费者权益保护法作为一部保护消费者合法权益、维护社会经济秩序的法律，更应强调消费者的保护，规定阻碍行政部门工作人员依法执行职务行为的法律责任是十分必要的。明确法律责任，既可以达到惩戒违法者的作用，又能对其他违法主体形成震慑，教育引导其遵守法律，配合有关行政部门的工作人员依法执行职务。

本条依据阻碍有关行政部门工作人员依法执行职务的不同方式，区分了两种不同的法律责任，一种是刑事责任，另一种是行政责任。

（一）刑事责任。首先，对于以暴力、威胁等方法阻碍有关行政部门工作人员依法执行职务的，需要依法追究刑事责任。

我国刑法第二百七十七条第一款规定："以暴力、威胁方法阻碍国家机关工作人员依法执行职务的，处三年以下有期徒刑、拘役、管制或者罚金。"有关行政部门工作人员在行政执法实践中，如果遇有暴力、威胁方法阻碍依法执行职务的情形，显然构成了刑法上的妨害公务罪，需要依法承担刑事责任。理解本条需要注意以下几点：

1. 有关行政部门的工作人员必须是依法执行职务的行为。所谓依法执行职务，是指有关行政部门的工作人员在国家规定的范围内，运用其合法职权从事公务活动。例如，工商行政管理人员依法对市场交易活动进行监督管理等。这种公务活动，不仅包括有关行政部门的工作人员在工作时间或工作单位中所进行的公务活动，还包括有关行政部门的工作人员根据有关规定或命令在其他时间或场所内的公务活动。例如，质检部门的工作人员依照有关规定，在常规工作时间之外对经营者的店铺进行突击抽查检验等。如果有关行政部门的工作人员超越其职务范围进行其他非法活动，或者滥用职权，以权谋私，违法乱纪，侵犯人民群众利益，受到阻碍的不能视为妨害公务。

2. 行为人必须是以暴力或者威胁的方法阻碍执行公务。本条所称的暴力，是指行为人对正在依法执行职务的有关行政部门工作人员的身体实施了暴力打击或者人身强制，如殴打行为、捆绑行为等。本条所称威胁，是指行为人以杀害、伤害、毁坏财产、破坏名誉、扣押人质等对正在依法执行职务的有关行政部门工作人员进行威逼、胁迫，企图迫使其放弃执行职务。如果行为人没有实施暴力、威胁的阻碍行为，只是吵闹、谩骂、不服管理等，则不构成犯罪，无须承担刑事责任，可以依法进行治安处罚。如果行为人的暴力行为造成了有关行政部门工作人员重伤结果或因重伤导致死亡结果，甚至故意杀害国家机关工作人员的，还应根据刑法的其他规定承担相应的刑事责任。

（二）治安处罚。在有关行政部门工作人员的执法实践中，行为人除了采取暴力、威胁方法阻碍依法执行职务以外，有的是行为人并未采取暴力、威胁的方法阻碍执法，只是采取拒绝、不配合等消极的方式来对有关行政部门工作人员依法履职的行为进行阻碍，其本质仍是对公权力的一种挑战，会破坏国家正常的行政管理秩序。法律根据阻碍的方式不同，阻碍程度不同，在责任承担方面有所区别。采用暴力、威胁的方式对抗执法，实际已经具备了刑事违法性、较大的社会危害性以及应受刑事处罚性，因此，需要承担刑事法律责任。而未采取暴力、威胁方法阻碍执法或者采取暴力、威胁方法情节显著轻微的，由于尚未达到承担刑事责任的程度，仅承担行政法律责任，由治安管理处罚法进行规定。根据治安管理处罚法第二条的规定，扰乱公共秩序，妨害公共安全，侵犯人身权利、财产权利，妨害社会管理，具有社会危害性，依照刑法的规定构成犯罪的，依法追究刑事责任；尚不够刑事处罚的，由公安机关依照本法给予治安管理处罚。也就是说，治安管理处罚法的适用范围是那些具有社会危害性的扰乱公共秩序，妨害公共安全，侵犯人身权利、财产权利，妨害社会管理但又不够刑事处罚的行为。对于本条涉及的行为人拒绝、阻碍有关行政部门工作人员依法执行职务的行为，根据治安管理处罚法第五十条的规定，阻碍国家机关工作人员依法执行职务的，处警告或者二百元以下罚款；情节严重的，处五日以上十日以下拘留，可以并处五百元以下罚款。行为人如果阻碍了国家机关工作人员依法执行职务，但没有采取暴力、威胁方法的，可以适用该条规定对行为人进行处罚。消费者权益保护法的该条规定，从刑事责任和行政责任方面对阻碍有关行政部门工作人员依法执行职务的行为进行了规定，对阻碍执法的行为设定了较为严格的法律责任，可以说，只要行为人实施了阻碍有关行政部门工作人员依法执行职务的行为，轻则承担治安管理处罚法上的行政责任，重则承担刑法上的刑事责任，这将形成对行为人阻碍执法的有力震慑，引导行为人积极配合执法，保证法律的实施。

第六十一条　国家机关工作人员玩忽职守或者包庇经营者侵害消费者合法权益的行为的，由其所在单位或者上级机关给予行政处分；情节严重，构成犯罪的，依法追究刑事责任。

【释义】　本条是关于国家机关工作人员玩忽职守或者包庇经营者侵害消费者合法权益行为法律责任的规定。

2002年12月28日，全国人大常委会专门发布了《关于〈中华人民共和国刑法〉第九章渎职罪主体适用问题的解释》，该解释对国家机关工作人员的主体范围作了规定。根据这一解释，依照法律、法规规定行使国家行政管理职权的组织中从事公务的人员，或者在受国家机关委托代表国家机关行使职权的组织中从事公务的人员，或者虽未列入国家机关人员编制但在国家机关中从事公务的人员，在代表国家机关行使职权时，也应当被视为国家机关工作人员。国家机关工作人员由于行使的是国家公权力，这些人员如果存在玩忽职守或者包庇行为，社会危害较大。消费者权益保护法的立法宗旨之一是加强对处于弱势地位的消费者保护，国家机关工作人员在消费者权益保护领域中如果存在玩忽职守或者包庇经营者侵害消费者权益的行为，社会危害性会更大。基于此，有必要在消费者权益保护法中对国家机关工作人员的上述行为追究相应法律责任，对有上述行为的国家机关工作人员进行惩戒，促使规范执法，切实履行保护消费者合法权益的职责。

本条规定,国家机关工作人员玩忽职守或者包庇经营者侵害消费者合法权益的行为的,根据情节轻重,分别承担行政责任和刑事责任。如果情节较轻,没有达到刑法所规定的犯罪的程度,则由国家机关工作人员所在单位或者上级机关给予行政处分;如果情节严重,构成犯罪的,则须依照刑法的相关规定追究刑事责任。也就是说,本条对于国家机关工作人员玩忽职守或者包庇经营者侵害消费者合法权益的行为,在责任承担方面有一个明确且递进的逻辑关系,即只要国家机关工作人员的行为构成玩忽职守或者包庇经营者侵害消费者合法权益,消费者就可以要求其承担所在单位或者上级机关给予的行政处分;如果情节严重,构成犯罪的,还要依法追究其刑事责任。理解本条规定,还需要把握以下两点:

(一)准确理解玩忽职守侵害消费者合法权益的行为及后果。所谓玩忽职守,一般认为是指国家机关工作人员严重不负责任,不履行或者不正确地履行自己的工作职责。国家机关工作人员这种对工作严重不负责任、玩忽职守的行为,对国家机关的正常活动造成了损害,也会使公共财产、国家和人民利益遭受损失。在消费者权益保护领域,与经营者相比,消费者处于弱势地位,国家机关工作人员的玩忽职守行为,更容易造成对消费者合法权益的侵害。因此,本条规定了国家机关工作人员玩忽职守侵害消费者合法权益的,首先应当由其所在单位或者上级机关给予行政处分。我国公务员法第五十五条规定:“公务员因违法违纪应当承担纪律责任的,依照本法给予处分;违纪行为情节轻微,经批评教育后改正的,可以免予处分。”第五十六条规定:“处分分为:警告、记过、记大过、降级、撤职、开除。”如果国家机关工作人员在履职过程中有玩忽职守行为,且这种行为侵害了消费者的合法权益,则消费者可以请求对该工作人员给予相应的处分,这种处分是一种惩戒,也是一种承担纪律责任的方式。

如果国家机关工作人员的玩忽职守行为构成犯罪,则应当依照刑法追究其刑事责任。关于玩忽职守罪,我国刑法第三百九十七条第一款规定,国家机关工作人员滥用职权或者玩忽职守,致使公共财产、国家和人民利益遭受重大损失的,处三年以下有期徒刑或者拘役;情节特别严重的,处三年以上七年以下有期徒刑。本法另有规定的,依照规定。最高人民检察院《关于人民检察院直接受理立案侦查案件立案标准的规定(试行)》第二条第(二)项规定,玩忽职守罪是指国家机关工作人员严重不负责任,不履行或者不认真履行职责,致使公共财产、国家和人民利益遭受重大损失的行为。根据我国国家机关工作人员职责现状,职责可以分为两种:一是限定性职责,即法律、法规明文规定的国家机关工作人员的职责。二是概括性职责,是指没有被法律、法规明文规定,但是根据我国宪法及其他有关法律、法规的精神,特定国家机关工作人员应当履行的职责。最高人民法院、最高人民检察院《关于办理渎职刑事案件适用法律若干问题的解释(一)》第一条规定,国家机关工作人员滥用职权或者玩忽职守,具有下列情形之一的,应当认定为刑法第三百九十七条规定的"致使公共财产、国家和人民利益遭受重大损失":(1)造成死亡一人以上,或者重伤三人以上,或者轻伤九人以上,或者重伤二人、轻伤三人以上,或者重伤一人、轻伤六人以上的;(2)造成经济损失三十万元以上的;(3)造成恶劣社会影响的;(4)其他致使公共财产、国家和人民利益遭受重大损失的情形。具有下列情形之一的,应当认定为刑法第三百九十七条规定的"情节特别严重":(1)造成伤亡达到前款第(一)项规定人数三倍以上的;(2)造成经济损失一百五十万元以上的;(3)造成前款规定的损失后果,不报、迟报、谎报或者授意、指使、强令他人不报、迟报、谎报事故情况,致使损失后果持续、扩大或者抢救工作延误的;(4)造成特别恶劣社会影响的;(5)其他特别严重的情节。

(二)准确理解包庇经营者侵害消费者合法权益的行为及后果。我国刑法中有对包庇罪的规定。刑法第三百一十条规定:“明知是犯罪的人而为其提供隐藏住所、财物,帮助其逃匿或者作假证明包庇的,处三年以下有期徒刑、拘役或者管制;情节严重的,处三年以上十年以下有期徒刑。犯前款罪,事先通谋的,以共同犯罪论处。”而本条的包庇是一个广义的概念,并非仅指刑法当中的包庇罪。实践中,国家机关工作人员的多种行为均可能构成对于经营者侵害消费者合法权益的包庇。如司法工作人员在民事、行政审判活动中故意违背事实和法律作枉法裁判;对生产、销售伪劣产品犯罪行为负有追究责任的国家机关工作人员,徇私舞弊,不履行法律规定的追究职责;有关主管部门的国家机关工作人员,徇私舞弊,滥用职权,对不符合法律规定条件的公司设立、登记申请或者股票、债券发行、上市申请,予以批准或者登记;等等。由于本条规定的主体是国家机关工作人员,因此这里的包庇更主要是指能够对经营者侵害消费者合法权益行为产生包庇作用的各种渎职类犯罪。同玩忽职守的责任承担一样,如果国家机关工作人员的包庇行为没有达到犯罪的程度,首先由其所在单位或者上级机关进行行政处分,情节严重,构成犯罪的,则根据具体行为符合的犯罪构成要件,承担相应的刑事责任。

第八章 附 则

本章共两条。第六十二条是对农民购买、使用直接用于农业生产的生产资料参照适用消费者权益保护法的规定。第六十三条是对本法施行日期的规定。

第六十二条 农民购买、使用直接用于农业生产的生产资料,参照本法执行。

【释义】 本条是关于农民购买农业生产资料参照适用的规定。

1994年1月1日起施行的消费者权益保护法,对农民购买、使用直接用于农业生产的生产资料作了参照适用的规定。之所以规定参照执行而非直接适用,主要是因为消费者权益保护法的调整范围是生活消费而非生产经营消费。农民购买、使用直接用于农业生产的生产资料,从性质上讲属于生产消费,但考虑到消费者权益保护法立法之时,我国农村普遍实行的是家庭联产承包责任制,一方面农业生产力和农民的经济能力不高,另一方面假农药、假化肥、假种子等农用生产资料坑害农民的情况还很严重,农民受损害后又没有适当的途径寻求保护。为体现对农民权益的特殊保护,在维持消费者权益保护法调整范围不变的前提下,该法对农民购买、使用农资产品作了参照适用的规定。十二届全国人大常委会第二次会议在对《中华人民共和国消费者权益保护法修正案(草案)》进行了初次审议的过程中，有的委员提出，消费者权益保护法对农民购买、使用直接用于农业生产的生产资料参照适用的规定，对农民权益的保护力度不够，建议从保护农民权益，促进农业发展的角度考虑，在消费者权益保护法中专设一章，对农民购买、使用农资产品的相关问题进行专门规定。

对此问题我们专门进行了研究。除消费者权益保护法外，我国其他法律、行政法规、规章等从不同方面对农民购买、使用农资产品的相关问题作了规定。法律方面，如农业法第七十六条规定，农业生产资料使用者因生产资料质量问题遭受损失的，出售该生产资料的经营者应当予以赔偿，赔偿额包括购货价款、有关费用和可得利益损失；种子法第四十一条规定，种子使用者因种子质量问题遭受损失的，出售种子的经营者应当予以赔偿，赔偿额包括购种价款、有关费用和可得利益损失。行政法规方面，如《农药管理条例》第二十二条规定，农药经营单位销售农药，必须保证质量，农药产品与产品标签或者说明书、产品质量合格证应当核对无误。农药经营单位应当向使用农药的单位和个人正确说明农药的用途、使用方法、用量、中毒急救措施和注意事项。规章方面，如《农业机械产品修理、更换、退货责任规定》第二十六条规定，三包有效期内，农机产品出现质量问题，农机用户凭三包凭证在指定的或者约定的修理者处进行免费修理，维修产生的工时费、材料费及合理的运输费等由三包责任人承担；符合本规定换货、退货条件，农机用户要求换货、退货的，凭三包凭证、修理记录、购机发票更换、退货；因质量问题给农机用户造成损失的，销售者应当依法负责赔偿相应的损失。

根据有关部门介绍，近年来有关农资产品方面的投诉、申诉案件数量占所有消费投诉、申诉案件数量的比例不高，投诉涉及的农资产品种类及投诉事项也相对集中。据中消协介绍，2011

年，消协受理有关农资产品的投诉占全部消费投诉的比例为1.95%。2012年，消协共受理有关农资产品的投诉7574件，占全部消费投诉的比例为1.4%，其中数量排名首位的是有关农资产品质量的投诉，共5404件，占比为71%，有关售后服务、价格的投诉数量分列二、三位，占比分别为4%、3%。从投诉涉及的农资产品种类看，2012年数量排名前三位的分别是农业机械、种子、化肥，占比分别为28%、19%、17.5%，此外还有农药、饲料等农资方面的投诉。据工商部门统计，2003年至2012年十年间，工商部门受理的有关农资产品的申诉案件数量为184,648件，占所有商品申诉案件总量的3.43%。申诉涉及的农资产品种类主要包括小型农机具及配件、化肥、农药、种子、农用地膜、饲料、汽油、柴油等。从农业部门的统计情况看，2012年，农资产品投诉数量较五年前下降了近60%。2010年至2012年，农业部直接受理的有关农资产品的申诉数量分别为52件、51件、25件，呈下降态势。

与一般的消费维权相比，农民在农资消费时的维权主要具有以下特点：一是农民的消费知识不足，权益易受侵害。农民一般文化水平不高，而农资产品本身的技术性、专业性又比较强，农民往往很难对农资产品的质量、主要成分、规格、效用等方面的内容了解透彻，因此对假冒伪劣的农资产品缺乏鉴别力，导致权益容易受到侵害。二是农资领域的消费维权举证难。农民在购买、使用农资产品时，大多没有索要销售发票或者购货凭证的习惯，也不注意留存包装袋、农资样品等证据，导致纠纷出现时举证困难。同时，农业生产的周期性长，农民即使在购买、使用农资产品时留存了相关证据，也很可能由于期间太长而丢失原始证据。三是农资产品纠纷的鉴定难度大。农资产品纠纷的鉴定存在三大难点：首先，鉴定程序启动难。一般农资产品的质量问题并非在短期内可以发现,比如种子,有些在播种后直至收成时才会发现可能存在质量问题。再如,化肥和农药的施用有浓度配比和作用时间问题,农民与农资经营者往往在农资本身存在质量问题还是农民使用不当方面存在争议,此时如没有保留样品,则无法鉴定。其次,因果关系确定难。农业生产的周期性长,并受气候、环境、土壤、合理施用等多种因素影响,从事农业生产的人员素质也千差万别,因此很难确定导致农民损失的具体原因。最后,损失数额鉴定难。与一般生活消费不同,农资产品消费是一种生产性消费。农资产品消费的这一生产性特点,使由于农资产品质量导致的农民损失,既包括购买农资产品的直接损失,也包括农作物损毁、减产或者绝产等间接损失。而对于间接损失,在实践中很难确定。四是农资消费维权成本高。农资产品纠纷的鉴定费用较高,这使许多农民在权衡利弊后,放弃维权。

对于农资产品消费是设专章加以规定,还是维持现有参照执行的规定,主要取决于现有规定能否满足对农民购买、使用农资产品权益保护的要求。消费者权益保护法对于农民购买、使用农资产品已作了参照执行的规定,这意味着除生活消费之外,农民在购买、使用农资产品过程中权益受到侵害的,仍然可以根据消费者权益保护法主张维权。比如,在消费者的权利方面,农民购买直接用于农业生产的农资产品,可以参照消费者权益保护法第八条的规定,对其购买的农资产品享有知情权,并要求经营者提供商品的价格、产地、生产者、用途、性能、规格、等级、主要成分、生产日期、有效期限、检验合格证明、使用方法说明书、售后服务,或者服务的内容、规格、费用等有关情况。如在经营者的义务方面,农资经营者应当参照执行消费者权益保护法第十八条的规定,保证其提供的商品或者服务符合保障人身、财产安全的要求，对可能危及人身、财产安全的商品和服务，应当向农民作出真实的说明和明确的警示，并说明和标明正确使用商品或者接受服务的方法以及防止危害发生的方法。如在国家对消费者合法权益的保护方面，有关行政部门应当参照执行第三十三条的规定，在各自的职责范围内，应当定期或者不定期对经营者提供的商品和服务进行抽查检验，并及时向社会公布抽查检验结果。有关行政部门发现并认定经营者提供的商品或者服务存在缺陷，有危及人身、财产安全危险的，应当立即责令经营者采取停止销售、警示、召回、无害化处理、销毁、停止生产或者服务等措施。如在争议解决方面，农民在购买、使用农资产品时，其合法权益受到损害的，可以向销售者要求赔偿。销售者赔偿后，属于生产者的责任或者属于向销售者提供商品的其他销售者的责任的，销售者有权向生产者或者其他销售者追偿。农民或者其他受害人因商品缺陷造成人身、财产损害的，可以向销售者要求赔偿，也可以向生产者要求赔偿。属于生产者责任的，销售者赔偿后，有权向生产者追偿。属于销售者责任的，生产者赔偿后，有权向销售者追偿。如在法律责任方面，农民可以参照执行消费者权益保护法第五十五条的规定，向有欺诈行为的农资经营者要求惩罚性赔偿。从调研的情况看，一些部门表示，现行参照执行的规定，能够起到保护农民合法权益的作用，实践中也有行政法规、规章等对消费者权益保护法的规定加以补充、完善，维持现行规定不会影响对农民合法权益的保护。鉴于农民购买、使用农资产品的权益保护问题，如保护主体、说明义务、赔偿责任等，依据消费者权益保护法和农业法、种子法及《农药管理条例》等法律、法规的现行规定已基本满足权益保护的要求，因此，对农资产品消费未设专章规定，仍维持现有参照执行的规定。

第六十三条　本法自1994年1月1日起施行。

【释义】　本条是关于本法施行日期的规定。

法律的施行日期即法律的生效日期,是法律实施不可缺少的条件。立法法第五十一条规定:“法律应当明确规定施行日期。”法律的施行时间即生效时间,是法律效力的起点。一部法律何时开始生效,一般是由该法律的具体性质和实际需要决定的,我国立法实践中通常有三种做法:一是规定该法律自公布之日起施行;二是规定该法律公布后一段期限届至后开始生效,具体时间为期限届至之时;三是直接规定该法律的具体生效日期,此种方法最为普遍,本法采之。在本次修改决定通过后,需要广泛深入宣传,制定或者修改配套决定,此次修改决定将施行日期定为2014年3月15日。

关于本法修改前后的衔接问题。修改后的法律的生效日期与修改法律的形式有密切关系。目前修改法律主要有两种形式:一种是对法律进行修订,即对法律全文作全面修改,重新予以规定;一种是对法律的部分条文通过修改决定的形式予以修改,不对法律全文作修改,未修改的部分继续施行。因此,法律修改后的生效日期也有两种形式,属于修订法律的,一般是重新公布法律的生效日期;属于对法律作修改决定的,一般不修改法律的生效日期,只是规定修改决定的实施日期,对于原法修改的部分执行修改决定的生效日期,未修改的部分执行原来法律规定的生效日期。2013年10月25日十二届全国人大常委会第五次会议审议通过的《全国人民代表大会常务委员会关于修改〈中华人民共和国消费者权益保护法〉的决定》规定:“本决定自2014年3月15日起施行。”根据这一规定,经修改后的消费者权益保护法,内容未作改动的条文,生效时间分别为1994年1月

1日和2009年8月27日(2009年8月27日第十一届全国人民代表大会常务委员会第十次会议公布并于同日施行的《全国人民代表大会常务委员会关于修改部分法律的决定》将本法中的“治安管理处罚条例”改为“治安管理处罚法”);经过修改的条文,包括新增加的条文,生效时间为2014年3月15日。

第二部分　附　　录

全国人民代表大会常务委员会关于修改《中华人民共和国消费者权益保护法》的决定

（2013年10月25日第十二届全国人民代表大会常务委员会第五次会议通过）

第十二届全国人民代表大会常务委员会第五次会议决定对《中华人民共和国消费者权益保护法》作如下修改：

一、第五条增加一款，作为第三款："国家倡导文明、健康、节约资源和保护环境的消费方式，反对浪费。"

二、将第十四条修改为："消费者在购买、使用商品和接受服务时，享有人格尊严、民族风俗习惯得到尊重的权利，享有个人信息依法得到保护的权利。"

三、将第十六条第一款修改为："经营者向消费者提供商品或者服务，应当依照本法和其他有关法律、法规的规定履行义务。"

增加一款，作为第三款："经营者向消费者提供商品或者服务，应当恪守社会公德，诚信经营，保障消费者的合法权益；不得设定不公平、不合理的交易条件,不得强制交易。”

四、第十八条增加一款,作为第二款:“宾馆、商场、餐馆、银行、机场、车站、港口、影剧院等经营场所的经营者,应当对消费者尽到安全保障义务。”

将第二款改为第十九条,修改为:“经营者发现其提供的商品或者服务存在缺陷,有危及人身、财产安全危险的,应当立即向有关行政部门报告和告知消费者,并采取停止销售、警示、召回、无害化处理、销毁、停止生产或者服务等措施。采取召回措施的,经营者应当承担消费者因商品被召回支出的必要费用。”

五、将第十九条改为第二十条,第一款修改为:“经营者向消费者提供有关商品或者服务的质量、性能、用途、有效期限等信息,应当真实、全面,不得作虚假或者引人误解的宣传。”

第三款修改为:“经营者提供商品或者服务应当明码标价。”

六、将第二十一条改为第二十二条,其中的“购货凭证或者服务单据”修改为“发票等购货凭证或者服务单据”。

七、将第二十二条改为第二十三条,第一款中的“但消费者在购买该商品或者接受该服务前已经知道其存在瑕疵的除外”修改为“但消费者在购买该商品或者接受该服务前已经知道其存在瑕疵,且存在该瑕疵不违反法律强制性规定的除外”。

增加一款,作为第三款:“经营者提供的机动车、计算机、电视机、电冰箱、空调器、洗衣机等耐用商品或者装饰装修等服务,消费者自接受商品或者服务之日起六个月内发现瑕疵,发生争议的,由经营者承担有关瑕疵的举证责任。”

八、将第二十三条、第四十五条合并,作为第二十四条,修改为:“经营者提供的商品或者服务不符合质量要求的,消费者可以依照国家规定、当事人约定退货,或者要求经营者履行更换、修理等义务。没有国家规定和当事人约定的,消费者可以自收到商品之日起七日内退货;七日后符合法定解除合同条件的,消费者可以及时退货，不符合法定解除合同条件的，可以要求经营者履行更换、修理等义务。

“依照前款规定进行退货、更换、修理的，经营者应当承担运输等必要费用。”

九、增加一条，作为第二十五条：“经营者采用网络、电视、电话、邮购等方式销售商品，消费者有权自收到商品之日起七日内退货，且无需说明理由，但下列商品除外：

“（一）消费者定作的；

“（二）鲜活易腐的；

“（三）在线下载或者消费者拆封的音像制品、计算机软件等数字化商品；

“（四）交付的报纸、期刊。

“除前款所列商品外，其他根据商品性质并经消费者在购买时确认不宜退货的商品，不适用无理由退货。

“消费者退货的商品应当完好。经营者应当自收到退回商品之日起七日内返还消费者支付的商品价款。退回商品的运费由消费者承担；经营者和消费者另有约定的，按照约定。”

十、将第二十四条改为第二十六条，增加一款，作为第一款：“经营者在经营活动中使用格式条款的，应当以显著方式提请消费者注意商品或者服务的数量和质量、价款或者费用、履行期限和方式、安全注意事项和风险警示、售后服务、民事责任等与消费者有重大利害关系的内容，并按照消费者的要求予以说明。”

第一款、第二款改为第二款、第三款，修改为：“经营者不得以格式条款、通知、声明、店堂告示等方式，作出排除或者限制消费者权利、减轻或者免除经营者责任、加重消费者责任等对消费者不公平、不合理的规定，不得利用格式条款并借助技术手段强制交易。

“格式条款、通知、声明、店堂告示等含有前款所列内容的，其内容无效。”

十一、增加一条，作为第二十八条："采用网络、电视、电话、邮购等方式提供商品或者服务的经营者，以及提供证券、保险、银行等金融服务的经营者，应当向消费者提供经营地址、联系方式、商品或者服务的数量和质量、价款或者费用、履行期限和方式、安全注意事项和风险警示、售后服务、民事责任等信息。"

十二、增加一条，作为第二十九条："经营者收集、使用消费者个人信息，应当遵循合法、正当、必要的原则，明示收集、使用信息的目的、方式和范围，并经消费者同意。经营者收集、使用消费者个人信息，应当公开其收集、使用规则，不得违反法律、法规的规定和双方的约定收集、使用信息。

"经营者及其工作人员对收集的消费者个人信息必须严格保密，不得泄露、出售或者非法向他人提供。经营者应当采取技术措施和其他必要措施，确保信息安全，防止消费者个人信息泄露、丢失。在发生或者可能发生信息泄露、丢失的情况时，应当立即采取补救措施。

"经营者未经消费者同意或者请求，或者消费者明确表示拒绝的，不得向其发送商业性信息。"

十三、将第二十六条改为第三十条，修改为："国家制定有关消费者权益的法律、法规、规章和强制性标准，应当听取消费者和消费者协会等组织的意见。"

相应地将第二十八条第二款中的"及其社会团体"修改为"和消费者协会等组织"。

十四、将第二十七条改为第三十一条，第一款修改为："各级人民政府应当加强领导，组织、协调、督促有关行政部门做好保护消费者合法权益的工作，落实保护消费者合法权益的职责。"

增加一条，作为第三十三条："有关行政部门在各自的职责范围内，应当定期或者不定期对经营者提供的商品和服务进行抽查检验，并及时向社会公布抽查检验结果。

“有关行政部门发现并认定经营者提供的商品或者服务存在缺陷,有危及人身、财产安全危险的,应当立即责令经营者采取停止销售、警示、召回、无害化处理、销毁、停止生产或者服务等措施。”

十五、将第三十一条改为第三十六条,修改为:“消费者协会和其他消费者组织是依法成立的对商品和服务进行社会监督的保护消费者合法权益的社会组织。”

相应地将第十二条中的“社会团体”修改为“社会组织”。

将第三十二条改为第三十七条,第一款中的“消费者协会履行下列职能:”修改为“消费者协会履行下列公益性职责:”。

第一款第一项修改为:“(一)向消费者提供消费信息和咨询服务,提高消费者维护自身合法权益的能力,引导文明、健康、节约资源和保护环境的消费方式”。

第一款增加一项,作为第二项:“(二)参与制定有关消费者权益的法律、法规、规章和强制性标准”。

第一款第三项改为第四项,修改为:“(四)就有关消费者合法权益的问题,向有关部门反映、查询,提出建议”。

第一款第五项改为第六项,修改为:“(六)投诉事项涉及商品和服务质量问题的,可以委托具备资格的鉴定人鉴定,鉴定人应当告知鉴定意见”。

第一款第六项改为第七项,修改为:“(七)就损害消费者合法权益的行为,支持受损害的消费者提起诉讼或者依照本法提起诉讼”。

第二款修改为:“各级人民政府对消费者协会履行职责应当予以必要的经费等支持。”

增加二款,作为第三款、第四款:“消费者协会应当认真履行保护消费者合法权益的职责,听取消费者的意见和建议,接受社会监督。

“依法成立的其他消费者组织依照法律、法规及其章程的规定，开展保护消费者合法权益的活动。”

将第三十三条改为第三十八条，修改为：“消费者组织不得从事商品经营和营利性服务，不得以收取费用或者其他牟取利益的方式向消费者推荐商品和服务。”

十六、将第三十四条改为第三十九条，第二项修改为：“（二）请求消费者协会或者依法成立的其他调解组织调解”。

第三项修改为：“（三）向有关行政部门投诉”。

十七、增加一条，作为第四十四条：“消费者通过网络交易平台购买商品或者接受服务，其合法权益受到损害的，可以向销售者或者服务者要求赔偿。网络交易平台提供者不能提供销售者或者服务者的真实名称、地址和有效联系方式的，消费者也可以向网络交易平台提供者要求赔偿；网络交易平台提供者作出更有利于消费者的承诺的，应当履行承诺。网络交易平台提供者赔偿后，有权向销售者或者服务者追偿。

“网络交易平台提供者明知或者应知销售者或者服务者利用其平台侵害消费者合法权益，未采取必要措施的，依法与该销售者或者服务者承担连带责任。”

十八、将第三十九条改为第四十五条第一款，其中的“利用虚假广告”修改为“利用虚假广告或者其他虚假宣传方式”，“广告的经营者”修改为“广告经营者、发布者”，“真实名称、地址”修改为“真实名称、地址和有效联系方式”。

增加二款，作为第二款、第三款：“广告经营者、发布者设计、制作、发布关系消费者生命健康商品或者服务的虚假广告，造成消费者损害的，应当与提供该商品或者服务的经营者承担连带责任。

“社会团体或者其他组织、个人在关系消费者生命健康商品或者服务的虚假广告或者其他虚假宣传中向消费者推荐商品或者服务，造成消费者损害的，应当与提供该商品或者服务的经营者承担连带责任。”

十九、增加一条，作为第四十六条：“消费者向有关行政部门投诉的，该部门应当自收到投诉之日起七个工作日内，予以处理并告知消费者。”

二十、增加一条，作为第四十七条：“对侵害众多消费者合法权益的行为，中国消费者协会以及在省、自治区、直辖市设立的消费者协会，可以向人民法院提起诉讼。”

二十一、将第四十条改为第四十八条第一款，其中的“应当依照《中华人民共和国产品质量法》和其他有关法律、法规的规定”修改为“应当依照其他有关法律、法规的规定”。

第一项修改为：“（一）商品或者服务存在缺陷的”。

增加一款，作为第二款：“经营者对消费者未尽到安全保障义务，造成消费者损害的，应当承担侵权责任。”

二十二、将第四十一条、第四十二条合并，作为第四十九条，修改为：“经营者提供商品或者服务，造成消费者或者其他受害人人身伤害的，应当赔偿医疗费、护理费、交通费等为治疗和康复支出的合理费用，以及因误工减少的收入。造成残疾的，还应当赔偿残疾生活辅助具费和残疾赔偿金。造成死亡的，还应当赔偿丧葬费和死亡赔偿金。”

二十三、将第四十三条改为第五十条，修改为：“经营者侵害消费者的人格尊严、侵犯消费者人身自由或者侵害消费者个人信息依法得到保护的权利的，应当停止侵害、恢复名誉、消除影响、赔礼道歉，并赔偿损失。”

二十四、增加一条，作为第五十一条：“经营者有侮辱诽谤、搜查身体、侵犯人身自由等侵害消费者或者其他受害人人身权益的行为，造成严重精神损害的，受害人可以要求精神损害赔偿。”

二十五、将第四十四条改为第五十二条，修改为：“经营者提供商品或者服务，造成消费者财产损害的，应当依照法律规定或者当事人约定承担修理、重作、更换、退货、补足商品数量、退还货款和服务费用或者赔偿损失等民事责任。”

二十六、删去第四十六条。

二十七、将第四十九条改为第五十五条第一款,修改为:“经营者提供商品或者服务有欺诈行为的,应当按照消费者的要求增加赔偿其受到的损失,增加赔偿的金额为消费者购买商品的价款或者接受服务的费用的三倍;增加赔偿的金额不足五百元的,为五百元。法律另有规定的,依照其规定。”

增加一款,作为第二款:“经营者明知商品或者服务存在缺陷,仍然向消费者提供,造成消费者或者其他受害人死亡或者健康严重损害的,受害人有权要求经营者依照本法第四十九条、第五十一条等法律规定赔偿损失,并有权要求所受损失二倍以下的惩罚性赔偿。”

二十八、将第五十条改为第五十六条第一款,其中的“《中华人民共和国产品质量法》和其他有关法律、法规对处罚机关和处罚方式有规定的”修改为“除承担相应的民事责任外,其他有关法律、法规对处罚机关和处罚方式有规定的”,“工商行政管理部门”修改为“工商行政管理部门或者其他有关行政部门”,“处以违法所得一倍以上五倍以下的罚款”修改为“处以违法所得一倍以上十倍以下的罚款”,“处以一万元以下的罚款”修改为“处以五十万元以下的罚款”。

第一项修改为:“(一)提供的商品或者服务不符合保障人身、财产安全要求的”。

第四项修改为:“(四)伪造商品的产地,伪造或者冒用他人的厂名、厂址,篡改生产日期,伪造或者冒用认证标志等质量标志的”。

第六项修改为:“(六)对商品或者服务作虚假或者引人误解的宣传的”。

增加一项，作为第七项："（七）拒绝或者拖延有关行政部门责令对缺陷商品或者服务采取停止销售、警示、召回、无害化处理、销毁、停止生产或者服务等措施的"。

第八项改为第九项，修改为："（九）侵害消费者人格尊严、侵犯消费者人身自由或者侵害消费者个人信息依法得到保护的权利的"。

增加一款，作为第二款："经营者有前款规定情形的，除依照法律、法规规定予以处罚外，处罚机关应当记入信用档案，向社会公布。"

二十九、增加一条，作为第五十七条："经营者违反本法规定提供商品或者服务，侵害消费者合法权益，构成犯罪的，依法追究刑事责任。"

三十、增加一条，作为第五十八条："经营者违反本法规定，应当承担民事赔偿责任和缴纳罚款、罚金，其财产不足以同时支付的，先承担民事赔偿责任。"

三十一、将第五十一条改为第五十九条，修改为："经营者对行政处罚决定不服的，可以依法申请行政复议或者提起行政诉讼。"

此外，对条文顺序作相应调整。

本决定自2014年3月15日起施行。

《中华人民共和国消费者权益保护法》根据本决定作相应修改，重新公布。

中华人民共和国
消费者权益保护法

（1993年10月31日第八届全国人民代表大会常务委员会第四次会议通过　根据2009年8月27日第十一届全国人民代表大会常务委员会第十次会议《关于修改部分法律的决定》第一次修正　根据2013年10月25日第十二届全国人民代表大会常务委员会第五次会议《关于修改〈中华人民共和国消费者权益保护法〉的决定》第二次修正）

目　　录

第一章　总　　则

第一条　为保护消费者的合法权益，维护社会经济秩序，促进社会主义市场经济健康发展,制定本法。

第二条　消费者为生活消费需要购买、使用商品或者接受服务,其权益受本法保护;本法未作规定的,受其他有关法律、法规保护。

第三条　经营者为消费者提供其生产、销售的商品或者提供服务,应当遵守本法;本法未作规定的,应当遵守其他有关法律、法规。

第四条　经营者与消费者进行交易,应当遵循自愿、平等、公平、诚实信用的原则。

第五条　国家保护消费者的合法权益不受侵害。

国家采取措施,保障消费者依法行使权利,维护消费者的合法权益。

国家倡导文明、健康、节约资源和保护环境的消费方式,反对浪费。

第六条　保护消费者的合法权益是全社会的共同责任。

国家鼓励、支持一切组织和个人对损害消费者合法权益的行为进行社会监督。

大众传播媒介应当做好维护消费者合法权益的宣传,对损害消费者合法权益的行为进行舆论监督。

第二章　消费者的权利

第七条　消费者在购买、使用商品和接受服务时享有人身、财产安全不受损害的权利。

消费者有权要求经营者提供的商品和服务,符合保障人身、财产安全的要求。

第八条　消费者享有知悉其购买、使用的商品或者接受的服务的真实情况的权利。

消费者有权根据商品或者服务的不同情况,要求经营者提供商品的价格、产地、生产者、用途、性能、规格、等级、主要成份、生产日期、有效期限、检验合格证明、使用方法说明书、售后服务，或者服务的内容、规格、费用等有关情况。

第九条 消费者享有自主选择商品或者服务的权利。

消费者有权自主选择提供商品或者服务的经营者，自主选择商品品种或者服务方式，自主决定购买或者不购买任何一种商品、接受或者不接受任何一项服务。

消费者在自主选择商品或者服务时，有权进行比较、鉴别和挑选。

第十条 消费者享有公平交易的权利。

消费者在购买商品或者接受服务时，有权获得质量保障、价格合理、计量正确等公平交易条件，有权拒绝经营者的强制交易行为。

第十一条 消费者因购买、使用商品或者接受服务受到人身、财产损害的，享有依法获得赔偿的权利。

第十二条 消费者享有依法成立维护自身合法权益的社会组织的权利。

第十三条 消费者享有获得有关消费和消费者权益保护方面的知识的权利。

消费者应当努力掌握所需商品或者服务的知识和使用技能，正确使用商品，提高自我保护意识。

第十四条 消费者在购买、使用商品和接受服务时，享有人格尊严、民族风俗习惯得到尊重的权利，享有个人信息依法得到保护的权利。

第十五条 消费者享有对商品和服务以及保护消费者权益工作进行监督的权利。

消费者有权检举、控告侵害消费者权益的行为和国家机关及其工作人员在保护消费者权益工作中的违法失职行为，有权对保护消费者权益工作提出批评、建议。

第三章 经营者的义务

第十六条 经营者向消费者提供商品或者服务，应当依照本法和其他有关法律、法规的规定履行义务。

经营者和消费者有约定的，应当按照约定履行义务，但双方的约定不得违背法律、法规的规定。

经营者向消费者提供商品或者服务，应当恪守社会公德，诚信经营，保障消费者的合法权益；不得设定不公平、不合理的交易条件，不得强制交易。

第十七条 经营者应当听取消费者对其提供的商品或者服务的意见，接受消费者的监督。

第十八条 经营者应当保证其提供的商品或者服务符合保障人身、财产安全的要求。对可能危及人身、财产安全的商品和服务，应当向消费者作出真实的说明和明确的警示，并说明和标明正确使用商品或者接受服务的方法以及防止危害发生的方法。

宾馆、商场、餐馆、银行、机场、车站、港口、影剧院等经营场所的经营者，应当对消费者尽到安全保障义务。

第十九条 经营者发现其提供的商品或者服务存在缺陷，有危及人身、财产安全危险的，应当立即向有关行政部门报告和告知消费者，并采取停止销售、警示、召回、无害化处理、销毁、停止生产或者服务等措施。采取召回措施的，经营者应当承担消费者因商品被召回支出的必要费用。

第二十条 经营者向消费者提供有关商品或者服务的质量、性能、用途、有效期限等信息，应当真实、全面，不得作虚假或者引人误解的宣传。

经营者对消费者就其提供的商品或者服务的质量和使用方法等问题提出的询问，应当作出真实、明确的答复。

经营者提供商品或者服务应当明码标价。

第二十一条 经营者应当标明其真实名称和标记。

租赁他人柜台或者场地的经营者,应当标明其真实名称和标记。

第二十二条 经营者提供商品或者服务,应当按照国家有关规定或者商业惯例向消费者出具发票等购货凭证或者服务单据;消费者索要发票等购货凭证或者服务单据的,经营者必须出具。

第二十三条 经营者应当保证在正常使用商品或者接受服务的情况下其提供的商品或者服务应当具有的质量、性能、用途和有效期限;但消费者在购买该商品或者接受该服务前已经知道其存在瑕疵,且存在该瑕疵不违反法律强制性规定的除外。

经营者以广告、产品说明、实物样品或者其他方式表明商品或者服务的质量状况的,应当保证其提供的商品或者服务的实际质量与表明的质量状况相符。

经营者提供的机动车、计算机、电视机、电冰箱、空调器、洗衣机等耐用商品或者装饰装修等服务,消费者自接受商品或者服务之日起六个月内发现瑕疵,发生争议的,由经营者承担有关瑕疵的举证责任。

第二十四条 经营者提供的商品或者服务不符合质量要求的,消费者可以依照国家规定、当事人约定退货,或者要求经营者履行更换、修理等义务。没有国家规定和当事人约定的,消费者可以自收到商品之日起七日内退货;七日后符合法定解除合同条件的,消费者可以及时退货,不符合法定解除合同条件的,可以要求经营者履行更换、修理等义务。

依照前款规定进行退货、更换、修理的,经营者应当承担运输等必要费用。

第二十五条 经营者采用网络、电视、电话、邮购等方式销售商品,消费者有权自收到商品之日起七日内退货,且无需说明理

由,但下列商品除外:

(一)消费者定作的;

(二)鲜活易腐的;

(三)在线下载或者消费者拆封的音像制品、计算机软件等数字化商品;

(四)交付的报纸、期刊。

除前款所列商品外,其他根据商品性质并经消费者在购买时确认不宜退货的商品,不适用无理由退货。

消费者退货的商品应当完好。经营者应当自收到退回商品之日起七日内返还消费者支付的商品价款。退回商品的运费由消费者承担;经营者和消费者另有约定的,按照约定。

第二十六条　经营者在经营活动中使用格式条款的,应当以显著方式提请消费者注意商品或者服务的数量和质量、价款或者费用、履行期限和方式、安全注意事项和风险警示、售后服务、民事责任等与消费者有重大利害关系的内容,并按照消费者的要求予以说明。

经营者不得以格式条款、通知、声明、店堂告示等方式,作出排除或者限制消费者权利、减轻或者免除经营者责任、加重消费者责任等对消费者不公平、不合理的规定,不得利用格式条款并借助技术手段强制交易。

格式条款、通知、声明、店堂告示等含有前款所列内容的,其内容无效。

第二十七条　经营者不得对消费者进行侮辱、诽谤,不得搜查消费者的身体及其携带的物品,不得侵犯消费者的人身自由。

第二十八条　采用网络、电视、电话、邮购等方式提供商品或者服务的经营者,以及提供证券、保险、银行等金融服务的经营者,应当向消费者提供经营地址、联系方式、商品或者服务的数量和质量、价款或者费用、履行期限和方式、安全注意事项和风险警示、售后服务、民事责任等信息。

第二十九条 经营者收集、使用消费者个人信息,应当遵循合法、正当、必要的原则,明示收集、使用信息的目的、方式和范围,并经消费者同意。经营者收集、使用消费者个人信息,应当公开其收集、使用规则,不得违反法律、法规的规定和双方的约定收集、使用信息。

经营者及其工作人员对收集的消费者个人信息必须严格保密,不得泄露、出售或者非法向他人提供。经营者应当采取技术措施和其他必要措施,确保信息安全,防止消费者个人信息泄露、丢失。在发生或者可能发生信息泄露、丢失的情况时,应当立即采取补救措施。

经营者未经消费者同意或者请求,或者消费者明确表示拒绝的,不得向其发送商业性信息。

第四章 国家对消费者合法权益的保护

第三十条 国家制定有关消费者权益的法律、法规、规章和强制性标准,应当听取消费者和消费者协会等组织的意见。

第三十一条 各级人民政府应当加强领导,组织、协调、督促有关行政部门做好保护消费者合法权益的工作,落实保护消费者合法权益的职责。

各级人民政府应当加强监督,预防危害消费者人身、财产安全行为的发生,及时制止危害消费者人身、财产安全的行为。

第三十二条 各级人民政府工商行政管理部门和其他有关行政部门应当依照法律、法规的规定,在各自的职责范围内,采取措施,保护消费者的合法权益。

有关行政部门应当听取消费者和消费者协会等组织对经营者交易行为、商品和服务质量问题的意见,及时调查处理。

第三十三条 有关行政部门在各自的职责范围内,应当定期或者不定期对经营者提供的商品和服务进行抽查检验,并及时向社会公布抽查检验结果。

有关行政部门发现并认定经营者提供的商品或者服务存在缺陷,有危及人身、财产安全危险的,应当立即责令经营者采取停止销售、警示、召回、无害化处理、销毁、停止生产或者服务等措施。

第三十四条 有关国家机关应当依照法律、法规的规定,惩处经营者在提供商品和服务中侵害消费者合法权益的违法犯罪行为。

第三十五条 人民法院应当采取措施,方便消费者提起诉讼。对符合《中华人民共和国民事诉讼法》起诉条件的消费者权益争议,必须受理,及时审理。

第五章 消费者组织

第三十六条 消费者协会和其他消费者组织是依法成立的对商品和服务进行社会监督的保护消费者合法权益的社会组织。

第三十七条 消费者协会履行下列公益性职责:

(一)向消费者提供消费信息和咨询服务,提高消费者维护自身合法权益的能力,引导文明、健康、节约资源和保护环境的消费方式;

(二)参与制定有关消费者权益的法律、法规、规章和强制性标准;

(三)参与有关行政部门对商品和服务的监督、检查;

(四)就有关消费者合法权益的问题,向有关部门反映、查询,提出建议;

(五)受理消费者的投诉,并对投诉事项进行调查、调解;

(六)投诉事项涉及商品和服务质量问题的,可以委托具备资格的鉴定人鉴定,鉴定人应当告知鉴定意见;

(七)就损害消费者合法权益的行为,支持受损害的消费者提起诉讼或者依照本法提起诉讼；

（八）对损害消费者合法权益的行为，通过大众传播媒介予以揭露、批评。

各级人民政府对消费者协会履行职责应当予以必要的经费等支持。

消费者协会应当认真履行保护消费者合法权益的职责，听取消费者的意见和建议，接受社会监督。

依法成立的其他消费者组织依照法律、法规及其章程的规定，开展保护消费者合法权益的活动。

第三十八条 消费者组织不得从事商品经营和营利性服务，不得以收取费用或者其他牟取利益的方式向消费者推荐商品和服务。

第六章 争议的解决

第三十九条 消费者和经营者发生消费者权益争议的，可以通过下列途径解决：

（一）与经营者协商和解；

（二）请求消费者协会或者依法成立的其他调解组织调解；

（三）向有关行政部门投诉；

（四）根据与经营者达成的仲裁协议提请仲裁机构仲裁；

（五）向人民法院提起诉讼。

第四十条 消费者在购买、使用商品时，其合法权益受到损害的，可以向销售者要求赔偿。销售者赔偿后，属于生产者的责任或者属于向销售者提供商品的其他销售者的责任的，销售者有权向生产者或者其他销售者追偿。

消费者或者其他受害人因商品缺陷造成人身、财产损害的，可以向销售者要求赔偿，也可以向生产者要求赔偿。属于生产者责任的，销售者赔偿后，有权向生产者追偿。属于销售者责任的，生产者赔偿后，有权向销售者追偿。

消费者在接受服务时，其合法权益受到损害的，可以向服务者要求赔偿。

第四十一条 消费者在购买、使用商品或者接受服务时，其合法权益受到损害，因原企业分立、合并的，可以向变更后承受其权利义务的企业要求赔偿。

第四十二条 使用他人营业执照的违法经营者提供商品或者服务，损害消费者合法权益的，消费者可以向其要求赔偿，也可以向营业执照的持有人要求赔偿。

第四十三条 消费者在展销会、租赁柜台购买商品或者接受服务，其合法权益受到损害的，可以向销售者或者服务者要求赔偿。展销会结束或者柜台租赁期满后，也可以向展销会的举办者、柜台的出租者要求赔偿。展销会的举办者、柜台的出租者赔偿后，有权向销售者或者服务者追偿。

第四十四条 消费者通过网络交易平台购买商品或者接受服务，其合法权益受到损害的，可以向销售者或者服务者要求赔偿。网络交易平台提供者不能提供销售者或者服务者的真实名称、地址和有效联系方式的，消费者也可以向网络交易平台提供者要求赔偿；网络交易平台提供者作出更有利于消费者的承诺的，应当履行承诺。网络交易平台提供者赔偿后，有权向销售者或者服务者追偿。

网络交易平台提供者明知或者应知销售者或者服务者利用其平台侵害消费者合法权益，未采取必要措施的，依法与该销售者或者服务者承担连带责任。

第四十五条 消费者因经营者利用虚假广告或者其他虚假宣传方式提供商品或者服务，其合法权益受到损害的，可以向经营者要求赔偿。广告经营者、发布者发布虚假广告的，消费者可以请求行政主管部门予以惩处。广告经营者、发布者不能提供经营者的真实名称、地址和有效联系方式的，应当承担赔偿责任。

广告经营者、发布者设计、制作、发布关系消费者生命健康商品或者服务的虚假广告，造成消费者损害的，应当与提供该商品或者服务的经营者承担连带责任。

社会团体或者其他组织、个人在关系消费者生命健康商品或者服务的虚假广告或者其他虚假宣传中向消费者推荐商品或者服务，造成消费者损害的，应当与提供该商品或者服务的经营者承担连带责任。

第四十六条 消费者向有关行政部门投诉的，该部门应当自收到投诉之日起七个工作日内，予以处理并告知消费者。

第四十七条 对侵害众多消费者合法权益的行为，中国消费者协会以及在省、自治区、直辖市设立的消费者协会，可以向人民法院提起诉讼。

第七章 法律责任

第四十八条 经营者提供商品或者服务有下列情形之一的，除本法另有规定外，应当依照其他有关法律、法规的规定，承担民事责任：

（一）商品或者服务存在缺陷的；

（二）不具备商品应当具备的使用性能而出售时未作说明的；

（三）不符合在商品或者其包装上注明采用的商品标准的；

（四）不符合商品说明、实物样品等方式表明的质量状况的；

（五）生产国家明令淘汰的商品或者销售失效、变质的商品的；

（六）销售的商品数量不足的；

（七）服务的内容和费用违反约定的；

（八）对消费者提出的修理、重作、更换、退货、补足商品数量、退还货款和服务费用或者赔偿损失的要求，故意拖延或者无理拒绝的；

（九）法律、法规规定的其他损害消费者权益的情形。

经营者对消费者未尽到安全保障义务，造成消费者损害的，应当承担侵权责任。

第四十九条 经营者提供商品或者服务，造成消费者或者其他受害人人身伤害的，应当赔偿医疗费、护理费、交通费等为治疗和康复支出的合理费用，以及因误工减少的收入。造成残疾的，还应当赔偿残疾生活辅助具费和残疾赔偿金。造成死亡的，还应当赔偿丧葬费和死亡赔偿金。

第五十条 经营者侵害消费者的人格尊严、侵犯消费者人身自由或者侵害消费者个人信息依法得到保护的权利的，应当停止侵害、恢复名誉、消除影响、赔礼道歉，并赔偿损失。

第五十一条 经营者有侮辱诽谤、搜查身体、侵犯人身自由等侵害消费者或者其他受害人人身权益的行为，造成严重精神损害的，受害人可以要求精神损害赔偿。

第五十二条 经营者提供商品或者服务，造成消费者财产损害的，应当依照法律规定或者当事人约定承担修理、重作、更换、退货、补足商品数量、退还货款和服务费用或者赔偿损失等民事责任。

第五十三条 经营者以预收款方式提供商品或者服务的，应当按照约定提供。未按照约定提供的，应当按照消费者的要求履行约定或者退回预付款；并应当承担预付款的利息、消费者必须支付的合理费用。

第五十四条 依法经有关行政部门认定为不合格的商品，消费者要求退货的，经营者应当负责退货。

第五十五条 经营者提供商品或者服务有欺诈行为的，应当按照消费者的要求增加赔偿其受到的损失，增加赔偿的金额为消费者购买商品的价款或者接受服务的费用的三倍；增加赔偿的金额不足五百元的，为五百元。法律另有规定的，依照其规定。

经营者明知商品或者服务存在缺陷，仍然向消费者提供，造成消费者或者其他受害人死亡或者健康严重损害的，受害人有权要求经营者依照本法第四十九条、第五十一条等法律规定赔偿损失，并有权要求所受损失二倍以下的惩罚性赔偿。

第五十六条 经营者有下列情形之一，除承担相应的民事责任外，其他有关法律、法规对处罚机关和处罚方式有规定的，依照法律、法规的规定执行；法律、法规未作规定的，由工商行政管理部门或者其他有关行政部门责令改正，可以根据情节单处或者并处警告、没收违法所得、处以违法所得一倍以上十倍以下的罚款，没有违法所得的，处以五十万元以下的罚款；情节严重的，责令停业整顿、吊销营业执照：

（一）提供的商品或者服务不符合保障人身、财产安全要求的；

（二）在商品中掺杂、掺假，以假充真，以次充好，或者以不合格商品冒充合格商品的；

（三）生产国家明令淘汰的商品或者销售失效、变质的商品的；

（四）伪造商品的产地，伪造或者冒用他人的厂名、厂址，篡改生产日期，伪造或者冒用认证标志等质量标志的；

（五）销售的商品应当检验、检疫而未检验、检疫或者伪造检验、检疫结果的；

（六）对商品或者服务作虚假或者引人误解的宣传的；

（七）拒绝或者拖延有关行政部门责令对缺陷商品或者服务采取停止销售、警示、召回、无害化处理、销毁、停止生产或者服务等措施的；

（八）对消费者提出的修理、重作、更换、退货、补足商品数量、退还货款和服务费用或者赔偿损失的要求，故意拖延或者无理拒绝的；

（九）侵害消费者人格尊严、侵犯消费者人身自由或者侵害消费者个人信息依法得到保护的权利的；

（十）法律、法规规定的对损害消费者权益应当予以处罚的其他情形。

经营者有前款规定情形的，除依照法律、法规规定予以处罚外，处罚机关应当记入信用档案，向社会公布。

第五十七条　经营者违反本法规定提供商品或者服务，侵害消费者合法权益，构成犯罪的，依法追究刑事责任。

第五十八条　经营者违反本法规定，应当承担民事赔偿责任和缴纳罚款、罚金，其财产不足以同时支付的，先承担民事赔偿责任。

第五十九条　经营者对行政处罚决定不服的，可以依法申请行政复议或者提起行政诉讼。

第六十条　以暴力、威胁等方法阻碍有关行政部门工作人员依法执行职务的，依法追究刑事责任；拒绝、阻碍有关行政部门工作人员依法执行职务，未使用暴力、威胁方法的，由公安机关依照《中华人民共和国治安管理处罚法》的规定处罚。

第六十一条　国家机关工作人员玩忽职守或者包庇经营者侵害消费者合法权益的行为的，由其所在单位或者上级机关给予行政处分；情节严重，构成犯罪的，依法追究刑事责任。

第八章　附　　则

第六十二条　农民购买、使用直接用于农业生产的生产资料，参照本法执行。

第六十三条　本法自 1994 年 1 月 1 日起施行。

关于《中华人民共和国消费者权益保护法修正案(草案)》的说明

——2013年4月23日在第十二届全国人民代表大会常务委员会第二次会议上

全国人大常委会法制工作委员会主任 李适时

委员长、各位副委员长、秘书长、各位委员:

我受委员长会议的委托,作关于《中华人民共和国消费者权益保护法修正案(草案)》的说明。

消费者权益保护法是1993年制定的。该法施行近二十年来,对保护消费者的合法权益,维护社会经济秩序,促进社会主义市场经济健康发展,发挥了重要作用。但是,随着经济社会不断发展,我国消费方式、消费结构和消费理念发生很大变化,在消费者权益保护领域出现了不少新情况新问题,有必要适时修改这部法律,完善消费者权益保护法律制度。

近年来,一些全国人大代表和有关方面陆续提出修改消费者权益保护法的意见和建议。根据十一届全国人大常委会立法规划和年度立法工作计划,法制工作委员会从2011年10月着手研究修改工作。修改工作注意把握以下几点:一是秉持以人为本的立法理念,认真总结消费者权益保护法的实施经验,切实加强对消费者权益的保护。二是针对消费领域出现的新情况新问题，着重解决广大人民群众十分关注的突出问题，并尽量把保护消费者权益的制度落到实处。三是适应转变经济发展方式的要求，营造良好的法治环境，增强人民群众消费信心，并引导节约资源和保护环境的合理消费。四是按照加强和创新社会管理的需要，进一步发挥消费者协会的作用，强化有关部门对保护消费者权益的监管职责，减少、预防消费纠纷。法制工作委员会抓紧工作，多次听取人大代表、消费者协会和专家、律师以及法院、工商、商务、工信等部门的意见，到一些地方实地调研，反复研究修改，形成了消费者权益保护法修正案草案。现就主要问题说明如下：

一、充实细化消费者权益的规定

保护消费者权益是本法的核心和基础。根据广大消费者和有关方面的普遍要求，针对实践中存在的较为突出的问题，草案从以下几个方面作出修改：

一是明确个人信息保护。实践中有的经营者非法收集、使用消费者的个人信息，擅自泄露或者非法向他人提供消费者个人信息，严重影响消费者正常生活，侵害消费者的合法权益。各方面普遍要求在本法中增加保护消费者个人信息的规定。草案从四个方面作出规定：第一，消费者在购买、使用商品和接受服务时；享有姓名权、肖像权、隐私权等个人信息得到保护的权利。第二，经营者收集、使用消费者个人信息，应当遵循合法、正当、必要的原则，明示收集、使用信息的目的、方式和范围，并经被收集者同意。第三，经营者及其工作人员对收集的消费者个人信息必须严格保密，并应当采取技术措施和其他必要措施，确保信息安全。第四，经营者未经消费者同意或者请求，或者消费者明确表示拒绝的，不得向其发送商业性电子信息。上述规定，与十一届全国人大常委会第三十次会议通过的《全国人民代表大会常务委员会关于加强网络信息保护的决定》的有关规定是一致的。（修正案草案第二条、

第十条）

二是完善“三包”规定。商品和服务的质量，关系消费者的日常生活，涉及消费者人身、财产安全。从工商部门和消费者协会受理的申诉投诉案件看，一半是有关商品和服务质量的案件。强化退货、更换、修理的规定是促使保证商品和服务质量的有效措施。据此，草案规定：“经营者提供商品或者服务不符合质量要求的，消费者可以依照国家规定和当事人约定退货，或者要求经营者履行更换、修理等义务；没有国家规定和当事人约定的，消费者可以自收到商品之日起七日内退货；七日后符合《中华人民共和国合同法》规定的解除合同条件的，消费者可以及时退货，不符合解除合同条件的，可以要求经营者履行更换、修理等义务。”（修正案草案第六条）

三是加大对欺诈行为的惩罚力度。实践中有的经营者采取弄虚作假等欺诈行为，损害消费者权益，甚至造成严重损害消费者生命健康的后果，各方面呼吁对此要加大惩罚力度。据此，草案规定：“经营者提供商品或者服务有欺诈行为的，应当按照消费者的要求增加赔偿其受到的损失，增加赔偿的金额为消费者购买商品的价款或者接受服务费用的两倍；增加赔偿的金额不足五百元的，为五百元。法律另有规定的，依照其规定。”“经营者有明知商品或者服务存在缺陷，仍然向消费者提供的欺诈行为，造成消费者或者其他受害人死亡或者健康严重损害的，依法追究刑事责任；受害人有权要求所受损失两倍以下的民事赔偿。”（修正案草案第二十五条）

二、强化经营者的义务与责任

经营者的义务和责任与消费者权益密切相关。针对实践中较频繁发生的消费者权益受到损害的情形以及维权难的情况，草案从以下几个方面作了进一步明确：

一是明确召回缺陷商品的义务。根据各方面关于应明确经营者召回缺陷商品等义务的意见,草案规定:“经营者发现其提供的商品或者服务存在缺陷,可能对人身、财产安全造成危害的,应当立即向有关行政部门报告和告知消费者,并及时采取停止生产、停止销售、警示、召回等消除危险的措施。采取召回措施的,经营者应当承担消费者因商品被召回支出的必要费用。”(修正案草案第三条)

二是明确经营者的举证责任。针对消费者维权中“举证难”问题,草案规定:“经营者提供的机动车、微型计算机、电视机、电冰箱等耐用商品或者装饰装修等服务,自消费者接受商品或者服务之日起六个月内出现瑕疵,发生纠纷的,由经营者承担相关举证责任。”(修正案草案第五条)

三是强化广告经营者、发布者的责任。从行为后果看,广告经营者、发布者设计、制作、发布食品药品的虚假广告,对消费者造成的损害更为严重,应当强化其责任。据此,草案增加规定:“广告经营者、发布者设计、制作、发布食品药品等关系消费者生命健康商品或者服务的虚假广告,造成消费者损害的,广告经营者、发布者与提供该商品或者服务的经营者承担连带责任。”(修正案草案第十七条)

三、规范网络购物等新的消费方式

随着信息技术的广泛应用,通过网络、电视、电话等销售商品或者提供服务的方式逐渐兴起。这些新的消费方式与传统消费方式不同,消费者主要通过经营者提供的图片、画面或者文字等选择商品,难以辨别商品的真实性,容易受到不当宣传的影响。针对新的消费方式特点,根据我国网络销售活动的实际,借鉴国外好的做法,草案作了以下几个方面的规范:

一是保护消费者的知情权。针对网络购物中经营者提供的信息不真实、不完整问题,草案规定:“采用网络、电视、电话、邮购等方式提供商品或者服务的经营者,以及从事证券、保险、银行业务的经营者，应当向消费者提供经营地址、联系方式、商品或者服务的数量和质量、价款或者费用、履行期限和方式、风险警示、售后服务、民事责任等真实、必要的信息。”（修正案草案第八条）

二是保护消费者的选择权。草案赋予消费者在适当期间单方解除合同的权利，规定：“经营者采用网络、电视、电话、邮购等方式销售商品，消费者有权自收到商品之日起七日内退货，但根据商品性质不宜退货的除外。经营者应当自收到退回货物之日起七日内返还消费者支付的价款。”（修正案草案第九条）

三是保护消费者的损害赔偿请求权。草案规定当网络交易平台上的销售者、服务者不再利用该平台时，消费者可以向网络交易平台提供者要求赔偿。（修正案草案第十六条）

四、进一步发挥消费者协会的作用

为了切实保护消费者的合法权益，有必要进一步发挥消费者协会的作用。草案在现有规定的基础上增加规定消费者协会的职能：一是向消费者提供消费信息和咨询服务，引导节约资源和保护环境的合理消费，提高消费者维护自身权益的能力。二是参与制定有关消费者权益的法律、法规和强制性标准。三是对侵害众多消费者合法权益的行为，中国消费者协会以及在省、自治区、直辖市设立的消费者协会，可以向人民法院提起诉讼。（修正案草案第十三条、第十九条）

五、进一步明确行政部门的监管职责

从实际情况看，进一步明确行政部门对商品和服务经营活动的监管职责，对切实保护消费者合法权益是必要的。草案从以下几个方面作了补充和完善：

一是有关行政部门在各自的职责范围内，应当对经营者提供的商品和服务进行抽查检验，并向社会及时公布抽查检验结果。有关行政部门抽查检验中发现经营者提供的商品和服务存在缺陷，可能对消费者人身、财产安全造成危害的，应当立即责令经营

者采取停止生产、停止销售、警示、召回等消除危险的措施。（修正案草案第十二条）

二是消费者向有关行政部门申诉的，该部门应当自收到申诉书之日起七日内，作出处理。（修正案草案第十八条）

三是相应加大对损害消费者权益行为的行政处罚力度。（修正案草案第二十六条）

修正案草案和以上说明是否妥当，请审议。

全国人民代表大会法律委员会关于《中华人民共和国消费者权益保护法修正案(草案)》修改情况的汇报

全国人民代表大会常务委员会:

常委会第二次会议对消费者权益保护法修正案(草案)进行了初次审议。会后,法制工作委员会将草案印发地方人大、中央有关部门、法学教学研究机构、有关社会团体和企业征求意见。在中国人大网全文公布草案征求社会公众意见。法律委员会、法制工作委员会先后召开多个专题座谈会,听取有关部门、人民法院、消费者协会、企业、律师等方面的意见。法律委员会、法制工作委员会还到上海、浙江、广西、福建等地进行调研,听取意见。法律委员会于7月30日召开会议,根据常委会组成人员的审议意见和各方面的意见,对草案进行了逐条审议。国务院法制办公室有关同志列席会议。法律委员会根据常委会组成人员的审议意见和各方面的意见,主要从加强社会诚信建设,完善无理由退货制度,保障消费者协会履行职能,进一步强化虚假广告的责任,加大惩罚性赔偿力度等方面对草案作了修改。8月20日,法律委员会召开会议,再次进行了审议。现将消费者权益保护法修正案(草案)主要问题的修改情况汇报如下:

一、有的常委会组成人员提出,一些经营者违法经营,制售假冒伪劣商品,进行虚假宣传,严重损害消费者权益,一个重要原因就是缺失诚信,背离社会公德,消费者权益保护法应当强调加强社会诚信建设。法律委员会经研究认为,在本法修改中进一步体现这一精神,有利于引导经营者自觉履行法定义务并承担社会责任,培育诚信的消费环境,增强人民群众的消费信心。建议增加以下规定:一是经营者向消费者提供商品或者服务,应当恪守社会公德,诚信经营,保障消费者合法权益。(修正案草案二次审议稿第三条)二是针对经营者掺杂、掺假,以假充真,以次充好,以不合格商品冒充合格商品,虚假宣传等行为,规定除依照法律、法规规定予以处罚外,由有关部门记入信用档案,向社会公布。(修正案草案二次审议稿第二十八条)

二、草案第九条在现行消费者权益保护法规定的商品有质量问题,消费者有权要求退货的基础上,规定了无理由退货制度,即"经营者采用网络、电视、电话、邮购等方式销售商品,消费者有权自收到商品之日起七日内退货,但根据商品性质不宜退货的除外。经营者应当自收到退回货物之日起七日内返还消费者支付的价款。"依照这一规定,消费者通过网络等方式购买商品后,要求退货的,无需说明理由。一些常委委员、代表、地方和部门提出,草案的规定对维护消费者权益、增强消费信心具有积极意义,但也要考虑网络购物等市场发育程度和对经营者的影响,防止滥用这种权利,建议明确不宜退货的情形和退货费用的承担,增强法律适用的确定性和可操作性。法律委员会经研究认为,这一意见有道理,建立无理由退货制度,应当处理好消费者权益保护与新的消费方式健康发展之间的关系。按照法律规定能具体尽量具体、能明确尽量明确的要求,总结实践经验并借鉴国外相关做法,建议对该规定作如下修改:一是明确规定消费者定作的商品,鲜活易腐商品,消费者拆封的音像制品、计算机软件,交付的报纸、期刊等不适用无理由退货。二是规定消费者应当自向经营者提出退货要求之日起七

日内将商品退回;经营者返还消费者支付的价款限于商品价款,不包括运费。(修正案草案二次审议稿第十条)

三、现行消费者权益保护法第三十二条规定,各级人民政府对消费者协会履行职能应当予以支持。一些常委委员、代表、地方、部门和社会公众提出,消费者协会在消费者权益保护方面发挥着重要作用,消费者协会由政府主导设立,没有会员,不收取会费,履行职能具有公益性,政府应当对其履行职能提供必要的经费保障。法律委员会经研究,建议补充完善以下规定:一是明确消费者协会履行的是公益性职能。二是明确各级人民政府对消费者协会履行职能应当予以必要的经费等支持。(修正案草案二次审议稿第十四条)

四、草案第十七条规定,广告经营者、发布者设计、制作、发布食品药品等关系消费者生命健康商品或者服务的虚假广告,造成消费者损害的,广告经营者、发布者与提供该商品或者服务的经营者承担连带责任。有些常委会组成人员提出,除食品药品外,对其他商品或者服务虚假广告的广告经营者、发布者也应当规定连带责任。有的常委委员、代表、地方、部门和社会公众建议增加广告代言人对虚假广告应当承担民事责任的规定。有的常委会组成人员建议规定违法发布药品广告的法律责任。法律委员会经研究,建议作以下修改补充:一是规定广告经营者、发布者设计、制作、发布关系消费者生命健康商品或者服务的虚假广告,造成消费者损害的,应当与提供该商品或者服务的经营者承担连带责任。二是增加规定,社会团体或者其他组织、个人在前款虚假广告中向消费者推荐商品或者服务,造成消费者损害的,应当与提供该商品或者服务的经营者承担连带责任。三是增加规定。药品经营者以及广告经营者、发布者违反法律规定发布药品广告,除依法予以行政处罚外,造成消费者损害的,依法承担民事责任;构成犯罪的,依法追究刑事责任。(修正案草案二次审议稿第十八条)

五、草案第二十五条对有欺诈行为的经营者规定了惩罚性赔偿：一是经营者提供商品或者服务有欺诈行为的，应当按照消费者的要求增加赔偿其受到的损失，增加赔偿的金额为消费者购买商品的价款或者接受服务费用的两倍。二是经营者有明知商品或者服务存在缺陷，仍然向消费者提供的欺诈行为，造成消费者或者其他受害人死亡或者健康严重损害的，受害人有权要求所受损失两倍以下的民事赔偿。一些常委会组成人员、代表、地方、部门和社会公众提出，实践中一些经营者制假售假，甚至生产销售危害消费者生命健康的缺陷商品，严重侵害消费者权益，主观恶性较大，草案的规定还不足以惩戒违法经营者，应当提高惩罚性赔偿数额。法律委员会经研究，建议将原规定的两倍惩罚性赔偿分别修改为"三倍"。（修正案草案二次审议稿第二十七条）

还有二个问题需要汇报：

一是关于本法的调整范围。现行消费者权益保护法第二条规定，消费者为生活消费需要购买、使用商品或者接受服务，其权益受本法保护。一些常委委员、地方、部门和社会公众提出，实践中对"生活消费需要"理解不一，对购买商品房、接受教育和医疗服务等是否属于本法的调整范围有不同认识，建议予以明确。法律委员会经研究认为，消费者权益保护法是保护市场交易中处于弱势地位的消费者的法律，体现了对消费者的特殊保护。至于平等民事主体之间的其他关系，则受合同法等法律的规范。同时，"生活消费需要"的表述涵盖范围较宽，可以为法律适用留有余地。此外，对商品房买卖、教育、医疗服务等领域中的哪些活动纳入本法调整，各方面还有不同意见，尚未形成共识。法律委员会经研究，建议暂不修改。

二是关于农资产品购买使用。现行消费者权益保护法第五十四条规定，农民购买、使用直接用于农业生产的生产资料，参照本法执行。有的常委委员提出，这一规定对农民权益保护不够，建议专设一章,对农民购买、使用农资产品的保护作专门规定。法律委员会经研究认为,本法调整的范围为生活消费,农民购买、使用农资产品,从性质上讲属于生产消费。规定“参照本法执行”,已经体现了对农民权益的特殊保护。此外,农业法、种子法、农药管理条例等法律、行政法规对农民购买、使用农资产品,在经营者的说明义务、损失赔偿及其监督管理等方面都作了具体规定,能够起到保护农民权益的作用。对此问题可以不作修改。

此外,还对修正案草案作了一些文字修改。

修正案草案二次审议稿已按上述意见作了修改,法律委员会建议提请本次常委会会议继续审议。

修正案草案二次审议稿和以上汇报是否妥当,请审议。

全国人民代表大会法律委员会

2013 年 8 月 26 日

全国人民代表大会法律委员会关于《中华人民共和国消费者权益保护法修正案(草案)》审议结果的报告

全国人民代表大会常务委员会:

常委会第二次会议和第四次会议对消费者权益保护法修正案草案进行了两次审议。修正案草案从加强社会诚信建设、充实细化消费者权益、强化经营者义务、规范网络购物等新的消费方式、进一步发挥消费者协会的作用、进一步明确行政部门的监管职责、强化虚假广告责任和加大惩罚性赔偿力度等方面对现行消费者权益保护法作了修改完善。常委会第四次会议后,法制工作委员会在中国人大网公布草案二次审议稿再次向社会公开征求意见。法律委员会、法制工作委员会与国家工商行政管理总局、国务院法制办公室共同研究。召开多个座谈会,专门听取消费者和经营者的意见。法律委员会于9月29日召开会议,根据常委会组成人员的审议意见和各方面意见,对草案进行了逐条审议。国家工商行政管理总局、国务院法制办公室的负责同志列席了会议。10月15日,法律委员会召开会议,再次进行了审议。法律委员会认为,为了推进社会诚信建设,切实加强对消费者权益的保护,规范经营者的经营行为,促进社会主义市场经济健康发展,对现行消费者权益保护法进行修改是必要的。修正案草案经过了两次审议修改,已

经比较成熟。同时,提出以下主要修改意见:

一、有的常委委员、代表建议增加规定,经营者提供商品或者服务不得歧视消费者,不得设定不合理的交易条件或者差别待遇。法律委员会经研究,现行消费者权益保护法对消费者享有公平交易的权利作了规定,为与消费者的这项权利相对应,进一步明确经营者的义务,建议增加规定:经营者向消费者提供商品或者服务,不得设定不公平、不合理的交易条件,不得强制交易。(修改决定草案第三条)

二、草案二次审议稿规定,经营者采用网络等方式销售商品,消费者有权自收到商品之日起七日内退货,且无需说明理由,但消费者定作的商品,鲜活易腐商品,消费者拆封的音像制品、计算机软件,交付的报纸、期刊等商品除外。一些常委会组成人员、代表提出,建立网络销售商品的无理由退货制度是好的,但也应防止权利滥用,进一步明确不适用无理由退货的商品种类。有的常委委员建议明确退货的运费由谁承担。法律委员会经研究,建议增加列举在线下载的数字化商品不适用无理由退货;同时增加规定,退回商品的运费由消费者承担;经营者和消费者另有约定的,按照约定。(修改决定草案第十条)

三、根据草案二次审议稿的规定,网络交易平台提供者与展销会、租赁柜台适用相同的条件,向消费者承担先行赔付责任。有些常委委员提出,网络交易不同于实体交易,具有虚拟性的特点,在网络交易平台上销售商品的电商数量庞大,对二者不加区别地对待也不一定对消费者有利,建议合理确定网络交易平台的责任。法律委员会经研究,建议单作规定:消费者通过网络交易平台购买商品或者接受服务,其合法权益受到损害的,可以向销售者或者服务者要求赔偿。网络交易平台提供者不能提供销售者或者服务者的真实名称、地址和有效联系方式的,消费者也可以向网络交易平台提供者要求赔偿。网络交易平台提供者赔偿后,有权向销售者

或者服务者追偿。(修改决定草案第十六条)

四、现行消费者权益保护法规定,消费者协会和其他消费者组织是依法成立的对商品和服务进行社会监督的保护消费者合法权益的社会团体。国家工商行政管理总局和中国消费者协会提出,消费者协会由政府主导设立,没有会员,履行职责具有公益性,与《社会团体登记管理条例》规定的由会员组成的社会团体不同,建议根据实际情况进行定性。有些常委委员建议增加对消费者协会进行监督的内容。有的常委会组成人员建议增加其他消费者组织依法维护消费者权益的规定。法律委员会经研究,建议作以下修改补充:一是将消费者协会等的定性修改为"社会组织"。二是增加规定,消费者协会应当认真履行保护消费者合法权益的职责,听取消费者的意见和建议,接受社会监督。三是增加规定,依法成立的其他消费者组织依照法律、法规及其章程的规定,开展保护消费者合法权益的活动。(修改决定草案第十四条)

五、草案二次审议稿规定,经营者有明知商品或者服务存在缺陷,仍然向消费者提供的欺诈行为,造成消费者或者其他受害人死亡或者健康严重损害的,依法追究刑事责任;受害人有权要求所受损失三倍以下的民事赔偿。一些常委会组成人员建议提高惩罚性赔偿额。有的代表建议在条文中明确"所受损失"是指修正草案二次审议稿第四十八条、第五十条规定的"损失"。有的常委委员建议将"民事赔偿"修改为"惩罚性赔偿"。法律委员会经研究认为,二次审议稿第四十八条、第五十条规定的"损失",不仅包括人身伤害损失、财产损失,还包括精神损害赔偿,可以考虑在这两条规定的基础上,再明确两倍以下的惩罚性赔偿。据此,建议明确"受害人有权要求经营者依照本法第四十九条、第五十一条等法律规定赔偿损失",在此基础上,还有权要求所受损失二倍以下的惩罚性赔偿。(修改决定草案第二十六条)

此外,还对修正案草案二次审议稿作了一些文字修改。

10 月 9 日，法制工作委员会召开法律案出台前评估会议，邀请全国人大代表、消费者、经营者、专家学者和法官、律师等方面的代表，就修正案草案的主要修改内容的可行性、出台时机、实施后的社会效果以及实施中可能出现的问题进行评估。总的评价是：草案针对消费者保护领域出现的新情况新问题，进一步完善了对消费者权益的保护，规范了新的消费方式，保障了消费者协会履行职责，有利于提升消费信心，促进正当经营、诚信经营。草案内容明确、具体，针对性和可操作性强，现在出台是必要的、适时的。有的会议代表还就本法调整范围、个人信息保护、商品三包义务、虚假广告责任和惩罚性赔偿等问题，提出了一些具体修改建议。法律委员会进行了认真研究，对有的意见予以采纳。

消费者权益保护法是保护消费者合法权益的重要法律。法律委员会建议，各级人民政府及其有关部门、人民法院和消费者协会要抓紧做好贯彻实施的各项工作，加强法律的宣传教育培训，严格执法司法，提供良好公益服务，为法律的正确适用和自觉遵守营造良好环境，确保修改后法律有效实施。

法律委员会已按上述意见提出了全国人民代表大会常务委员会关于修改《中华人民共和国消费者权益保护法》的决定（草案）。法律委员会建议，经本次常委会会议审议，如果审议意见比较一致，提请本次常委会会议表决通过。

修改决定草案和以上报告是否妥当，请审议。

全国人民代表大会法律委员会

2013 年 10 月 21 日

全国人民代表大会法律委员会关于《全国人民代表大会常务委员会关于修改〈中华人民共和国消费者权益保护法〉的决定(草案)》修改意见的报告

全国人民代表大会常务委员会：

本次常委会会议于10月21日下午对全国人民代表大会常务委员会关于修改消费者权益保护法的决定(草案)进行了分组审议,普遍认为,草案已经比较成熟,建议进一步修改后,提请本次会议通过。同时,有些常委会组成人员还提出了一些修改意见。法律委员会于10月22日下午召开会议,逐条研究了常委会组成人员的审议意见,对草案进行了审议。国家工商行政管理总局、国务院法制办公室的负责同志列席了会议。法律委员会认为,草案是可行的,同时,提出以下修改意见:

一、现行消费者权益保护法第二十一条规定,经营者应当按照国家有关规定或者商业惯例向消费者出具购货凭证或者服务单据。一些常委委员、代表提出,经营者向消费者出具发票,有利于消费者更好地维护自身权益,也有利于增强全社会的纳税意识,建议明确规定经营者应当依法向消费者出具发票。法律委员会经研究,建议将上述规定中的“购货凭证或者服务单据”,修改为“发票等购货凭证或者服务单据”。(修改决定草案建议表决稿第六条)

二、修改决定草案第八条对格式条款作了规定。有的常委委员和列席会议的人员提出，有的经营者利用格式条款和技术手段要求消费者提供个人信息，作为提供商品、服务的条件，或者以拒绝提供商品、服务，强制消费者接受其不合理的条件，建议对此予以规范。法律委员会经研究，建议在上述规定中增加规定，经营者“不得利用格式条款并借助技术手段强制交易”。（修改决定草案建议表决稿第十条）

三、修改决定草案第十条对无理由退货制度作了规定。有些常委委员提出，第五项“其他根据商品性质不宜退货的”商品，应当由经营者和消费者约定或者经消费者确认。有的常委委员提出，消费者退货的商品应当完好无损。有的常委委员建议，将这一条规定移至修改决定草案第七条之后。法律委员会经研究，建议将上述规定作如下修改补充：一是将“其他根据商品性质不宜退货的”，修改为“除前款所列商品外，其他根据商品性质并经消费者在购买时确认不宜退货的商品，不适用无理由退货”，并单作一款。二是增加规定，消费者退货的商品应当完好。此外，将上述条文顺序作相应调整。（修改决定草案建议表决稿第九条）

四、修改决案草案第十四条规定，消费者组织不得以任何形式向消费者推荐特定商品和服务。有的常委委员和国家工商行政管理总局提出，发布商品或者服务的比较试验结果，是消费者组织提供消费信息、引导消费的一项重要公益服务，草案对此宜作出适当区分。法律委员会经研究，建议将上述规定修改为，消费者组织不得以收取费用或者其他牟取利益的方式向消费者推荐商品和服务。（修改决定草案建议表决稿第十五条）

五、修改决定草案第十六条规定，网络交易平台提供者不能提供销售者或者服务者的真实名称、地址和有效联系方式的，消费者也可以向网络交易平台提供者要求赔偿。有的常委委员提出，一些网络交易平台提供者有关先行赔付的实际做法已优于草案的要求，应当充分尊重市场主体在交易活动中形成的良性规则，引导经营者作出更有利于消费者的承诺。法律委员会经研究，建议增加规定，网络交易平台提供者作出更有利于消费者的承诺的，应当履行承诺。（修改决定草案建议表决稿第十七条）

六、修改决定草案第十七条规定了虚假广告和违法药品广告的法律责任。有的常委委员建议，还应对以其他虚假宣传方式推荐商品或者服务的活动规定民事责任。有的常委委员提出，应当明确禁止药品在大众传播媒介上做广告。有的常委会组成人员提出，一概不允许药品做广告，涉及面广，社会影响大，需要慎重研究。法律委员会经研究，一是建议增加规定以其他虚假宣传方式推荐商品或者服务的民事责任；二是考虑到广告法和药品管理法对药品广告已有具体规定，本法可以不作规定，建议删去本条中有关药品广告的规定。（修改决定草案建议表决稿第十八条）

七、现行消费者权益保护法第五十条规定了经营者应当承担行政责任的违法情形。有的常委委员、代表建议规定经营者篡改商品生产日期的行政责任。法律委员会经研究，建议在该条第四项增加规定“篡改生产日期”的情形。（修改决定草案建议表决稿第二十八条）

八、有的常委委员提出，对经营者在经营活动中严重侵害消费者合法权益的行为，都应当依法追究刑事责任。建议对此作出明确规定。法律委员会经研究，建议增加一条规定，经营者违反本法规定提供商品或者服务，侵害消费者合法权益，构成犯罪的，依法追究刑事责任。同时，删去修改决定草案第二十一条、第二十六条中有关依法追究刑事责任的规定。（修改决定草案建议表决稿第二十九条）

九、修改决定草案规定的修改决定施行日期为2014年1月1日。有的列席会议人员提出，修改决定通过后，需要广泛深入宣传，制定或者修改配套规定，建议将施行日期定为2014年3月15

日。法律委员会经研究,建议将施行日期修改为 2014 年 3 月 15 日。

此外,根据常委会组成人员的审议意见,还对修改决定草案作了一些文字修改。

修改决定草案建议表决稿已按上述意见作了修改,法律委员会建议提请本次常委会会议通过。

修改决定草案建议表决稿和以上报告是否妥当,请审议。

全国人民代表大会法律委员会

2013 年 10 月 24 日

十一届全国人大代表议案对修改消费者权益保护法的意见

十一届全国人大一次会议以来,共有全国人大代表 396 人次提出修改消费者权益保护法的议案 13 件。代表们认为,消费者权益保护法自 1994 年施行以来,在强化消费者权益保护工作,促进消费者权益保护事业健康发展等方面发挥了重要作用,消费者维权意识得到了明显增强,经营者自律意识不断提高,全社会共同维权的良好氛围正逐步形成。但随着经济社会的发展,人们的消费水平和消费结构发生了深刻变化,消费领域出现了一些新情况、新问题,现行消费者权益保护法的内容已不能完全适应现实需要,亟须对其进行修改和完善。代表们对调整范围、消费者权利、经营者义务、国家对消费者权益的保护、消费者组织等问题提出了意见和建议。现将主要内容简报如下:

一、关于调整范围

有些代表提出,消费者权益保护法第二条规定,消费者为生活消费需要购买、使用商品或者接受服务,其权益受本法保护。该规定对“消费者”范围界定过于笼统,“生活消费”含义不明确,在实践中较难操作。并且随着人民生活水平的提高,消费结构发生显著变化,应该拓宽消费者的维权领域,促进消费,扩大内需。建议删除“为生活消费需要”的表述,规定消费者购买、使用商品或者接受服务,均应适用消费者权益保护法。把消费者购买商品房、汽车，接受教育、医疗、金融、旅游、中介、娱乐文化等有偿服务的行为均纳入消费者权益保护法的调整范围。

有些代表建议明确限定“消费者”为“自然人”。有些代表建议明确单位集体购买用于职工福利的消费、单位购置的办公用品等是否受消费者权益保护法调整。有些代表提出，对于单位购买商品、服务直接由自然人使用、接受的，也应受消费者权益保护法保护。

有些代表提出，消费者权益保护法第五十四条规定“农民购买、使用直接用于农业生产的生产资料，参照本法执行”，不利于保护农民合法权益，建议将“参照本法执行”修改为“按照本法执行”。

二、关于消费者的权利

有些代表提出，消费者权益保护法规定了消费者的九项权利，该规定较原则性，应该予以细化。

有些代表建议在直销、非现场购物等情形赋予消费者在一定的期限内（如十五天）可以无条件退货或解除服务合同的权利。有些代表建议规定消费者享有充分参与相关法律、法规、政策、标准制定的权利。

有些代表提出由于商家营销方式的变化，特别是网络经济的出现，消费者隐私权的保护成为消费领域的新课题，建议规定消费者享有其个人信息受法律保护的权利。有些代表建议规定，消费者享有在健康和谐的环境进行消费的环境权。

三、关于经营者的义务

有些代表建议增加规定，“家用电器、汽车的经营者应在出售商品时，明确质保期后维修服务价格及维修配件价格，并按该价格承担质保期后维修责任”。

有些代表提出，缺陷产品召回制度是一项有效的防止危害发生和扩大的措施，建议在消费者权益保护法中确立这一制度。就如何规定经营者的缺陷产品召回义务，有些代表建议将消费者权益保护法第十八条第二款具体修改为："经营者发现其提供的商品或者服务存在严重缺陷，即使正确使用商品或者接受服务仍然可能对人身、财产安全造成危害的，应当立即中止、停止出售该商品或者提供该项服务；商品已售出的，应当采取紧急措施告知消费者，并召回该商品进行修理、更换或者销毁，同时应当向有关行政管理部门和行业协会报告。"

有些代表建议实行格式合同备案制度，规定格式合同文本出台前须报经工商行政管理部门备案。

有些代表建议强化经营者，尤其是非现场销售经营者的信息披露义务，要求经营者至少做到身份信息披露、交易信息披露、争议解决机制披露等。

有些代表提出，现在实行法定"三包"的商品太少，建议扩大"三包"范围，明确"三包"时限等内容。

有些代表建议增加规定，经营者对于在经营活动中知悉的消费者的信息资料，应当采取严密的保护措施，非经消费者许可或者依法律规定，不得泄露。

有些代表建议明确网络运营商的义务，同时规定对找不到网络销售商或者网络销售商拒绝赔偿等情况，可要求网络运营商先行赔付。

四、关于国家对消费者合法权益的保护

有些代表建议把消费者协会的维权经费纳入财政预算，由同级财政核拨。

有些代表建议建立严格的网络产品销售商准入登记制度，提高网络交易的透明度；规定网络销售商向行业协会或第三方交纳一定的信用保证金，建立纠纷处理保证金制度。

有些代表提出消费者权益保护法对行政机关的职责规定太过含混，应进一步明晰各级人民政府及有关部门在保护消费者合法权益方面的具体职责。

五、关于消费者组织

有些代表建议赋予消费者协会可以代表不特定的消费者进行诉讼的权利。

有些代表建议对消费者组织进行重新定位,规定消费者协会是具有公共管理职能的消费者权益保护组织;增加消费者组织以模拟消费方式进行取样、封存、送检并公示的职能;强化消费者组织有权向相关部门就有关消费问题进行反映、查询,提出建议的职权,相关部门应当予以配合,不得推诿。

六、关于争议的解决

有些代表建议建立专门的消费者权益裁决机制,仿照国外做法,针对实际情况建立灵活的行政裁决制度、设立小额消费纠纷法庭。

有些代表建议借鉴劳动争议调解仲裁法,设立专门的消费纠纷仲裁庭。

有些代表建议确立类似于判例制度的“同案适用”原则,免除消费者的诉讼之劳。

有些代表提出,为更好保护消费者的合法权益,建议明确消费者权益保护法第三十五条销售者与生产者、第三十七条的使用他人营业执照的经营者与营业执照持有者、第三十八条的销售者与展销会举办者、柜台出租者均应对消费者承担连带责任。

有些代表提出,针对鉴定难、鉴定费用过高等问题,建议规定检测、鉴定费用由经营者先行垫付,消费者提供等额担保,最后由责任方承担,无法明确责任的由双方共同承担。难以鉴定的,由经营者承担举证责任。

有些代表建议规定举证责任倒置原则,让处于优势地位的生产者和经营者提供自己无过错的证据。

七、关于法律责任

有些代表建议规定消费者维权费用由过错方承担。

有些代表建议明确服务类行业的具体赔偿标准、依据。

有些代表建议参照相关司法解释,增加精神损害赔偿的条款和内容,对侵害消费者人格尊严或者侵犯消费者人身自由的、商品或者服务造成消费者人身伤害或死亡的,可以要求精神损害赔偿。

有些代表建议明确消费者权益保护法第四十九条的惩罚性赔偿的"一倍"是指商品或者服务全额价款的一倍还是仅指有瑕疵部分的一倍。有些代表提出,对于小额食品、药品,"双倍赔偿"惩戒作用微乎其微,应该增加规定"但食品、药品最低赔偿金额不低于五百元"。有些代表建议扩大惩罚性赔偿的适用范围,同时不规定具体的比例或者倍数,提高弹性空间。有些代表建议规定对消费者人身利益造成损害的,商家必须承担无限额惩罚性赔偿责任。有些代表建议将惩罚性赔偿适用范围扩大到欺诈、胁迫、乘人之危等恶意行为,惩罚性赔偿的幅度为一至十倍。有些代表建议细化惩罚性赔偿,对欺诈行为,增加赔偿的金额为人身、财产损失的一倍以上三倍以下;造成人身损害严重的,增加赔偿的金额为人身、财产损失的三倍以上十倍以下。

有些代表建议建立最低赔偿金制度,规定侵害消费者合法权益的赔偿金额最低为一定限度,如五百元。

有些代表建议在"法律责任"一章中增加实行电子交易示范合同文本的条款,解决网络购物中因为缺失合同造成的举证难问题,并明确对网络购物违法行为进行处罚的种类及程度。

有些代表建议增加规定,行政管理部门对侵害消费者合法权益的经营者进行行政处罚,处罚所得用于补偿受侵害的消费者。经营者侵害消费者,应当承担民事赔偿责任和缴纳罚款、罚金,其财产不足以同时支付的,先承担民事赔偿责任。

八、其他

有些代表建议增加“维护交易弱势方的原则”。

有些代表提出，消费者权益保护法对很多条款只是作了一些原则性的规定，不利于法院审理案件和行政机关的执法，建议细化消费者权益保护法规定，切实增强消费者权益保护法的可操作性。

地方人大、中央有关部门和单位对消费者权益保护法修正案草案的意见

十二届全国人大常委会第二次会议对消费者权益保护法修正案草案(以下简称修正案草案)进行了初次审议。会后,法制工作委员会将草案印发有关中央部门、社会团体、高等院校、科研机构、企业等单位以及各省、自治区、直辖市和较大市的人大常委会征求意见。现将主要意见简报如下:

一、总的意见

普遍认为,随着经济社会的快速发展以及新型消费关系、消费形式的不断出现,修正案草案针对消费者权益保护中出现的新情况、新问题,进一步充实细化了消费者权益,强化了经营者责任,回应了广大人民群众关注的热点,规范了网络购物等新的消费方式,加强了消费者协会的职能,也明确了政府的监管责任,有利于消费信心的提升和经济社会的健康、可持续发展。总体上赞同修正案草案的修改。同时,也提出了一些修改意见。

二、关于总则

(一)调整范围

消费者权益保护法第二条规定:消费者为生活消费需要购买、使用商品或者接受服务,其权益受本法保护。一些部门、地方和单位提出,实践中对"消费者"、"为生活消费需要"以及房屋买卖、医疗服务、教育服务、金融服务等是否适用本法理解不一,建议进一

步明确。有的单位提出,以“生活消费需要”界定消费者,难以适应经济社会的发展,建议修改。有的地方建议删除“为生活消费需要”。有的单位提出,“为生活消费需要”含义较宽,无法排除以消费者名义从事营利活动的知假买假行为,建议修改为“为生活消费需要而非营利购买、使用商品或者接受服务”。有的地方和单位建议修改为“为家庭或者个人需要”。一些地方和单位建议修改为“非以生产经营为主要目的”;有的地方和单位建议修改为“非以营利为目的”;一些地方建议修改为“非为纯经济利益或者纯商业利益”;有的地方建议修改为“非以职业行为目的”。

有的单位建议明确金融消费是否适用本法,有的地方建议明确金融消费受本法调整。一些单位提出,金融消费与传统生活消费显著不同,难以归入“为生活消费需要”,本法的一些规定也不完全适用于金融领域。有的单位建议排除银行业务等金融服务。有的单位建议适时制定金融消费者权益保护的专门性法律、法规或者规章,明确金融消费者概论、保护原则、权利内容、归责原则等问题,并建立强制信息披露、适当投资者准入、冷静期等制度。有的单位建议本条增加规定“其他法律、法规另有规定的,从其规定”。一些地方建议明确房屋买卖、医疗服务、教育服务、职业打假等是否纳入调整范围。有的单位建议进一步明确哪些服务适用本法。有的单位提出,国家提供的教育服务具有公益性、强制性、不可交易性、标准难以量化等特点,建议排除适用;但是,在工商部门登记注册的经营性的民办培训机构提供的教育培训服务完全按市场化运作的,可以纳入本法调整范围。

有的单位提出,实践中对“消费者”是否包括单位或者其他组织争议较大,建议明确。有的部门建议将消费者界定为“区别于生产者、销售者的购买、使用商品和服务的自然人”。有的地方建议明确除自然人外,法人、其他组织购买商品、服务直接由自然人使用、接受的,其权益受本法保护。一些地方建议明确消费者包括个人和单位。

（二）经营者的概念

消费者权益保护法第三条规定：经营者为消费者提供其生产、销售的商品或者提供服务，应当遵守本法。一些单位建议增加规定，本法所称经营者是指意图向消费者持续有偿地提供商品或者服务的自然人、法人或者其他组织。有的单位建议增加规定，经营者是以营利为目的生产、销售商品或者提供服务的自然人、法人或者其他组织。有的地方建议将医院、民办学校和房地产开发商纳入经营者的范围。

（三）合理消费

修正案草案对消费者权益保护法第五条第二款作了修改，增加规定：国家倡导节约资源和保护环境的合理消费。有的单位建议修改为：国家倡导科学、理性、文明、绿色的消费观念和消费方式；国家鼓励消费者努力掌握商品或者服务的知识和使用技能，正确使用商品，提高自我保护意识。

三、关于消费者的权利

（一）消费者的选择权

消费者权益保护法第九条规定了消费者自由选择权。有的单位建议排除金融服务，避免消费者据此选择超出其自身风险承受能力的金融产品。有的单位建议增加规定：消费者有权拒绝经营者的强制交易行为。

（二）消费者获取维权和消费知识的权利

消费者权益保护法第十三条规定了消费者获取维权和消费知识的权利。有的地方建议增加规定：政府相关部门、消费者协会和其他维权社会团体应当为消费者提供消费和消费者维权保护方面的知识和信息。

（三）消费者的个人信息受保护权

修正案草案第二条对消费者权益保护法第十四条作了修改，

规定：消费者在购买、使用商品和接受服务时，享有人格尊严、民族风俗习惯得到尊重的权利，享有姓名权、肖像权、隐私权等个人信息得到保护的权利。一些单位和地方提出，姓名权、肖像权、隐私权是基本权利，不宜将其定性为个人信息得到保护的权利，建议修改并界定“个人信息”。一些地方和单位建议将“姓名权、肖像权、隐私权等个人信息得到保护的权利”修改为“姓名、肖像、隐私等个人信息得到保护的权利”；有的地方建议修改为“姓名、肖像等能够识别消费者身份和涉及消费者隐私的个人信息得到保护的权利”；一些地方建议修改为“享有姓名、肖像、隐私、身份证号码、电话号码、手机号码、家庭住址等个人信息得到保护的权利”；有的地方建议修改为“享有姓名权、肖像权、隐私权等个人信息得到保护以及个人生活、工作不受打搅的权利”。有的单位建议在“人格尊严”后增加规定“人身自由”。一些地方消保委建议增加一款，规定：经营者提供商品或者服务时，不得因民族、种族、性别、职业、宗教信仰、教育程度、国别、地域等因素不同对消费者提供差别待遇。国家保护能够识别消费者身份和涉及消费者隐私的个人信息。

四、关于经营者的义务

（一）经营者履行义务的法律依据

消费者权益保护法第十六条规定：经营者向消费者提供商品或者服务，应当依照《中华人民共和国产品质量法》和其他有关法律、法规的规定履行义务。经营者和消费者有约定的，应当按照约定履行义务，但双方的约定不得违背法律、法规的规定。有的部门提出，除产品质量法外，食品安全法等其他法律也有相应规定，不必单独列举具体法律。有的部门建议参照合同法，将“不得违背法律、法规的规定”改为“不得违反法律、行政法规的强制性规定”，并增加规定“约定不得违背公序良俗”。

（二）经营者接受消费者监督的义务

消费者权益保护法第十七条规定：经营者应当听取消费者对

其提供的商品或者服务的意见，接受消费者的监督。一些地方和单位建议在“消费者”后增加“和消费者权益保护委员会”，并明确规定：经营者应当配合消费者权益保护委员会的调查，进行妥善处理，在合理时限内答复处理情况。

（三）经营者的安全保障义务

修正案草案对消费者权益保护法第十八条作了修改，增加一款规定：宾馆、商场、车站等经营场所的经营者，未尽到安全保障义务，造成消费者或其他受害人损害的，应当承担侵权责任。一些地方和单位建议增加列举“餐饮、娱乐场所、银行”。有的地方和单位提出，经营场所的安全保障义务是所有经营者均应负担的一般性义务，建议删除列举。一些地方和单位建议进一步明确安保义务的具体内容和范围。有的单位建议将本款内容移至第七章“法律责任”。

修正案草案对消费者权益保护法第十八条第二款作了修改，规定：经营者发现其提供的商品或者服务存在缺陷，可能对人身、财产安全造成危害的，应当立即向有关行政部门报告和告知消费者，并及时采取停止生产、停止销售、警示、召回等消除危险的措施。经营者应当承担消费者因商品被召回支出的必要费用。有的部门建议明确“缺陷”的定义。有的部门建议明确“缺陷”与金融产品或服务固有的“风险”的界限。有的地方提出，将“经营者发现”作为启动消除危险措施的前提，易被经营者借以逃避责任，建议删除。一些地方和单位建议在消除危险的措施中增加“停止服务”。有的单位建议明确限定因质量缺陷而必须召回的产品范围。一些地方和单位建议明确“必要费用”是否包括召回期间获取、使用替代品的费用。一些地方建议增加赔偿消费者损失的规定。

（四）经营者的信息提供义务

修正案草案对消费者权益保护法第十九条作了修改，第一款规定：经营者应当向消费者提供有关商品或者服务的真实信息，不得作虚假或者引人误解的宣传。第二款规定:经营者对消费者就其提供的商品或者服务的质量和使用方法等问题提出的询问,应当作出真实、明确的答复。第三款规定:经营者提供商品或者服务应当明码标价。有的部门建议删除“引人误解”,“虚假宣传”已经包括“引人误解的宣传”。有的地方建议增加“不得作夸大宣传”。有的地方和单位建议增加规定:经营者不得隐瞒与其提供的商品或者服务有关的,对交易成立和价格确定等有重大影响的信息。有的单位建议在第三款增加规定:经营者不得以标价错误等理由取消已经生效的交易。有的地方建议增加规定:不得在标价之外收取任何未予标明的费用。有的地方建议增加规定:经营者提供商品或服务有义务告知消费者各项收费名目。

(五)经营者标明真实名称和标记的义务

消费者权益保护法第二十条规定:经营者应当标明其真实名称和标记。租赁他人柜台或者场地的经营者,应当标明其真实名称和标记。有的地方建议增加“住所地或所在地”;有的地方建议增加“联系方式”。有的部门建议在“租赁他人柜台或者场地的经营者”后增加“通过网络销售商品或者提供服务的经营者”。

(六)经营者出具购货凭证或服务单据的义务

消费者权益保护法第二十一条规定:经营者提供商品或者服务,应当按照国家有关规定或者商业惯例向消费者出具购货凭证或者服务单据;消费者索要购货凭证或者服务单据的,经营者必须出具。有的地方建议删除“商业惯例”。一些地方建议增加“税务发票”或者“税务凭证”。有的地方建议增加违反上述义务的法律责任。

(七)经营者的举证责任

修正案草案对消费者权益保护法第二十二条作了修改,增加一款规定:经营者提供的机动车、微型计算机、电视机、电冰箱等耐用商品或者装饰装修等服务,自消费者接受商品或者服务之日起六个月内出现瑕疵，发生纠纷的，由经营者承担相关举证责任。一些地方建议将适用范围扩展至所有商品和服务。一些部门、地方和单位建议明确界定“耐用商品”和“瑕疵”。有的单位建议将“耐用商品”修改为“移动电话机等科技含量高的商品”，将“装饰装修等服务”修改为“装饰装修等技术或程序复杂的服务”。有的地方建议将“微型计算机”改为“电子产品”。有的地方建议明确商品房是否适用本款。一些部门、地方和单位建议增加列举“非机动车、商品房、手机、饰品、空调、照相机、摄像机”。

有的部门建议将“瑕疵”修改为“质量问题”，以区别于第一款中的“瑕疵”。有的地方建议将“出现瑕疵”改为“出现影响商品正常使用的质量问题”。有的地方建议区分商品外观瑕疵和隐蔽瑕疵，消费者在商品交付时有检验义务，应对外观性瑕疵负有举证责任，而经营者对隐蔽瑕疵承担举证责任。有的单位提出，本规定将举证责任分配给出卖人，与合同法第一百五十七条、第一百五十八条规定的买受人的检验义务及两年除斥期间的规定相冲突。一些地方和单位建议将“由经营者承担相关举证责任”修改为“由经营者对商品或服务不存在瑕疵承担举证责任”。有的地方建议修改为“由经营者对商品或者服务符合法定或者约定的质量标准承担举证责任”。有的地方建议修改为“由经营者就瑕疵原因承担相关举证责任”。有的地方建议修改为“经营者应当就提供的上述商品及服务产品合格、服务规范，且与瑕疵的出现不存在因果关系承担举证责任”。有的地方建议将“六个月”修改为“一年”；有的单位建议修改为“保质期内”。

（八）经营者的“三包”义务

修正案草案将消费者权益保护法第二十三条、第四十五条合并为一条并作了修改，第一款规定：经营者提供商品或者服务不符合质量要求的，消费者可以依照国家规定和当事人约定退货，或者要求经营者履行更换、修理等义务；没有国家规定和当事人约定的，消费者可以自收到商品之日起七日内退货；七日后符合《中华人民共和国合同法》规定的解除合同条件的，消费者可以及时退货，不符合解除合同条件的，可以请求经营者承担更换、修理等义务。第二款规定：依照前款规定对大件商品进行退货、更换、修理的，经营者应当承担运输等必要费用。

一些部门、地方和单位提出，本条中的“不符合质量要求”、“退货”和“修理”只针对商品，不符合服务消费特点，建议区分商品与服务，对服务质量问题单独规定。有的地方建议增加一款界定“不符合质量要求”，即“商品或者服务质量不符合国家标准、行业标准或者地方标准，或者不符合经营者与消费者的约定”。一些部门、地方和单位建议对七日后不符合解除合同条件的，恢复原条文“保修期内两次修理仍不能正常使用的，经营者应当负责更换或者退货”的规定，使条文更具操作性。有的地方建议明确“及时退货”的判断标准。

一些部门、地方和单位提出，本条前提是经营者提供商品不符合质量要求存在过错，没有必要区分大小件，建议将第二款“大件商品”改为“不符合质量要求的商品”，或者删除“大件”。有的地方建议明确“必要费用”是否包括“使用替代品的费用”。有的地方建议明确经营者履行“三包”义务的期限，规定：依照前款规定对商品进行退货、更换、修理的，经营者应当在规定或者约定期限内履行，没有明确规定或者约定期限的，经营者应当在一个月内履行。

（九）格式条款

修正案草案对消费者权益保护法第二十四条作了修改，第一款规定：经营者使用格式条款，应当以明显方式提请消费者注意商品或者服务的数量和质量、价款或者费用、履行期限和方式、风险警示、售后服务、民事责任等与消费者有重大利害关系的内容，并按照消费者的要求予以说明。第二款规定：经营者不得以格式条款、通知、声明、店堂告示等方式作出排除或者限制消费者权利、减轻或者免除经营者责任、加重消费者责任等对消费者不公平、不合理的规定。第三款规定:格式条款、通知、声明、店堂告示等含有前款所列内容的,其内容无效。

有的单位提出,要求所有内容均以“明显方式”提示,反而重点不突出,建议将第一款“以明显方式”提请消费者注意的内容,限定在风险警示等与消费者有重大利害关系的范围。有的地方和单位建议将“以明显方式”改为“足以引起消费者注意的方式”;有的单位建议修改为“以显著方式”。一些单位提出,格式合同设立的初衷就是节省磋商成本,按照个体要求单独说明,对经营者失之公平,建议将“按照消费者的要求予以说明”限定在“相关法律法规规定范围内”。

一些部门和单位提出,责任与风险负担属于当事人意思自治范畴,有关排除或者限制消费者权利的条款是否无效,主要看消费者知情权和自主选择权是否有保障,不宜一律认定无效,建议恢复合同法的表述,或者以造成“消费者利益受损害”为限。

一些地方提出,第一款仅规范说明义务的内容和方式不够,建议增加规定,经营者对已尽合理提示及说明义务承担举证责任。有的地方建议增加规定,经营者以商业广告、产品说明、实物样品或者通知、声明、店堂告示等公示方式向消费者作出许诺的,许诺内容构成双方的约定。

(十)特殊领域经营者的信息提供义务

修正案草案第八条增加规定:采用网络、电视、电话、邮购等方式提供商品或者服务的经营者,以及从事证券、保险、银行业务的经营者,应当向消费者提供经营地址、联系方式、商品或者服务的数量和质量、价款或者费用、履行期限和方式、风险警示、售后服务、民事责任等真实、必要的信息。有的单位建议参考合同法,将“费用”改为“报酬”。有的单位提出,本条主要应针对网购中的信息不对称问题，不宜延伸到金融领域，建议删除“从事证券、保险、银行业务”。有的单位建议将“证券、保险、银行业务”改为“证券、银行、保险业务等金融服务”，以涵盖基金、理财机构、贷款公司等与金融消费有关的领域。有的单位提出，不同领域的经营者对消费者应尽的特殊信息提供义务也不同，金融消费者更侧重信息披露、风险提示和收益等信息，其他领域的消费者更关注经营地址、售后服务信息等，建议本条分列两款。有的单位建议增加规定，金融机构推荐特定的金融商品或者服务前，应当充分了解消费者的风险偏好、风险认识和承受能力，向消费者充分披露商品或者服务的相关信息，提供相关规则、制度及合同条款等材料，使消费者在购买商品或者接受服务前知晓并理解相关风险。

（十一）经营者的无条件退货义务

修正案草案第九条增加规定：经营者采用网络、电视、电话、邮购等方式销售商品，消费者有权自收到商品之日起七日内退货，但根据商品性质不宜退货的除外。经营者应当自收到退回货物之日起七日内返还消费者支付的价款。有的地方建议将“七日”延长为“三十日”，同时将适用范围限制在“商品与经营者宣传的质量、规格不一致”的情况。有的地方建议增加“直销”；有的单位建议增加“上门推销”；有的地方建议增加“购买大件、贵重商品”；有的单位建议明确是否涵盖信贷及旅游等服务合同。有的单位提出，通过网络销售金融商品也应适用，建议增加一款规定：金融机构在销售结构复杂、透明性低、风险等级高的金融商品的合同中，应当设定合理期限的冷静期。冷静期届满前，金融消费者可以单方解除合同，金融机构只收取实际支付的成本费用。有的单位提出，该条与不符合质量要求的退货权关系不清；有的单位建议增加规定消费者退货“无须说明理由”，以区别因不符合质量要求而享有的退货权。

一些地方和单位建议明确界定“不宜退货”的范围，同时规定

“消费者非因商品瑕疵而退货的,应当承担退货等必要费用”。有的单位建议增加规定,经营者应当明示不宜退货的商品范围。有的地方建议增加规定,经营者应当明确告知消费者享有无条件退货权。一些地方和单位建议增加规定,当事人可以约定排除无条件退货权的适用,但经营者不得采用格式条款的方式与消费者约定排除。

有的单位提出,网络购物中无条件退货权期限的起算应当是经营者履行告知义务之日,而不是收到货物之日。有的地方建议增加规定,退回商品影响二次销售的,消费者应当作出适当补偿。有的单位建议明确消费者负有将商品寄回的义务,商品因毁损无法返还的,消费者应承担赔偿责任,但因检验商品造成的价值损耗除外。

（十二）经营者对消费者个人信息的保护义务

修正案草案第十条增加规定,第一款:经营者收集、使用消费者个人信息,应当遵循合法、正当、必要的原则,明示收集、使用信息的目的、方式和范围,并经被收集者同意。经营者收集、使用消费者个人信息,应当公开其收集、使用规则,不得违反法律、法规的规定和双方的约定收集、使用信息。第二款:经营者及其工作人员对收集的消费者个人信息必须严格保密,不得泄露、篡改、毁损,不得出售或者非法向他人提供。经营者应当采取技术措施和其他必要措施,确保信息安全,防止消费者个人信息泄露、毁损、丢失。在发生或者可能发生信息泄露、毁损、丢失的情况时,应当立即采取补救措施。第三款:经营者未经消费者同意或者请求,或者消费者明确表示拒绝的,不得向其发送商业性电子信息。

有的地方建议将第一款简化为“经营者收集、使用消费者个人信息,不得违反法律、法规的规定和双方的约定”。有的单位建议第二款增加“经消费者同意,可向他人提供”的内容。有的单位建议将“不得出售或者非法向他人提供”修改为“不得非法出售或者向他人提供”。有的地方建议将“商业性电子信息”改为“商业性推广电子信息”。有的地方提出,电话、传单等传统媒介的商业推广不仅滋扰消费者,也带来资源浪费,建议在“商业性电子信息”后增加“电话、信件”。有的地方建议增加规定:发送的商业性电子信息应当注明停止接收的方法。

(十三)其他

一些地方和单位建议增加反歧视条款,对跨国公司歧视中国消费者以及国内经营者歧视某类消费群体的行为予以规范。一些地方建议增加规定,经营者不得设定最低消费数额,不得收取标价外的费用。有的地方建议增加规定,经营者不得将商品或服务不合理拆分提供、多次收费。有的地方建议增加规定:经营者应当建立和执行进货查验制度,并规定相应的罚则。

五、关于国家对消费者合法权益的保护

(一)消费者参与法律、法规等制定的权利

修正案草案对消费者权益保护法第二十六条作了修改,规定:国家制定有关消费者权益的法律、法规和强制性标准,应当听取消费者和消费者协会等组织的意见。有的单位建议将“消费者协会等组织”修改为“消费者协会和经营者、企业代表组织”。一些地方建议将“法规和强制性标准”修改为“法规、规章、政策、国家标准和行业标准”。

(二)政府领导有关行政部门做好消费者保护工作

消费者权益保护法第二十七条第一款规定,各级人民政府应当加强领导,组织、协调、督促有关行政部门做好保护消费者合法权益的工作。有的地方建议在“有关行政部门”后增加“消费者组织”。

(三)有关行政部门依法在各自职责范围内保护消费者的合法权益

消费者权益保护法第二十八条规定,各级人民政府工商行政管理部门和其他有关行政部门应当依照法律、法规的规定,在各自的职责范围内,采取措施,保护消费者的合法权益。有关行政部门应当听取消费者及其社会团体对经营者交易行为、商品和服务质量问题的意见,及时调查处理。有的单位建议删除“各级人民政府工商行政管理部门”。有的单位建议将“社会团体”修改为“消费者组织”,并增加“向社会及时公布相关结果”的内容。

(四)行政部门抽查检验职权

修正案草案第十二条增加规定,第一款:有关行政部门在各自的职责范围内,应当对经营者提供的商品和服务进行抽查检验,并向社会及时公布抽查检验结果。第二款:有关行政部门抽查检验发现经营者提供的商品和服务存在缺陷,可能对消费者人身、财产安全造成危害的,应当立即责令经营者采取停止生产、停止销售、警示、召回等消除危险的措施。

有的地方建议将“并向社会及时公布抽查检验结果”修改为“并通过易于公众获取该信息的网络、电视、报纸、广播等媒介向社会及时公布抽查检验结果”。有的地方建议在“并向社会及时公布抽查检验结果”前增加规定“如有问题须向经营企业进行复查和确认,并允许经营者作合理的申辩,检验结果确认后”。有的单位建议增加规定,有关行政部门的抽查检验结果和消费者保护组织的比较试验结果可以作为相关行政部门的处罚依据和消费者依法主张相关权利的依据。

有的地方建议在“消除危险的措施”后增加规定“必要时,应对商品予以封存、销毁”。有的地方和单位建议将“采取停止生产、停止销售、警示、召回等”修改为“采取停止生产和销售、停止服务、警示、召回等”。有的单位建议增加规定:已经对消费者人身、财产安全造成危害的,应当依照相关法律、法规予以严厉惩处。有的地方建议对有关行政部门设置规范限制,以防止权力滥用。有的单位建议明确本条“有关行政部门”的范围,防止具体行政部门滥用执法权限。

六、关于消费者组织

（一）消协的名称和性质

消费者权益保护法第三十一条规定：消费者协会和其他消费者组织是依法成立的对商品和服务进行社会监督的保护消费者合法权益的社会团体。一些地方建议重新考虑消协作为“社会团体”的定位。一些地方、部门和单位建议将“消费者协会”修改为“消费者权益保护委员会”；有的地方建议修改为“消费者委员会”；有的单位建议修改为“消费者社团组织”。一些地方、部门和单位建议将消协性质明确为具有公共事务管理职能的社会组织；有的地方建议明确为事业组织；有的地方建议明确为社会组织；有的地方建议明确为公益性社团组织；一些地方和单位建议明确为法定机构。

（二）消协的职能

修正案草案对消费者权益保护法第三十二条作了修改，第一款规定：消费者协会履行下列职能：（1）向消费者提供消费信息和咨询服务，引导节约资源和保护环境的合理消费，提高消费者维护自身权益的能力；（2）参与制定有关消费者权益的法律、法规和强制性标准；（3）参与有关行政部门对商品和服务的监督、检查；（4）就有关消费者合法权益的问题，向有关部门反映、查询，提出建议；（5）受理消费者的投诉，并对投诉事项进行调查、调解；（6）投诉事项涉及商品和服务质量问题的，可以提请鉴定部门鉴定，鉴定部门应当告知鉴定结论；（7）就损害消费者合法权益的行为，支持受损害的消费者提起诉讼或者依照本法提起诉讼；（8）对损害消费者合法权益的行为，通过大众传播媒介予以揭露、批评。第二款规定，各级人民政府对消费者协会履行职能应当予以支持。

有的单位建议将本条中的“消费者协会”后加上“和其他消费者组织”。一些地方和单位建议将第一款第一项中的“向消费者提供消费信息和咨询服务”前加上“通过对商品或者服务的调查、检验、比较、评议、研究、发表等手段”，并增加规定“开展消费教育”；在第二项中增加规定“规章、政策”，并将“强制性标准”修改为“国家标准、行业标准”；第四项增加规定“政府和有关部门应当及时答复”。有的地方建议将第一款第二项修改为“参与制定有关消费者权益的法律、法规、规章、国家标准和行业标准”；有的单位建议修改为“制定有关商品质量、消费者权益的法律、法规、规章和强制性标准时，应当听取消费者和消费者协会等组织的意见”；有的部门建议将第二项中的“强制性标准”修改为“标准”；有的单位建议在“强制性标准”前加上“有关产品和服务的”。一些地方建议第五项规定消协办理消费者投诉的程序、时限。有的单位建议将第六项修改为“投诉事项涉及商品和服务质量问题的，可以提请鉴定部门鉴定，鉴定部门应当告知鉴定结论，消费者协会应当向全体消费者公布”。

一些地方和单位建议将第二款修改为“各级人民政府对消费者权益委员会履行职能和开展工作应当予以保障，提供必要的条件，配备必要的人员，所需经费列入同级财政预算”。一些地方建议修改为“各级人民政府对消费者权益委员会履行职能应当予以支持，保障其必要的人员和经费”。有的地方建议规定各级人民政府为消费者组织的活动提供财政保障。

（三）消费者组织不得从事的行为

修正案草案对消费者权益保护法第三十三条作了修改，将“不得以牟利为目的向社会推荐商品和服务”修改为“不得以广告或者其他形式向消费者推荐商品和服务”。有的地方建议在“商品”前加上“经营者”。一些地方和单位建议本条维持现行法律规定，不作修改。

七、关于争议的解决

（一）争议解决途径

修正案草案第十五条对消费者权益保护法第三十四条作了修

改,第二项修改为:请求消费者协会或者其他调解组织调解。有的单位建议将第二项修改为“请求消费者协会、商会等组织调解”;有的单位建议修改为“请求消费者协会或者其他法定调解组织调解”。有的单位建议明确“其他调解组织”的范围。一些地方和单位建议增加调解协议司法确认的规定。

(二)消费者的请求权

消费者权益保护法第三十五条规定:消费者在购买、使用商品时,其合法权益受到损害的,可以向销售者要求赔偿。销售者赔偿后,属于生产者的责任或者属于向销售者提供商品的其他销售者的责任的,销售者有权向生产者或者其他销售者追偿。消费者或者其他受害人因商品缺陷造成人身、财产损害的,可以向销售者要求赔偿,也可以向生产者要求赔偿。属于生产者责任的,销售者赔偿后,有权向生产者追偿。属于销售者责任的,生产者赔偿后,有权向销售者追偿。消费者在接受服务时,其合法权益受到损害的,可以向服务者要求赔偿。有的地方和单位建议增加规定:消费者有权要求违法经营者,赔偿消费者因调查经营者违法行为所发生的合理费用。有的地方建议增加规定:经营者与消费者协商和解不得将不公开事实真相作为和解条件。

(三)企业分立、合并后的责任承担

消费者权益保护法第三十一条规定:消费者在购买、使用商品或者接受服务时,其合法权益受到损害,因原企业分立、合并的,可以向变更后承受其权利义务的企业要求赔偿。一些地方和单位建议将本条修改为:“消费者在购买、使用商品或者接受服务时,其合法权益受到损害,因原企业分立、合并的,承受其权利义务的企业应当承担赔偿责任。分立、合并协议不得损害消费者合法权益。企业破产时,消费者损害赔偿应当先行给付”。

(四)展销会、租赁柜台和网络交易平台的先行赔付

修正案草案对消费者权益保护法第三十八条作了修改,规定:

消费者在展销会、租赁柜台或者通过网络交易平台等购买商品或者接受服务，其合法权益受到损害的，可以向销售者或者服务者要求赔偿。展销会结束、柜台租赁期满或者网络交易平台上的销售者、服务者不再利用该平台的，也可以向展销会的举办者、柜台的出租者或者网络交易平台提供者要求赔偿。展销会的举办者、柜台的出租者或者网络交易平台提供者赔偿后，有权向销售者或者服务者追偿。

有的地方建议本条增加“连锁加盟商”，连锁加盟商歇业、解约情况下，连锁经营总店对消费者也要承担先行赔付责任。一些地方和单位建议进一步明确网络交易平台的义务，包括信息披露、经营主体准入的审查、交易记录保存及协助出证、个人信息保护等责任，未尽上述义务，造成消费者损害的，承担赔偿责任。有的部门建议在“不再利用该平台的”后增加“无法联系的”。

有的地方提出，网络交易平台的先行赔付责任宜由商业惯例和行业自律解决，从当前电子商务发展实践看，法律强制规范的条件不成熟。有的单位提出，网络交易平台上的经营者众多，情况复杂，由交易平台对所有经营者的行为承担先行赔付责任是否符合实际，建议进一步斟酌。有的地方建议将“网络交易平台”限定为“网络商业零售交易平台”，排除网上个人交易平台（即 C2C 交易平台）。

（五）虚假广告

修正案草案第十七条对消费者权益保护法第三十九条作了修改，第一款规定：消费者因经营者利用虚假广告提供商品或者服务，其合法权益受到损害的，可以向经营者要求赔偿。广告经营者、发布者发布虚假广告的，消费者可以请求行政主管部门予以惩处。广告经营者、发布者不能提供经营者的真实名称、地址的，应当承担赔偿责任。第二款规定，广告经营者、发布者设计、制作、发布食品药品等关系消费者生命健康商品或者服务的虚假广告，造成消费者损害的,广告经营者、发布者与提供该商品或者服务的经营者承担连带责任。

有的部门建议将第一款中的“请求”修改为“要求”。有的地方建议将第一款中的“消费者可以请求行政主管部门予以惩处”修改为“消费者可以向行政主管部门举报”。有的部门提出,应当先明确相关主体的民事责任,再规定相关主体的行政责任,建议将第一款中的“广告经营者、发布者发布虚假广告的,消费者可以请求行政主管部门予以惩处”单独出来作为第三款,并修改为:“广告经营者、发布者发布虚假广告的,消费者有权向行政主管部门投诉、举报,有关行政主管部门应当及时核实、处理,并依法予以惩处。”

有的地方建议将第二款中的“虚假广告”修改为“虚假、夸大广告”。有的地方建议在第二款中的“制作”后增加“代理”。一些地方建议在第二款“药品”后增加“保健品”、“美容”或者“医疗、医疗器械、化妆品、美容服务”。一些地方建议删除“食品药品等关系消费者生命健康商品或者服务”。有的部门建议将第二款修改为:广告经营者、发布者明知或者应知食品药品等关系消费者生命健康商品或者服务的广告虚假,仍旧设计、制作、发布并造成消费者损害的,广告经营者、发布者与提供该商品或者服务的经营者承担连带责任。有的地方建议将第二款修改为:广告经营者、发布者明知或者应知广告虚假仍设计、制作、发布的,应与广告主承担连带责任。有的部门建议增加有关广告主应对广告内容真实性承担证明责任的规定。

一些地方和单位建议增加广告代言人的责任。有的地方建议增加明星代言的责任。有的单位建议增加一款:社会团体或者其他组织、个人,在虚假广告中向消费者推荐商品或者服务,使消费者的合法权益受到损害的,与提供该商品或者服务的经营者承担连带责任,并限制其广告代言资格。有的单位建议增加规定:广告代言人作虚假陈述的,视为欺诈行为,应当刊登澄清广告及承担赔偿责任。一些地方和单位建议增加一款：消费者有权要求广告发布者以与发布虚假广告时使用的同样版面、频道、时长、频次的方式刊登澄清广告。

（六）消费者向行政部门申诉

修正案草案第十八条增加规定：消费者向有关行政部门申诉的，该部门应当自收到申诉书之日起七日内，作出处理。有的单位建议删除本条，一是此类纠纷一般属于民事纠纷，具有私权性，应主要通过诉讼等司法途径解决；二是由于职权、经费和证据等方面的限制，行政部门对许多消费者权益纠纷也难以作出处理。一些地方建议将“七日”改为“七个工作日”。有的地方建议适当延长处理期限。一些地方建议将“申诉书”修改为“申诉”。有的地方建议明确“作出处理”的含义。一些地方建议将“处理”修改为“是否受理的决定”，有的单位建议修改为“受理”，有的单位建议修改为“处理结果”。

有的部门建议将本条修改为：消费者向有关行政部门申诉的，该部门应当按照有关程序依法受理和处理。有的地方建议修改为：消费者向有关行政部门申诉的，该部门应当自收到申诉之日起七个工作日内决定受理或者不予受理。决定受理的，应当依法作出处理决定。决定不受理的，应当说明理由。有的地方建议修改为：消费者向有关行政部门申诉的，该部门应当自收到申诉之日起五日内，作出是否受理的决定。不予受理的，应当向消费者说明理由。决定受理的，应当自受理之日起三十日内作出处理决定，检验、鉴定时间不计在内。

（七）消费公益诉讼

修正案草案第十九条增加规定：对侵害众多消费者合法权益的行为，中消协以及在省、自治区、直辖市设立的消费者协会，可以向人民法院提起诉讼。关于提起公益诉讼的主体，有的地方建议降低消协层级设置；一些地方、部门和单位建议扩大到“设区的市级以上设立的消费者协会”、“县级以上的消费者协会”、“各级消费者协会”、“依法成立的消费者组织”、“其他依法设立的代表消费者权益的公益性组织、社会团体”。一些地方建议在“侵害众多消费者合法权益”后增加“损害社会公共利益”。有的地方建议将“可以向人民法院提起诉讼”修改为“可以依法向人民法院提起诉讼”。

有的地方建议增加公益诉讼的具体规定，如管辖法院、免受诉讼费、建立诉讼支持金，规定拒不执行法院判决的被诉方责任等。有的地方建议增加规定：诉讼所获得的赔偿金等收入，应全部用于支付权利受损的消费者，并设立专门账户，向社会公众公布全部款项的去向。消费者协会提起诉讼不影响消费者对经营者提起诉讼的权利，法院不得以已经受理消费者协会提起的诉讼为由拒绝受理消费者单独提起的民事诉讼。消费者从消费者协会获得赔偿后，认为所获赔偿不足以弥补其损害的，仍可依法向人民法院提起诉讼。

八、关于法律责任

（一）人身伤害赔偿责任

修正案草案第二十条将消费者权益保护法第四十一条、第四十二条合并为一条，修改为：经营者提供商品或者服务，造成消费者或者其他受害人人身伤害的，应当赔偿医疗费、护理费、交通费等为治疗和康复支出的合理费用，以及因误工减少的收入。造成残疾的，还应当赔偿残疾生活辅助具费和残疾赔偿金。造成死亡的，还应当赔偿丧葬费和死亡赔偿金。构成犯罪的，依法追究刑事责任。有的地方建议增加赔偿“伙食补助费、营养费”，有的地方建议增加“律师费”。一些地方、部门和单位建议保留原条文规定：造成残疾或者死亡的，还要赔偿被扶养人生活费。有的地方建议规定：赔偿损失的范围和标准，按照民法通则、侵权责任法等法律、法规的规定由人民法院依法确定。

（二）侵害人格权的民事责任

修正案草案二十一条对消费者权益保护法第四十三条作了修改，规定：经营者侵害消费者的人格尊严、侵犯消费者人身自由或者侵害消费者姓名权、肖像权、隐私权等个人信息得到保护的权利的，应当停止侵害、恢复名誉、消除影响、赔礼道歉，并赔偿损失。一些地方和单位建议将“姓名权、肖像权、隐私权”修改为“姓名、肖像、隐私”。有的地方建议增加列举“身份证号码、电话号码、手机号码、家庭住址”。有的单位建议将“个人信息得到保护的权利”修改为“保护个人信息的权利”，有的单位建议修改为“保护人格利益的相关权利”，有的地方建议修改为“姓名、肖像等能够识别消费者身份和涉及消费者隐私的个人信息得到保护的权利”。

（三）精神损害赔偿

修正案草案第二十二条增加规定：经营者有侮辱诽谤、限制人身自由等侵害消费者或者其他受害人人身权益的行为，造成严重精神损害的，受害人可以要求精神损害赔偿。有的地方建议明确精神损害赔偿的赔偿标准。一些地方和单位建议删去“严重”。有的地方建议增加“造成人身损害”的行为；一些地方建议增加“搜查消费者身体”的行为；有的地方建议增加毁损“消费者具有象征意义的特定纪念物品”的行为。

（四）预收款交易

消费者权益保护法第四十七条规定，经营者以预收款方式提供商品或者服务的，应当按照约定提供。未按照约定提供的，应当按照消费者的要求履行约定或者退回预付款；并应当承担预付款的利息、消费者必须支付的合理费用。有的地方建议细化明确“消费者必须支付的合理费用”的具体范围。有的部门建议增加规定：经营者以预收款方式提供商品或者服务，收取消费者的预收款数额较大的，应当将预收款存入银行的专用账户，保证预收款不得挪用。预收款独立于经营者其他财产，非因由经营者提供商品或服务产生与消费者的债务纠纷,不得冻结或划拨。有的地方提出,除了存入专用账户,还要通过经营者缴纳相应保证金等方式保证消费者的合法权益。一些地方和单位建议将本条修改为:经营者向消费者收取预收款的,应当根据有关规定通过交纳保证金、提供担保或者对预收款实行托管等方式,保证预收款的安全,并不得挪用。

有的地方建议增加规定:经营者在提供对应的商品或者服务前,预付款归消费者所有,经营者不得随意处置;消费者要求提前解约的,应按规定或约定扣除违约费用后退还给消费者。一些地方和单位建议增加规定:经营者以预收款方式销售商品或者提供服务,应当按照约定期限保质、保量地向消费者提供;未按照约定提供的,经营者应当按照消费者的要求履行约定或者退回预收款及其利息,并承担消费者支付的其他合理费用;经营者以预收款方式销售商品或者提供服务,不得设定未消费部分逾期余额不退或者过期作废等限制。

(五)惩罚性赔偿

修正案草案第二十五条对消费者权益保护法第四十九作了修改,第一款规定:经营者提供商品或者服务有欺诈行为的,应当按照消费者的要求增加赔偿其受到的损失,增加赔偿的金额为消费者购买商品的价款或者接受服务费用的两倍;增加赔偿的金额不足五百元的,为五百元。法律另有规定的,依照其规定。第二款规定:经营者有明知商品或者服务存在缺陷,仍然向消费者提供的欺诈行为,造成消费者或者其他受害人死亡或者健康严重损害的,依法追究刑事责任;受害人有权要求所受损失两倍以下的民事赔偿。

有的地方建议将第一款中的"损失"明确为财产损失,第二款中的"损失"明确为人身损害或者损失。有的地方建议将第一款中的"两倍"修改为"三倍",有的地方建议修改为"五倍",一些地方建议修改为"二至十倍"。有的地方建议将赔偿标准规定为实际损失的二至三倍或者消费价款的三至十倍，由消费者选取对自己有利的标准赔偿，并规定经营者明示承诺高于法律法规标准提供赔偿的，依其承诺标准赔偿。一些地方建议将第一款中“五百元”增加为“一千元”，有的地方建议增加为“二千元”，有的单位建议增加为“五千元”。有的地方建议将“增加赔偿的金额不足五百元的，为五百元”修改为“增加赔偿的金额不足本地区上年度人均月收入的一倍的，按本地区上年度人均月收入的一倍计算”。有的部门建议适当调低最低赔偿金额。有的单位和部门建议删除“增加赔偿的金额不足五百元的，为五百元”的规定。有的地方建议增加规定，经营者提供同一商品或者提供服务的欺诈行为两次以上的（含两次），增加赔偿的最高金额为消费者购买商品的价款或者接受服务的费用的十倍，最低赔偿金额为五百元。

有的单位建议将第二款中“明知”修改为“知道或者应当知道”。有的地方和单位建议将第二款修改为：经营者实施欺诈行为造成消费者或者其他受害人死亡或者健康严重损害的，依法追究刑事责任；受害人及其近亲属有权要求所受损失两倍以下的民事赔偿。有的地方建议将第二款中“两倍”修改为“两倍以上五倍以下”，有的地方建议修改为“五倍”，有的地方建议修改为“相应的”。

有的地方、部门和单位建议增加一款规定：销售者、服务者有证据证明因商品和服务提供者原因导致对消费者有欺诈行为的，不能提供欺诈责任主体的，承担全部民事责任；能够提供欺诈责任主体，但该责任主体无力承担因欺诈行为所应承担的民事赔偿的，销售者、服务者应当承担连带责任。有的地方建议增加规定：有关行政部门应当对有欺诈行为的经营者予以通报。一些地方和单位建议增加规定：消费者明知经营者提供商品或者服务有欺诈行为，或者经营者如事前已告知消费者商品或者服务有缺陷的，消费者仍然接受商品或者服务的，经营者应该免责。有的地方建议增加规定“消费者获得赔偿数额应当包括其为维护合法权益所支出的合理开支”。

(六)经营者的行政责任

修正案草案第二十六条对消费者权益保护法第五十条作了修改,规定了侵害消费者权益的行政责任。有的部门提出,需统筹考虑本条与产品质量法、反不正当竞争法等法律竞合的问题。一些地方、单位和部门建议增加规定有关经营者利用格式条款、预收款消费侵害消费者利益、不履行“三包”义务等行为的行政责任。

有的地方建议在第二项“以次充好”后增加“商品数量不足”。有的部门建议将第六项中“虚假或者引人误解的宣传”修改为“虚假宣传”。有的单位建议将第七项修改为“拒绝或拖延执行已生效的停止生产、停止销售、警示、召回等消除危险措施决定的”。有的地方建议将第八项中的“故意拖延或者无理拒绝的”修改为“未在规定或者约定期限内履行或者拒绝的”;有的地方建议在“无理拒绝”后,增加规定“自消费者提出合法诉求之日起十五日未予以处理的”。有的单位建议将第九项中“个人信息得到保护的权利”修改为“保护人格利益的相关权利”;一些地方建议将“姓名权、肖像权、隐私权”修改为“姓名、肖像、隐私”。

(七)国家机关工作人员的法律责任

消费者权益保护法第五十三条规定:国家机关工作人员玩忽职守或者包庇经营者侵害消费者合法权益的行为的,由其所在单位或者上级机关给予行政处分;情节严重,构成犯罪的,依法追究刑事责任。有的地方建议在“国家机关”后增加“和消费者组织”。有的地方建议在“国家机关工作人员”后增加“以变相牟利为目的,强制或指令性地在所属业务管理范围内为经营者推销商品和服务,或监督管理不力”。

九、其他

有的单位建议将农业技术服务纳入本法调整范围。一些地方建议增加对知假买假行为作出处理的规定。有的部门和地方建议在附则对“经营场所”、“耐用商品”、“瑕疵”、“大件商品”、“不宜退货”等进行界定。

《中华人民共和国消费者权益保护法》修改前后对照表

（条文中黑体部分为修改的内容）

修改前	现行法
第一章　总　　则	**第一章　总　　则**
第一条　为保护消费者的合法权益，维护社会经济秩序，促进社会主义市场经济健康发展，制定本法。	**第一条**　为保护消费者的合法权益，维护社会经济秩序，促进社会主义市场经济健康发展，制定本法。
第二条　消费者为生活消费需要购买、使用商品或者接受服务，其权益受本法保护；本法未作规定的，受其他有关法律、法规保护。	**第二条**　消费者为生活消费需要购买、使用商品或者接受服务，其权益受本法保护；本法未作规定的，受其他有关法律、法规保护。
第三条　经营者为消费者提供其生产、销售的商品或者提供服务，应当遵守本法；本法未作规定的，应当遵守其他有关法律、法规。	**第三条**　经营者为消费者提供其生产、销售的商品或者提供服务，应当遵守本法；本法未作规定的，应当遵守其他有关法律、法规。
第四条　经营者与消费者进行交易，应当遵循自愿、平等、公平、诚实信用的原则。	**第四条**　经营者与消费者进行交易，应当遵循自愿、平等、公平、诚实信用的原则。

续表

修 改 前	现 行 法
第五条　国家保护消费者的合法权益不受侵害。 国家采取措施，保障消费者依法行使权利，维护消费者的合法权益。	**第五条**　国家保护消费者的合法权益不受侵害。 国家采取措施，保障消费者依法行使权利，维护消费者的合法权益。 **国家倡导文明、健康、节约资源和保护环境的消费方式，反对浪费。**
第六条　保护消费者的合法权益是全社会的共同责任。 国家鼓励、支持一切组织和个人对损害消费者合法权益的行为进行社会监督。 大众传播媒介应当做好维护消费者合法权益的宣传，对损害消费者合法权益的行为进行舆论监督。	**第六条**　保护消费者的合法权益是全社会的共同责任。 国家鼓励、支持一切组织和个人对损害消费者合法权益的行为进行社会监督。 大众传播媒介应当做好维护消费者合法权益的宣传，对损害消费者合法权益的行为进行舆论监督。
第二章　消费者的权利	**第二章　消费者的权利**
第七条　消费者在购买、使用商品和接受服务时享有人身、财产安全不受损害的权利。 消费者有权要求经营者提供的商品和服务，符合保障人身、财产安全的要求。	**第七条**　消费者在购买、使用商品和接受服务时享有人身、财产安全不受损害的权利。 消费者有权要求经营者提供的商品和服务，符合保障人身、财产安全的要求。

续表

修改前	现行法
第八条 消费者享有知悉其购买、使用的商品或者接受的服务的真实情况的权利。 消费者有权根据商品或者服务的不同情况，要求经营者提供商品的价格、产地、生产者、用途、性能、规格、等级、主要成份、生产日期、有效期限、检验合格证明、使用方法说明书、售后服务，或者服务的内容、规格、费用等有关情况。	**第八条** 消费者享有知悉其购买、使用的商品或者接受的服务的真实情况的权利。 消费者有权根据商品或者服务的不同情况，要求经营者提供商品的价格、产地、生产者、用途、性能、规格、等级、主要成份、生产日期、有效期限、检验合格证明、使用方法说明书、售后服务，或者服务的内容、规格、费用等有关情况。
第九条 消费者享有自主选择商品或者服务的权利。 消费者有权自主选择提供商品或者服务的经营者，自主选择商品品种或者服务方式，自主决定购买或者不购买任何一种商品、接受或者不接受任何一项服务。 消费者在自主选择商品或者服务时，有权进行比较、鉴别和挑选。	**第九条** 消费者享有自主选择商品或者服务的权利。 消费者有权自主选择提供商品或者服务的经营者，自主选择商品品种或者服务方式，自主决定购买或者不购买任何一种商品、接受或者不接受任何一项服务。 消费者在自主选择商品或者服务时，有权进行比较、鉴别和挑选。
第十条 消费者享有公平交易的权利。 消费者在购买商品或者接受服务时，有权获得质量保障、价格合理、计量正确等公平交易条件，有权拒绝经营者的强制交易行为。	**第十条** 消费者享有公平交易的权利。 消费者在购买商品或者接受服务时，有权获得质量保障、价格合理、计量正确等公平交易条件，有权拒绝经营者的强制交易行为。
第十一条 消费者因购买、使用商品或者接受服务受到人身、财产损害的，享有依法获得赔偿的权利。	**第十一条** 消费者因购买、使用商品或者接受服务受到人身、财产损害的，享有依法获得赔偿的权利。

续表

修改前	现行法
第十二条　消费者享有依法成立维护自身合法权益的社会团体的权利。	**第十二条**　消费者享有依法成立维护自身合法权益的社会**组织**的权利。
第十三条　消费者享有获得有关消费和消费者权益保护方面的知识的权利。 消费者应当努力掌握所需商品或者服务的知识和使用技能，正确使用商品，提高自我保护意识。	**第十三条**　消费者享有获得有关消费和消费者权益保护方面的知识的权利。 消费者应当努力掌握所需商品或者服务的知识和使用技能，正确使用商品，提高自我保护意识。
第十四条　消费者在购买、使用商品和接受服务时，享有其人格尊严、民族风俗习惯得到尊重的权利。	**第十四条**　消费者在购买、使用商品和接受服务时，享有人格尊严、民族风俗习惯得到尊重的权利**，享有个人信息依法得到保护的权利**。
第十五条　消费者享有对商品和服务以及保护消费者权益工作进行监督的权利。 消费者有权检举、控告侵害消费者权益的行为和国家机关及其工作人员在保护消费者权益工作中的违法失职行为，有权对保护消费者权益工作提出批评、建议。	**第十五条**　消费者享有对商品和服务以及保护消费者权益工作进行监督的权利。 消费者有权检举、控告侵害消费者权益的行为和国家机关及其工作人员在保护消费者权益工作中的违法失职行为，有权对保护消费者权益工作提出批评、建议。
第三章　经营者的义务	**第三章　经营者的义务**
第十六条　经营者向消费者提供商品或者服务，应当依照《中华人民共和国产品质量法》和其他有关法律、法规的规定履行义务。 经营者和消费者有约定的，应当按照约定履行义务，但双方的约	**第十六条**　经营者向消费者提供商品或者服务，应当依照**本法**和其他有关法律、法规的规定履行义务。 经营者和消费者有约定的，应当按照约定履行义务，但双方的约

续表

修改前	现行法
定不得违背法律、法规的规定。	定不得违背法律、法规的规定。 **经营者向消费者提供商品或者服务，应当恪守社会公德，诚信经营，保障消费者的合法权益；不得设定不公平、不合理的交易条件，不得强制交易。**
第十七条 经营者应当听取消费者对其提供的商品或者服务的意见，接受消费者的监督。	**第十七条** 经营者应当听取消费者对其提供的商品或者服务的意见，接受消费者的监督。
第十八条 经营者应当保证其提供的商品或者服务符合保障人身、财产安全的要求。对可能危及人身、财产安全的商品和服务，应当向消费者作出真实的说明和明确的警示，并说明和标明正确使用商品或者接受服务的方法以及防止危害发生的方法。 经营者发现其提供的商品或者服务存在严重缺陷，即使正确使用商品或者接受服务仍然可能对人身、财产安全造成危害的，应当立即向有关行政部门报告和告知消费者，并采取防止危害发生的措施。	**第十八条** 经营者应当保证其提供的商品或者服务符合保障人身、财产安全的要求。对可能危及人身、财产安全的商品和服务，应当向消费者作出真实的说明和明确的警示，并说明和标明正确使用商品或者接受服务的方法以及防止危害发生的方法。 **宾馆、商场、餐馆、银行、机场、车站、港口、影剧院等经营场所的经营者，应当对消费者尽到安全保障义务。** **第十九条** 经营者发现其提供的商品或者服务存在缺陷，**有危及**人身、财产安全**危险**的，应当立即向有关行政部门报告和告知消费者，并采取**停止销售、警示、召回、无害化处理、销毁、停止生产或者服务等**措施。**采取召回措施的，经营者应当承担消费者因商品被召回支出的必要费用。**

续表

修 改 前	现 行 法
第十九条 经营者应当向消费者提供有关商品或者服务的真实信息,不得作引人误解的虚假宣传。 经营者对消费者就其提供的商品或者服务的质量和使用方法等问题提出的询问,应当作出真实、明确的答复。 商店提供商品应当明码标价。	**第二十条** 经营者向消费者提供有关商品或者服务的**质量、性能、用途、有效期限等信息,应当**真实、**全面**,不得作**虚假或者**引人误解的宣传。 经营者对消费者就其提供的商品或者服务的质量和使用方法等问题提出的询问,应当作出真实、明确的答复。 **经营者**提供商品**或者服务**应当明码标价。
第二十条 经营者应当标明其真实名称和标记。 租赁他人柜台或者场地的经营者,应当标明其真实名称和标记。	**第二十一条** 经营者应当标明其真实名称和标记。 租赁他人柜台或者场地的经营者,应当标明其真实名称和标记。
第二十一条 经营者提供商品或者服务,应当按照国家有关规定或者商业惯例向消费者出具购货凭证或者服务单据;消费者索要购货凭证或者服务单据的,经营者必须出具。	**第二十二条** 经营者提供商品或者服务,应当按照国家有关规定或者商业惯例向消费者出具**发票等**购货凭证或者服务单据;消费者索要**发票等**购货凭证或者服务单据的,经营者必须出具。
第二十二条 经营者应当保证在正常使用商品或者接受服务的情况下其提供的商品或者服务应当具有的质量、性能、用途和有效期限;但消费者在购买该商品或者接受该服务前已经知道其存在瑕疵的除外。 经营者以广告、产品说明、实	**第二十三条** 经营者应当保证在正常使用商品或者接受服务的情况下其提供的商品或者服务应当具有的质量、性能、用途和有效期限;但消费者在购买该商品或者接受该服务前已经知道其存在瑕疵,**且存在该瑕疵不违反法律强制性规定**的除外。

续表

修 改 前	现 行 法
物样品或者其他方式表明商品或者服务的质量状况的，应当保证其提供的商品或者服务的实际质量与表明的质量状况相符。	经营者以广告、产品说明、实物样品或者其他方式表明商品或者服务的质量状况的，应当保证其提供的商品或者服务的实际质量与表明的质量状况相符。 **经营者提供的机动车、计算机、电视机、电冰箱、空调器、洗衣机等耐用商品或者装饰装修等服务，消费者自接受商品或者服务之日起六个月内发现瑕疵，发生争议的，由经营者承担有关瑕疵的举证责任。**
第二十三条 经营者提供商品或者服务，按照国家规定或者与消费者的约定，承担包修、包换、包退或者其他责任的，应当按照国家规定或者约定履行，不得故意拖延或者无理拒绝。	**第二十四条** 经营者提供的商品或者服务**不符合质量要求的，消费者可以依照国家规定、当事人约定退货，或者要求经营者履行更换、修理等义务。没有国家规定和当事人约定的，消费者可以自收到商品之日起七日内退货；七日后符合法定解除合同条件的，消费者可以及时退货，不符合法定解除合同条件的，可以要求经营者履行更换、修理等义务。** **依照前款规定进行退货、更换、修理的**，经营者应当承担运输等**必要**费用。

续表

修 改 前	现 行 法
	第二十五条　经营者采用网络、电视、电话、邮购等方式销售商品，消费者有权自收到商品之日起七日内退货，且无需说明理由，但下列商品除外： （一）消费者定作的； （二）鲜活易腐的； （三）在线下载或者消费者拆封的音像制品、计算机软件等数字化商品； （四）交付的报纸、期刊。 除前款所列商品外，其他根据商品性质并经消费者在购买时确认不宜退货的商品，不适用无理由退货。 消费者退货的商品应当完好。经营者应当自收到退回商品之日起七日内返还消费者支付的商品价款。退回商品的运费由消费者承担；经营者和消费者另有约定的，按照约定。
第二十四条　经营者不得以格式合同、通知、声明、店堂告示等方式作出对消费者不公平、不合理的规定，或者减轻、免除其损害消费者合法权益应当承担的民事责任。 格式合同、通知、声明、店堂告示等含有前款所列内容的，其内容无效。	第二十六条　经营者在经营活动中使用格式条款的，应当以显著方式提请消费者注意商品或者服务的数量和质量、价款或者费用、履行期限和方式、安全注意事项和风险警示、售后服务、民事责任等与消费者有重大利害关系的内容，并按照消费者的要求予以说明。 经营者不得以格式条款、通知、声明、店堂告示等方式，作出排

续表

修改前	现行法
	除或者限制消费者权利、减轻或者免除经营者责任、加重消费者责任等对消费者不公平、不合理的规定，**不得利用格式条款并借助技术手段强制交易**。 格式**条款**、通知、声明、店堂告示等含有前款所列内容的，其内容无效。
第二十五条 经营者不得对消费者进行侮辱、诽谤，不得搜查消费者的身体及其携带的物品，不得侵犯消费者的人身自由。	**第二十七条** 经营者不得对消费者进行侮辱、诽谤，不得搜查消费者的身体及其携带的物品，不得侵犯消费者的人身自由。
	第二十八条 采用网络、电视、电话、邮购等方式提供商品或者服务的经营者，以及提供证券、保险、银行等金融服务的经营者，应当向消费者提供经营地址、联系方式、商品或者服务的数量和质量、价款或者费用、履行期限和方式、安全注意事项和风险警示、售后服务、民事责任等信息。
	第二十九条 经营者收集、使用消费者个人信息，应当遵循合法、正当、必要的原则，明示收集、使用信息的目的、方式和范围，并经消费者同意。经营者收集、使用消费者个人信息，应当公开其收集、使用规则，不得违反法律、法规的规定和双方的约定收集、使用信息。

续表

修 改 前	现 行 法
	经营者及其工作人员对收集的消费者个人信息必须严格保密，不得泄露、出售或者非法向他人提供。经营者应当采取技术措施和其他必要措施，确保信息安全，防止消费者个人信息泄露、丢失。在发生或者可能发生信息泄露、丢失的情况时，应当立即采取补救措施。 **经营者未经消费者同意或者请求，或者消费者明确表示拒绝的，不得向其发送商业性信息。**
第四章 国家对消费者合法权益的保护	**第四章 国家对消费者合法权益的保护**
第二十六条 国家制定有关消费者权益的法律、法规和政策时，应当听取消费者的意见和要求。	**第三十条** 国家制定有关消费者权益的法律、法规、**规章和强制性标准**，应当听取消费者**和消费者协会等组织**的意见。
第二十七条 各级人民政府应当加强领导，组织、协调、督促有关行政部门做好保护消费者合法权益的工作。 各级人民政府应当加强监督，预防危害消费者人身、财产安全行为的发生，及时制止危害消费者人身、财产安全的行为。	**第三十一条** 各级人民政府应当加强领导，组织、协调、督促有关行政部门做好保护消费者合法权益的工作，**落实保护消费者合法权益的职责**。 各级人民政府应当加强监督，预防危害消费者人身、财产安全行为的发生，及时制止危害消费者人身、财产安全的行为。

续表

修改前	现行法
第二十八条 各级人民政府工商行政管理部门和其他有关行政部门应当依照法律、法规的规定,在各自的职责范围内,采取措施,保护消费者的合法权益。 有关行政部门应当听取消费者及其社会团体对经营者交易行为、商品和服务质量问题的意见,及时调查处理。	**第三十二条** 各级人民政府工商行政管理部门和其他有关行政部门应当依照法律、法规的规定,在各自的职责范围内,采取措施,保护消费者的合法权益。 有关行政部门应当听取消费者**和消费者协会等组织**对经营者交易行为、商品和服务质量问题的意见,及时调查处理。
	第三十三条 有关行政部门在各自的职责范围内,应当定期或者不定期对经营者提供的商品和服务进行抽查检验,并及时向社会公布抽查检验结果。 **有关行政部门发现并认定经营者提供的商品或者服务存在缺陷,有危及人身、财产安全危险的,应当立即责令经营者采取停止销售、警示、召回、无害化处理、销毁、停止生产或者服务等措施。**
第二十九条 有关国家机关应当依照法律、法规的规定,惩处经营者在提供商品和服务中侵害消费者合法权益的违法犯罪行为。	**第三十四条** 有关国家机关应当依照法律、法规的规定,惩处经营者在提供商品和服务中侵害消费者合法权益的违法犯罪行为。
第三十条 人民法院应当采取措施,方便消费者提起诉讼。对符合《中华人民共和国民事诉讼法》起诉条件的消费者权益争议,必须受理,及时审理。	**第三十五条** 人民法院应当采取措施,方便消费者提起诉讼。对符合《中华人民共和国民事诉讼法》起诉条件的消费者权益争议,必须受理,及时审理。

续表

修 改 前	现 行 法
第五章　消费者组织	**第五章　消费者组织**
第三十一条　消费者协会和其他消费者组织是依法成立的对商品和服务进行社会监督的保护消费者合法权益的社会团体。	**第三十六条**　消费者协会和其他消费者组织是依法成立的对商品和服务进行社会监督的保护消费者合法权益的社会**组织**。
第三十二条　消费者协会履行下列职能： （一）向消费者提供消费信息和咨询服务； （二）参与有关行政部门对商品和服务的监督、检查； （三）就有关消费者合法权益的问题，向有关行政部门反映、查询，提出建议； （四）受理消费者的投诉，并对投诉事项进行调查、调解； （五）投诉事项涉及商品和服务质量问题的，可以提请鉴定部门鉴定，鉴定部门应当告知鉴定结论； （六）就损害消费者合法权益的行为，支持受损害的消费者提起诉讼； （七）对损害消费者合法权益的行为，通过大众传播媒介予以揭露、批评。 各级人民政府对消费者协会履行职能应当予以支持。	**第三十七条**　消费者协会履行下列**公益性**职**责**： （一）向消费者提供消费信息和咨询服务，**提高消费者维护自身合法权益的能力，引导文明、健康、节约资源和保护环境的消费方式；** （二）**参与制定有关消费者权益的法律、法规、规章和强制性标准；** （三）参与有关行政部门对商品和服务的监督、检查； （**四**）就有关消费者合法权益的问题，向有关部门反映、查询，提出建议； （**五**）受理消费者的投诉，并对投诉事项进行调查、调解； （**六**）投诉事项涉及商品和服务质量问题的，可以**委托具备资格的鉴定人**鉴定，鉴定**人**应当告知鉴定**意见**； （**七**）就损害消费者合法权益的行为，支持受损害的消费者提起诉讼**或者依照本法提起诉讼**； （**八**）对损害消费者合法权益的行为，通过大众传播媒介予以揭露、批评。

续表

修改前	现行法
	各级人民政府对消费者协会履行职责应当予以**必要的经费等**支持。 **消费者协会应当认真履行保护消费者合法权益的职责，听取消费者的意见和建议，接受社会监督。** **依法成立的其他消费者组织依照法律、法规及其章程的规定，开展保护消费者合法权益的活动。**
第三十三条 消费者组织不得从事商品经营和营利性服务，不得以牟利为目的向社会推荐商品和服务。	**第三十八条** 消费者组织不得从事商品经营和营利性服务，不得以**收取费用或者其他牟取利益的方式**向**消费者**推荐商品和服务。
第六章 争议的解决	**第六章 争议的解决**
第三十四条 消费者和经营者发生消费者权益争议的，可以通过下列途径解决： （一）与经营者协商和解； （二）请求消费者协会调解； （三）向有关行政部门申诉； （四）根据与经营者达成的仲裁协议提请仲裁机构仲裁； （五）向人民法院提起诉讼。	**第三十九条** 消费者和经营者发生消费者权益争议的，可以通过下列途径解决： （一）与经营者协商和解； （二）请求消费者协会**或者依法成立的其他调解组织**调解； （三）向有关行政部门**投**诉； （四）根据与经营者达成的仲裁协议提请仲裁机构仲裁； （五）向人民法院提起诉讼。

续表

修改前	现行法
第三十五条　消费者在购买、使用商品时,其合法权益受到损害的,可以向销售者要求赔偿。销售者赔偿后,属于生产者的责任或者属于向销售者提供商品的其他销售者的责任的,销售者有权向生产者或者其他销售者追偿。 消费者或者其他受害人因商品缺陷造成人身、财产损害的,可以向销售者要求赔偿,也可以向生产者要求赔偿。属于生产者责任的,销售者赔偿后,有权向生产者追偿。属于销售者责任的,生产者赔偿后,有权向销售者追偿。 消费者在接受服务时,其合法权益受到损害的,可以向服务者要求赔偿。	**第四十条**　消费者在购买、使用商品时,其合法权益受到损害的,可以向销售者要求赔偿。销售者赔偿后,属于生产者的责任或者属于向销售者提供商品的其他销售者的责任的,销售者有权向生产者或者其他销售者追偿。 消费者或者其他受害人因商品缺陷造成人身、财产损害的,可以向销售者要求赔偿,也可以向生产者要求赔偿。属于生产者责任的,销售者赔偿后,有权向生产者追偿。属于销售者责任的,生产者赔偿后,有权向销售者追偿。 消费者在接受服务时,其合法权益受到损害的,可以向服务者要求赔偿。
第三十六条　消费者在购买、使用商品或者接受服务时,其合法权益受到损害,因原企业分立、合并的,可以向变更后承受其权利义务的企业要求赔偿。	**第四十一条**　消费者在购买、使用商品或者接受服务时,其合法权益受到损害,因原企业分立、合并的,可以向变更后承受其权利义务的企业要求赔偿。
第三十七条　使用他人营业执照的违法经营者提供商品或者服务,损害消费者合法权益的,消费者可以向其要求赔偿,也可以向营业执照的持有人要求赔偿。	**第四十二条**　使用他人营业执照的违法经营者提供商品或者服务,损害消费者合法权益的,消费者可以向其要求赔偿,也可以向营业执照的持有人要求赔偿。

续表

修 改 前	现 行 法
第三十八条 消费者在展销会、租赁柜台购买商品或者接受服务,其合法权益受到损害的,可以向销售者或者服务者要求赔偿。展销会结束或者柜台租赁期满后,也可以向展销会的举办者、柜台的出租者要求赔偿。展销会的举办者、柜台的出租者赔偿后,有权向销售者或者服务者追偿。	**第四十三条** 消费者在展销会、租赁柜台购买商品或者接受服务,其合法权益受到损害的,可以向销售者或者服务者要求赔偿。展销会结束或者柜台租赁期满后,也可以向展销会的举办者、柜台的出租者要求赔偿。展销会的举办者、柜台的出租者赔偿后,有权向销售者或者服务者追偿。
	第四十四条 消费者通过网络交易平台购买商品或者接受服务,其合法权益受到损害的,可以向销售者或者服务者要求赔偿。网络交易平台提供者不能提供销售者或者服务者的真实名称、地址和有效联系方式的,消费者也可以向网络交易平台提供者要求赔偿;网络交易平台提供者作出更有利于消费者的承诺的,应当履行承诺。网络交易平台提供者赔偿后,有权向销售者或者服务者追偿。 **网络交易平台提供者明知或者应知销售者或者服务者利用其平台侵害消费者合法权益,未采取必要措施的,依法与该销售者或者服务者承担连带责任。**

续表

修改前	现行法
第三十九条 消费者因经营者利用虚假广告提供商品或者服务，其合法权益受到损害的，可以向经营者要求赔偿。广告的经营者发布虚假广告的，消费者可以请求行政主管部门予以惩处。广告的经营者不能提供经营者的真实名称、地址的，应当承担赔偿责任。	**第四十五条** 消费者因经营者利用虚假广告**或者其他虚假宣传方式**提供商品或者服务，其合法权益受到损害的，可以向经营者要求赔偿。广告经营者**、发布者**发布虚假广告的，消费者可以请求行政主管部门予以惩处。广告经营者、**发布者**不能提供经营者的真实名称、地址**和有效联系方式**的，应当承担赔偿责任。 **广告经营者、发布者设计、制作、发布关系消费者生命健康商品或者服务的虚假广告，造成消费者损害的，应当与提供该商品或者服务的经营者承担连带责任。** **社会团体或者其他组织、个人在关系消费者生命健康商品或者服务的虚假广告或者其他虚假宣传中向消费者推荐商品或者服务，造成消费者损害的，应当与提供该商品或者服务的经营者承担连带责任。**
	第四十六条 消费者向有关行政部门投诉的，该部门应当自收到投诉之日起七个工作日内，予以处理并告知消费者。
	第四十七条 对侵害众多消费者合法权益的行为，中国消费者协会以及在省、自治区、直辖市设立的消费者协会，可以向人民法院提起诉讼。

续表

修改前	现行法
第七章　法律责任	**第七章　法律责任**
第四十条　经营者提供商品或者服务有下列情形之一的,除本法另有规定外,应当依照《中华人民共和国产品质量法》和其他有关法律、法规的规定,承担民事责任: (一)商品存在缺陷的; (二)不具备商品应当具备的使用性能而出售时未作说明的; (三)不符合在商品或者其包装上注明采用的商品标准的; (四)不符合商品说明、实物样品等方式表明的质量状况的; (五)生产国家明令淘汰的商品或者销售失效、变质的商品的; (六)销售的商品数量不足的; (七)服务的内容和费用违反约定的; (八)对消费者提出的修理、重作、更换、退货、补足商品数量、退还货款和服务费用或者赔偿损失的要求,故意拖延或者无理拒绝的; (九)法律、法规规定的其他损害消费者权益的情形。	**第四十八条**　经营者提供商品或者服务有下列情形之一的,除本法另有规定外,应当依照其他有关法律、法规的规定,承担民事责任: (一)商品**或者服务**存在缺陷的; (二)不具备商品应当具备的使用性能而出售时未作说明的; (三)不符合在商品或者其包装上注明采用的商品标准的; (四)不符合商品说明、实物样品等方式表明的质量状况的; (五)生产国家明令淘汰的商品或者销售失效、变质的商品的; (六)销售的商品数量不足的; (七)服务的内容和费用违反约定的; (八)对消费者提出的修理、重作、更换、退货、补足商品数量、退还货款和服务费用或者赔偿损失的要求,故意拖延或者无理拒绝的; (九)法律、法规规定的其他损害消费者权益的情形。 **经营者对消费者未尽到安全保障义务,造成消费者损害的,应当承担侵权责任。**

续表

修 改 前	现 行 法
第四十一条　经营者提供商品或者服务，造成消费者或者其他受害人人身伤害的，应当支付医疗费、治疗期间的护理费、因误工减少的收入等费用，造成残疾的，还应当支付残疾者生活自助具费、生活补助费、残疾赔偿金以及由其扶养的人所必需的生活费等费用；构成犯罪的，依法追究刑事责任。 **第四十二条**　经营者提供商品或者服务，造成消费者或者其他受害人死亡的，应当支付丧葬费、死亡赔偿金以及由死者生前扶养的人所必需的生活费等费用；构成犯罪的，依法追究刑事责任。	**第四十九条**　经营者提供商品或者服务，造成消费者或者其他受害人人身伤害的，应当**赔偿医疗费、护理费、交通费等为治疗和康复支出的合理费用，以及因误工减少的收入。造成残疾的，还应当赔偿残疾生活辅助具费和残疾赔偿金。造成死亡的，还应当赔偿丧葬费和死亡赔偿金。**
第四十三条　经营者违反本法第二十五条规定，侵害消费者的人格尊严或者侵犯消费者人身自由的，应当停止侵害、恢复名誉、消除影响、赔礼道歉，并赔偿损失。	**第五十条**　经营者侵害消费者的人格尊严、侵犯消费者人身自由**或者侵害消费者个人信息依法得到保护的权利**的，应当停止侵害、恢复名誉、消除影响、赔礼道歉，并赔偿损失。
	第五十一条　经营者有侮辱诽谤、搜查身体、侵犯人身自由等侵害消费者或者其他受害人人身权益的行为，造成严重精神损害的，受害人可以要求精神损害赔偿。

续表

修改前	现行法
第四十四条 经营者提供商品或者服务，造成消费者财产损害的，应当按照消费者的要求，以修理、重作、更换、退货、补足商品数量、退还货款和服务费用或者赔偿损失等方式承担民事责任。消费者与经营者另有约定的，按照约定履行。	**第五十二条** 经营者提供商品或者服务，造成消费者财产损害的，应当**依照法律规定或者当事人约定承担**修理、重作、更换、退货、补足商品数量、退还货款和服务费用或者赔偿损失等民事责任。
第四十五条 对国家规定或者经营者与消费者约定包修、包换、包退的商品，经营者应当负责修理、更换或者退货。在保修期内两次修理仍不能正常使用的，经营者应当负责更换或者退货。 对包修、包换、包退的大件商品，消费者要求经营者修理、更换、退货的，经营者应当承担运输等合理费用。 （本条内容移至新条文第二十四条并作修改）	
第四十六条 经营者以邮购方式提供商品的，应当按照约定提供。未按照约定提供的，应当按照消费者的要求履行约定或者退回货款；并应当承担消费者必须支付的合理费用。	

续表

修改前	现行法
第四十七条　经营者以预收款方式提供商品或者服务的,应当按照约定提供。未按照约定提供的,应当按照消费者的要求履行约定或者退回预付款;并应当承担预付款的利息、消费者必须支付的合理费用。	**第五十三条**　经营者以预收款方式提供商品或者服务的,应当按照约定提供。未按照约定提供的,应当按照消费者的要求履行约定或者退回预付款;并应当承担预付款的利息、消费者必须支付的合理费用。
第四十八条　依法经有关行政部门认定为不合格的商品,消费者要求退货的,经营者应当负责退货。	**第五十四条**　依法经有关行政部门认定为不合格的商品,消费者要求退货的,经营者应当负责退货。
第四十九条　经营者提供商品或者服务有欺诈行为的,应当按照消费者的要求增加赔偿其受到的损失,增加赔偿的金额为消费者购买商品的价款或者接受服务的费用的一倍。	**第五十五条**　经营者提供商品或者服务有欺诈行为的,应当按照消费者的要求增加赔偿其受到的损失,增加赔偿的金额为消费者购买商品的价款或者接受服务的费用的三倍;**增加赔偿的金额不足五百元的,为五百元。法律另有规定的,依照其规定。** **经营者明知商品或者服务存在缺陷,仍然向消费者提供,造成消费者或者其他受害人死亡或者健康严重损害的,受害人有权要求经营者依照本法第四十九条、第五十一条等法律规定赔偿损失,并有权要求所受损失二倍以下的惩罚性赔偿。**

续表

修改前	现行法
第五十条 经营者有下列情形之一,《中华人民共和国产品质量法》和其他有关法律、法规对处罚机关和处罚方式有规定的,依照法律、法规的规定执行;法律、法规未作规定的,由工商行政管理部门责令改正,可以根据情节单处或者并处警告、没收违法所得、处以违法所得一倍以上五倍以下的罚款,没有违法所得的,处以一万元以下的罚款;情节严重的,责令停业整顿、吊销营业执照: (一)生产、销售的商品不符合保障人身、财产安全要求的; (二)在商品中掺杂、掺假,以假充真,以次充好,或者以不合格商品冒充合格商品的; (三)生产国家明令淘汰的商品或者销售失效、变质的商品的; (四)伪造商品的产地,伪造或者冒用他人的厂名、厂址,伪造或者冒用认证标志、名优标志等质量标志的; (五)销售的商品应当检验、检疫而未检验、检疫或者伪造检验、检疫结果的; (六)对商品或者服务作引人误解的虚假宣传的; (七)对消费者提出的修理、重作、更换、退货、补足商品数量、退还货款和服务费用或者赔偿损失的要求,故意拖延或者无理拒绝的;	**第五十六条** 经营者有下列情形之一,**除承担相应的民事责任外,**其他有关法律、法规对处罚机关和处罚方式有规定的,依照法律、法规的规定执行;法律、法规未作规定的,由工商行政管理部门**或者其他有关行政部门**责令改正,可以根据情节单处或者并处警告、没收违法所得、处以违法所得一倍以上**十**倍以下的罚款,没有违法所得的,处以**五十万**元以下的罚款;情节严重的,责令停业整顿、吊销营业执照: (一)**提供的商品或者服务**不符合保障人身、财产安全要求的; (二)在商品中掺杂、掺假,以假充真,以次充好,或者以不合格商品冒充合格商品的; (三)生产国家明令淘汰的商品或者销售失效、变质的商品的; (四)伪造商品的产地,伪造或者冒用他人的厂名、厂址,**篡改生产日期,**伪造或者冒用认证标志等质量标志的; (五)销售的商品应当检验、检疫而未检验、检疫或者伪造检验、检疫结果的; (六)对商品或者服务作**虚假或者**引人误解的宣传的; **(七)拒绝或者拖延有关行政部门责令对缺陷商品或者服务采取停止销售、警示、召回、无害化处**

续表

修 改 前	现 行 法
（八）侵害消费者人格尊严或者侵犯消费者人身自由的； （九）法律、法规规定的对损害消费者权益应当予以处罚的其他情形。	理、销毁、停止生产或者服务等措施的； （八）对消费者提出的修理、重作、更换、退货、补足商品数量、退还货款和服务费用或者赔偿损失的要求，故意拖延或者无理拒绝的； （九）侵害消费者人格尊严、侵犯消费者人身自由**或者侵害消费者个人信息依法得到保护的权利**的； （十）法律、法规规定的对损害消费者权益应当予以处罚的其他情形。 **经营者有前款规定情形的，除依照法律、法规规定予以处罚外，处罚机关应当记入信用档案，向社会公布。**
	第五十七条　经营者违反本法规定提供商品或者服务，侵害消费者合法权益，构成犯罪的，依法追究刑事责任。
	第五十八条　经营者违反本法规定，应当承担民事赔偿责任和缴纳罚款、罚金，其财产不足以同时支付的，先承担民事赔偿责任。
第五十一条　经营者对行政处罚决定不服的，可以自收到处罚决定之日起十五日内向上一级机关申请复议，对复议决定不服的，可以自收到复议决定书之日起十五日内向人民法院提起诉讼；也可以直接向人民法院提起诉讼。	**第五十九条**　经营者对行政处罚决定不服的，可以**依法申请行政复议或者提起行政诉讼。**

续表

修 改 前	现 行 法
第五十二条　以暴力、威胁等方法阻碍有关行政部门工作人员依法执行职务的，依法追究刑事责任；拒绝、阻碍有关行政部门工作人员依法执行职务，未使用暴力、威胁方法的，由公安机关依照《中华人民共和国治安管理处罚法》的规定处罚。	**第六十条**　以暴力、威胁等方法阻碍有关行政部门工作人员依法执行职务的，依法追究刑事责任；拒绝、阻碍有关行政部门工作人员依法执行职务，未使用暴力、威胁方法的，由公安机关依照《中华人民共和国治安管理处罚法》的规定处罚。
第五十三条　国家机关工作人员玩忽职守或者包庇经营者侵害消费者合法权益的行为的，由其所在单位或者上级机关给予行政处分；情节严重，构成犯罪的，依法追究刑事责任。	**第六十一条**　国家机关工作人员玩忽职守或者包庇经营者侵害消费者合法权益的行为的，由其所在单位或者上级机关给予行政处分；情节严重，构成犯罪的，依法追究刑事责任。
第八章　附　　则	**第八章　附　　则**
第五十四条　农民购买、使用直接用于农业生产的生产资料，参照本法执行。	**第六十二条**　农民购买、使用直接用于农业生产的生产资料，参照本法执行。
第五十五条　本法自 1994 年 1 月 1 日起施行。	**第六十三条**　本法自 1994 年 1 月 1 日起施行。

后　　记

全国人民代表大会常务委员会关于修改《中华人民共和国消费者权益保护法》的决定已经十二届全国人大常委会第五次会议于 2013 年 10 月 25 日通过，自 2014 年 3 月 15 日起施行。

消费者权益保护法是保护广大消费者权益的重要法律。为了更好地宣传消费者权益保护法，使社会各界对消费者权益保护法特别是这次修改内容有全面、准确的了解，保证消费者权益保护法的顺利实施，全国人大常委会法制工作委员会民法室的同志编写了这本《中华人民共和国消费者权益保护法释义》。本书对《消费者权益保护法》进行了逐条释义，对修改的内容作了重点阐述，力求简明扼要、通俗易懂，便于准确把握立法原意。本书由全国人大常委会法制工作委员会主任、全国人大法律委员会副主任委员李适时主编，参加本书撰写工作的还有贾东明、姚红、扈纪华、杜涛、郝作成、石宏、王瑞娣、李倩、庄晓泳、水淼、孙娜娜、许灿、李恩正、宋江涛等。

作　者

2013 年 10 月 30 日